독해력을 키우는 단계별 · 수준별 맞춤 훈련

초등 국어

일등급 독해력

이 책을 추천합니다.

•• 초등학생에게 국어 독해 공부가 필요한 이유는 분명합니다. 글을 읽고 스스로 독해하는 능력이 부족하면 모든 과목의 학습 능력이 떨어질 수밖에 없습니다. 독해 능력은 무조건 책을 많이 읽는다고 길러지는 것이 아니라, 좋은 글감으로 쓰인 글을 읽고, 여기서 정보를 찾아 논리적으로 이해하는 연습을 반복할 때 길러지는 것입니다.
이 책은 초등학교 교과서에서 뽑은 다양한 글감을 다루고 있어 전 과목 연계 학습이 가능한 교재입니다. 초등학생들이 흥미롭게 읽을 수 있는 재미있는 글로 독해 연습을 시작한다면, 스스로 글을 읽으며 독해력을 크게 향상시킬 수 있을 것입니다.

– 문주호 (청봉초등학교 수석 교사, 〈초등 5 · 6학년 공부법의 모든 것〉 저자)

•• 수업 시간에 집중력이 떨어지는 학생들은 대부분 독해 능력도 부족합니다. 글을 읽고도 자신이 어떤 내용의 글을 읽었는지 정리해서 말하지 못하죠. 이렇게 독해 능력이 떨어지면 수업을 따라가지 못해서 공부에 흥미를 잃게 되기도 합니다. 자신이 읽은 글의 내용에 재미를 느끼고 궁금한 것이 생겨야 글 읽기가 학습으로 연결될 수 있습니다.
그래서 독해 공부가 중요합니다. 이 책으로 공부하면 쉽고 재미있는 짧은 글부터 어렵고 긴 글까지 단계별로 읽으며 독해력을 기를 수 있습니다. 매일 독해 공부를 한 뒤, 모르는 어휘에 대한 공부도 함께 하면서 독해력의 기초를 다질 수 있는 좋은 교재입니다.

– 오정남 (밀양초등학교 교사, 〈기적의 한 줄 쓰기〉 저자)

•• 초등학교 입학 전부터 꾸준히 독해 공부를 해 온 아이라, 다양한 글을 많이 읽을 수 있는 교재가 필요했습니다. 이 책에서는 문학 작품 외에도 인문, 사회, 과학, 기술, 예술 등 여러 분야의 글감을 골고루 접할 수 있습니다. 또한 문제를 통해 글의 주제를 잡고, 세부적으로 중요한 내용을 정리하면서 어휘까지 복습할 수 있어서 좋았습니다.
무엇보다 가장 좋았던 것은 아이의 생각을 글로 표현하는 '생각 글쓰기'였습니다. 전체적인 내용을 다시 한 번 기억하면서 지문에 제시된 주제 및 어휘를 이용하여 자신의 생각을 짧게 표현하는 훈련을 한다면 논술 공부에도 도움이 될 것이라 생각됩니다.

– 노인희 (방산초등학교 2학년 학부모)

•• 저희 아이는 원래 책을 읽는 것을 좋아하는 편이어서 평소 독해력이 부족하다고는 생각하지 않았는데, 이 책에서 다양한 글들을 읽으며 아이가 독해에 더 흥미를 갖게 된 것 같습니다. 또한 지문의 중심 내용을 파악하고 문제를 푸는 과정에서 자신이 글을 올바르게 이해했는지 확인하면서 독해 실력이 향상되는 것이 눈에 보였습니다.
해설도 아주 자세해서 채점을 한 다음에는 해설을 읽으며 자기가 이해한 내용이 맞는지 확인하면서 공부할 수 있었습니다. 지문과 문제를 잘 파악하고 이해하는 독해력이 뒷받침된다면 아이가 중학교에 입학해서도 즐겁게 공부할 수 있을 것이라고 생각합니다.

– 장은채 (원종초등학교 6학년 학부모)

•• 국어 영역은 모국어 능력을 평가한다는 이유로 학생들이 비교적 소홀히 여기기 쉬운 과목입니다. 하지만 국어 영역에서 요구하는 독해 능력은, '처음 보는 장문의 글'을 완벽히 이해하는 것입니다. 이러한 독해 능력은 중고등학생 때 내신 시험을 벼락치기 하듯 대비하여 생겨나는 것이 아닙니다. 초등학생 때부터 인문, 사회, 과학에 걸친 다양한 주제의 글들을 읽고 그 내용을 이해하는 연습을 꾸준히 해야만 얻을 수 있는 능력입니다.
〈초등 국어 일등급 독해력〉 시리즈를 통해 일찍부터 다양한 글을 독해하는 습관을 갖는다면, 앞으로 국어뿐만 아니라 다른 과목을 학습할 때에도 큰 도움이 될 것입니다.

– 백나경 (서울대 인문계열 19학번)

•• 독해는 모든 과목에서 반드시 필요합니다. 가령 수학을 공부하더라도, 문제에서 요구하는 것이 무엇인지 이해하지 못해 발목을 잡히곤 합니다. 게다가 갈수록 지문의 양이 많아지고 그 내용이 복잡해지는 요즘, 독해의 중요성은 나날이 올라가고 있습니다.
독해력이 하루아침에 상승하는 것은 기대하기 어렵습니다. 따라서 어렸을 때부터 국어 독해를 연습해 두어야 합니다. 좋은 글들을 많이 읽고 생각해 보는 연습, 이를 바탕으로 다양한 유형에 적용해 보는 연습, 수많은 어휘를 내 것으로 만들어 보려는 연습은 앞으로의 공부에 든든한 자양분이 될 것입니다. 여러분의 국어 실력 향상을 응원합니다!!

– 이재선 (서울대 생명과학부 19학번)

'일등급 독해력'으로 사고력과 문제 해결력을 키워 보세요! 

초등 국어 일등급 독해력

④

초등 국어 독해, 왜 필요할까요?

1 초등학생에게 국어 독해가 중요한 이유

'독해'란 글을 읽고 뜻을 이해하는 것을 말합니다.
초등학생 때는 한글을 배우고 처음 글을 접하면서 독해력을 키우는 시기입니다.
이때 형성된 독서 습관이 생각하는 힘을 길러 주며, 모든 학습 능력의 기초가 됩니다.
글 속의 중심 생각과 정보를 자기 것으로 만들어 문제를 해결하는 능력은 한 번에 생기는 것이 아니므로, 좋은 글을 읽으며 차근차근 쌓아야 합니다.

2 초등학생 때부터 국어 독해를 잘 하기 위한 방법

❶ 다양한 글감으로 재미있게 독해하기
생활 속의 현상과 관계된 재미있는 글, 이야기, 동시 등 다양한 글감으로 독해에 흥미를 느끼게 합니다.

❷ 쉬운 글부터 어려운 글을 단계별로 학습하기
처음에는 쉽고 짧은 글부터 시작하여, 점점 길고 어려운 글을 읽으면서 독해력을 조금씩 향상합니다.

❸ 교과서와 연계된 글로 학교 공부 잡기
개정 교과서에서 찾은 다양한 글감을 읽으면서 자연스럽게 전 과목 교과서와 연계하여 학습합니다.

❹ 문제를 풀면서 사고력 기르기
글을 읽고 문제를 푸는 과정을 통해, 글에서 답을 찾아내는 연습을 하면서 스스로 생각하는 힘을 기릅니다.

❺ 글에 나온 어휘를 꼼꼼하게 익히기
독해 마무리 활동으로 글에 쓰인 어휘의 뜻과 쓰임을 예문을 통해 복습하면서 독해력을 완성합니다.

3 교과서와 연계된 다양한 글감으로 독해력 향상

비문학

제재	종류	회차	제목	교과 연계
인문	논설문	04회	소중한 우리 땅, 독도	[국어 4-1 (가)] 4. 일에 대한 의견
인문	설명문	06회	도시와 촌락, 어떻게 다를까?	[사회 4-2] 1. 촌락과 도시의 생활 모습
사회	논설문	07회	웃음의 긍정적인 효과	
사회	논설문	13회	태안에서 만들어 낸 기적	[도덕 4] 4. 힘과 마음을 모아서
사회	논설문	17회	복도에 안전 거울을 설치해 주세요	[국어 활동 4-1] 8. 이런 제안 어때요
사회	논설문	21회	착한 소비를 생활화하자	
사회	논설문	25회	학교 폭력을 예방하자	
사회	논설문	32회	기초 질서의 중요성	
사회	논설문	36회	다문화 가족은 우리의 이웃	
사회	설명문	02회	늙어 가는 우리나라	[사회 4-2] 3. 사회 변화와 문화의 다양성
사회	설명문	11회	물 부족을 해결하는 빗물 사용 전문가	
사회	설명문	22회	가깝고도 먼 나라, 북한	[도덕 4] 5. 하나 되는 우리
과학	설명문	01회	동물들이 내는 다양한 소리	[국어 4-1 (가)] 2. 내용을 간추려요
과학	설명문	05회	우리나라에 살았던 공룡	[과학 4-1] 2. 지층과 화석
과학	설명문	23회	공기의 역할	
과학	설명문	27회	식물들의 다양한 서식지와 생김새	[과학 4-2] 1. 식물의 생활
과학	설명문	31회	거울 속에 숨겨진 과학	[과학 4-2] 3. 그림자와 거울
과학	설명문	35회	인공 강우 기술의 원리와 장단점	[과학 4-2] 2. 물의 상태 변화
과학	설명문	37회	하늘을 나는 꿈	
기술	설명문	03회	착한 종이가 된 코끼리 똥	[과학 4-1] 5. 혼합물의 분리
기술	설명문	12회	자동 제세동기의 원리와 사용법	
기술	설명문	15회	컴퓨터의 이용과 우리 생활	
기술	설명문	16회	장영실이 만든 발명품들	[사회 4-1] 2. 우리가 알아보는 지역의 역사
기술	설명문	24회	소매곡리를 살린 친환경 에너지	[사회 4-1] 3. 지역의 공공 기관과 주민 참여
기술	설명문	33회	생명체를 모방하는 기술	
예술	설명문	14회	조상의 지혜를 담은 전통 그릇, 옹기	
예술	설명문	34회	팝 아트	[미술 4] 7. 생활 속에서 찾은 미술
예술	전기문	26회	레오나르도 다 빈치	

문학

	갈래	회차	제목	교과 연계
문학	동시	08회	아빠의 잠버릇	
문학	동시	18회	지구를 운전하는 엄마	
문학	동시	28회	등 굽은 나무	[국어 4-1 (가)] 1. 생각과 느낌을 나누어요
문학	동시	38회	지하 주차장	[국어 4-2 (나)] 9. 감동을 나누며 읽어요
문학	고전	20회	장끼전	
문학	고전	30회	양반전	
문학	고전	40회	오봉산의 불	
문학	동화	09회	사라, 버스를 타다	[국어 4-2 (가)] 4. 이야기 속 세상
문학	동화	29회	공부와 근면함	[도덕 4] 1. 도덕 공부, 행복한 우리
문학	동화	39회	가끔은 쓸 데가 있지	
문학	우화	10회	사자와 모기	
문학	편지글	19회	안창호 선생이 아들에게 쓴 편지	[국어 4-2 (가)] 2. 마음을 전하는 글을 써요

1 다양한 글로 **사고력 키우기**

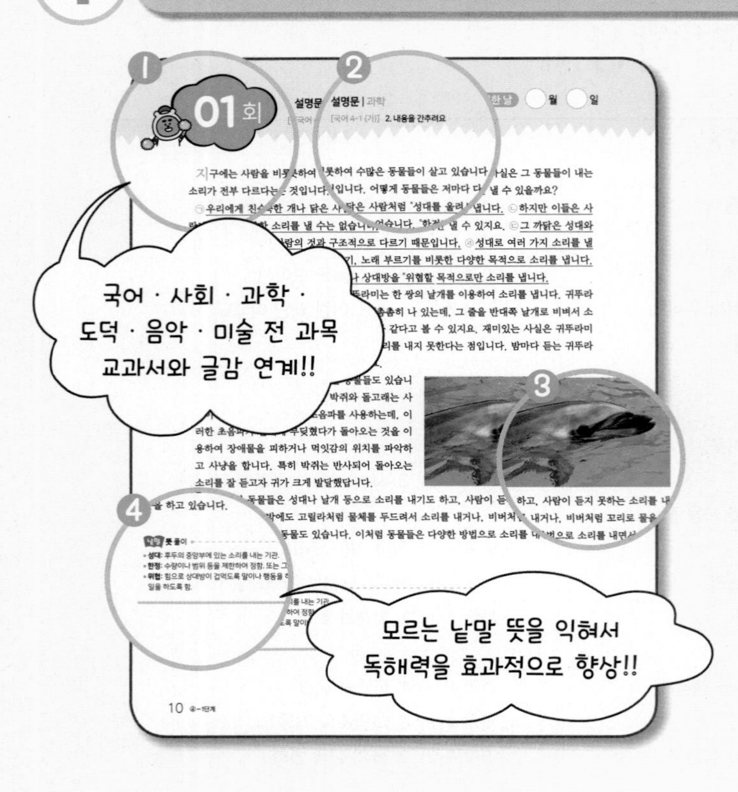

1. **쉽고 짧은 독해부터 길고 어려운 독해**까지 10일씩 난이도를 높여 학습하는 40일 완성 독해 훈련서입니다.
2. 학년별 **교과서 제재를 연계**하여 다양한 형식의 글로 엮었습니다.
3. 독해하면서 학생들이 지루해하지 않도록 글의 내용에 맞는 **재미있는 그림과 사진**을 실었습니다.
4. 글 속의 어려운 **낱말의 뜻을 풀이**하여, 그때그때 찾아보며 글을 읽을 수 있도록 하였습니다.

2 문제를 풀며 **독해력 키우기**

1. 수능 문학, 비문학에 실제로 출제되는 **수능 출제 유형을 반영**하여 통일된 유형으로 문제를 출제하였습니다.
2. 글을 읽은 뒤 스스로 글의 전체 구조를 학습하기 위한 **지문 구조화 문제**를 마지막에 수록하였습니다.
3. 1~2문장으로 간단히 쓸 수 있는 **서술형 문제를 제시**하여 글을 읽고 느낀 점을 생각하게 하였습니다.

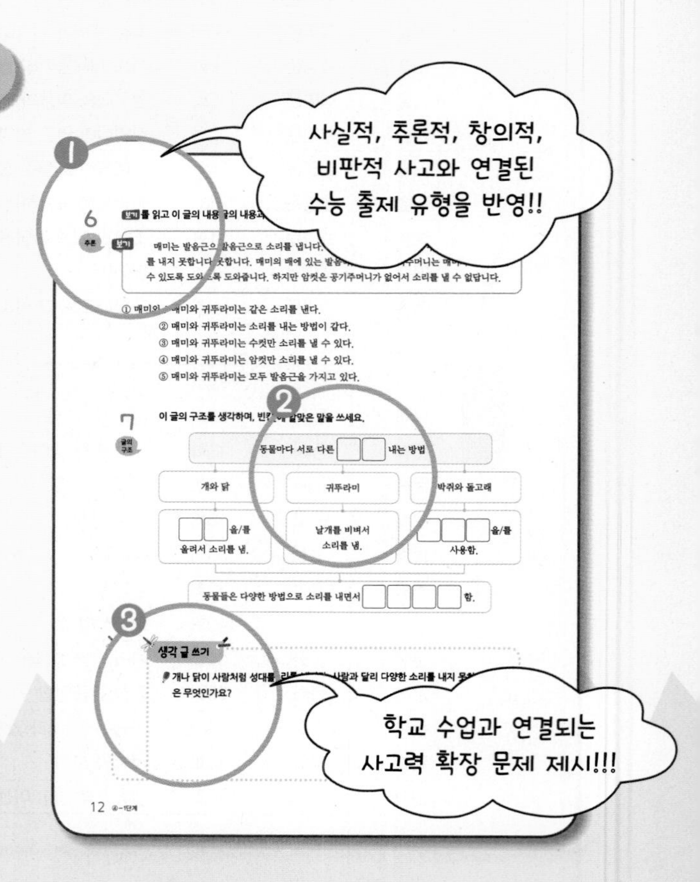

3 어휘 학습으로 **어휘력 키우기**

❶ 마무리 활동으로 글에 쓰인 어휘의 뜻과 쓰임을 복습하는 **어휘 다지기**, 문법 이론과 문제를 학습하는 **어법 다지기**를 수록하였습니다.

❷ 글을 읽고 어떤 문제 유형을 맞고 틀렸는지 **매일 스스로 평가하고 점검**할 수 있도록 하였습니다.

❸ 매일매일 맞은 문제 수에 따라 스스로 느낀 **학습 난이도를 스티커로** 붙이도록 하였습니다.

※ 스티커는 문제편 마지막 장에 수록되어 있습니다.

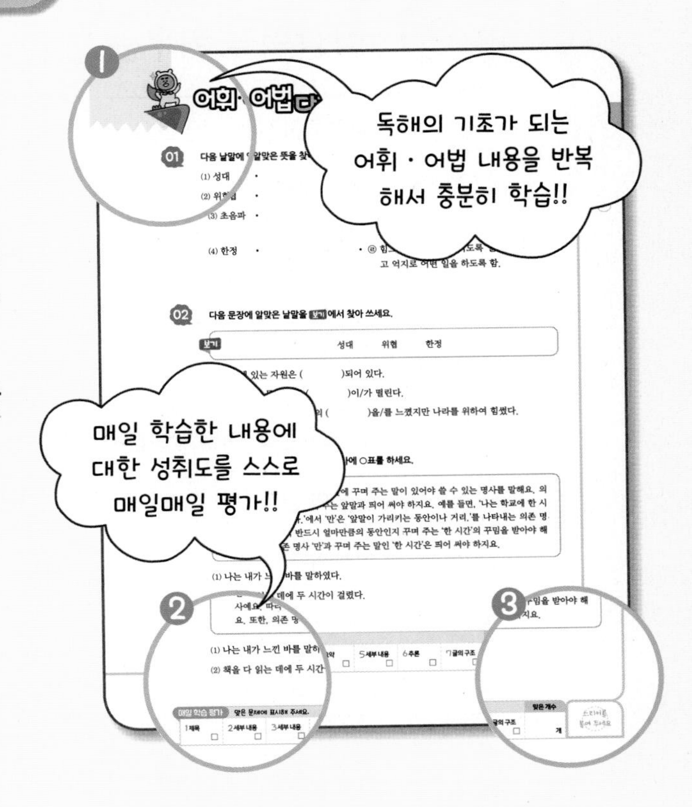

4 해설을 보며 **문제 해결력 키우기**

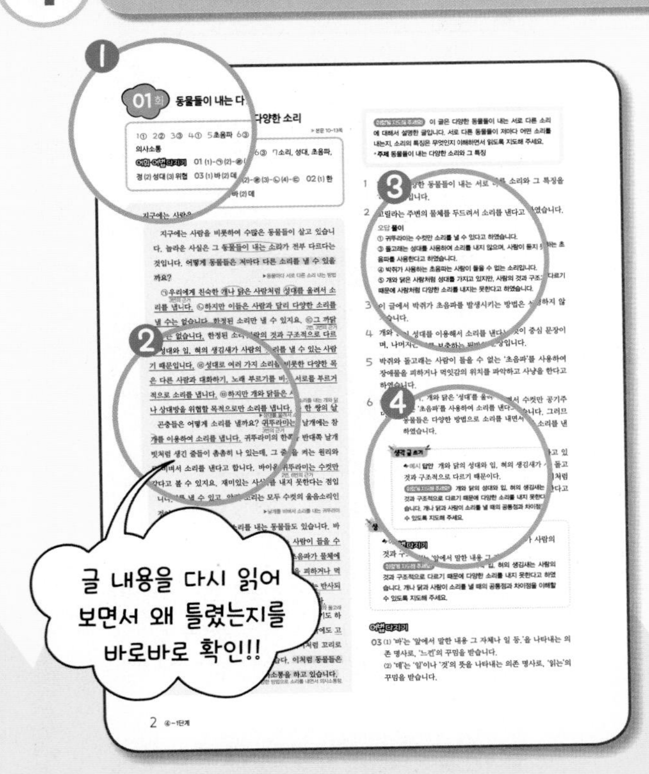

❶ 문제의 정답을 한 번에 맞춰 볼 수 있도록 **보기 쉽게 구성**하였습니다.

❷ **문단별 핵심 내용**과 문제 풀이의 근거가 되는 부분을 표시하고, 글 전체를 자세하고 꼼꼼하게 분석하였습니다.

❸ 학생들을 돕기 위한 **가이드 해설**을 실어서 학부모님과 교사분들이 직접 설명하고 지도하기 쉽게 구성하였습니다.

❹ 생각 글쓰기 문제의 **예시 답안**과, 학생들이 더 깊게 생각할 수 있는 해설을 수록하였습니다.

이 책의 차례

1단계 상상력을 키우는 짧은 독해

2단계 이해력을 키우는 재미있는 독해

3단계 사고력을 키우는 **다양한 독해**

4단계 독해력을 완성하는 **긴 독해**

상상력을 키우는 짧은 독해

❀ 자신의 학습 능력과 상황에 따라 꾸준하게 공부하는 것이 가장 중요합니다.
❀ 학습 계획을 먼저 세우고, 스스로 지킬 수 있도록 노력해 보세요.

회	제목	갈래	분야	학습할 날짜
01회	동물들이 내는 다양한 소리	설명문	과학	월 일
02회	늙어 가는 우리나라	설명문	사회	월 일
03회	착한 종이가 된 코끼리 똥	설명문	기술	월 일
04회	소중한 우리 땅, 독도	논설문	인문	월 일
05회	우리나라에 살았던 공룡	설명문	과학	월 일
06회	도시와 촌락, 어떻게 다를까?	설명문	인문	월 일
07회	웃음의 긍정적인 효과	논설문	사회	월 일
08회	아빠의 잠버릇	문학	동시	월 일
09회	사라, 버스를 타다	문학	동화	월 일
10회	사자와 모기	문학	우화	월 일

지구에는 사람을 비롯하여 수많은 동물들이 살고 있습니다. 놀라운 사실은 그 동물들이 내는 소리가 전부 다르다는 것입니다. 어떻게 동물들은 저마다 다른 소리를 낼 수 있을까요?

㉠우리에게 친숙한 개나 닭은 사람처럼 *성대를 울려서 소리를 냅니다. ㉡하지만 이들은 사람과 달리 다양한 소리를 낼 수는 없습니다. *한정된 소리만 낼 수 있지요. ㉢그 까닭은 성대와 입, 혀의 생김새가 사람의 것과 구조적으로 다르기 때문입니다. ㉣성대로 여러 가지 소리를 낼 수 있는 사람은 다른 사람과 대화하기, 노래 부르기를 비롯한 다양한 목적으로 소리를 냅니다. ㉤하지만 개와 닭들은 서로를 부르거나 상대방을 *위협할 목적으로만 소리를 냅니다.

곤충들은 어떻게 소리를 낼까요? 귀뚜라미는 한 쌍의 날개를 이용하여 소리를 냅니다. 귀뚜라미의 한쪽 날개에는 참빗처럼 생긴 줄들이 *촘촘히 나 있는데, 그 줄을 반대쪽 날개로 비벼서 소리를 낸다고 합니다. 바이올린을 켜는 원리와 같다고 볼 수 있지요. 신기한 사실은 귀뚜라미는 수컷만 울음소리를 낼 수 있고, 암컷은 소리를 내지 못한다는 점입니다. 밤마다 듣는 귀뚜라미 소리는 모두 수컷의 울음소리인 것이지요.

사람이 들을 수 없는 소리를 내는 동물들도 있습니다. 바로 박쥐와 돌고래입니다. 박쥐와 돌고래는 사람이 들을 수 없는 소리인 *초음파를 사용하는데, 이러한 초음파가 물체에 부딪혔다가 돌아오는 것을 이용하여 장애물을 피하거나 먹잇감의 위치를 파악하고 사냥을 합니다. 특히 박쥐는 반사되어 돌아오는 소리를 잘 듣고자 귀가 크게 발달했답니다.

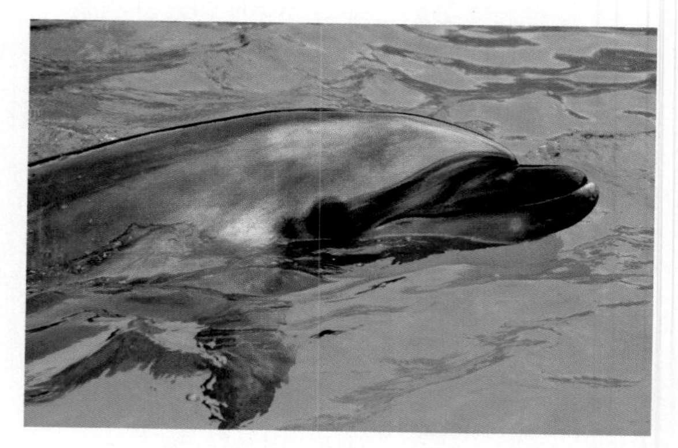

이와 같이 동물들은 성대나 날개 등으로 소리를 내기도 하고, 사람이 듣지 못하는 소리를 내기도 합니다. 그 밖에도 고릴라처럼 물체를 두드려서 소리를 내거나, 비버처럼 꼬리로 물을 내리쳐서 소리를 내는 동물도 있습니다. 이처럼 동물들은 다양한 방법으로 소리를 내면서 *의사소통을 하고 있습니다.

낱말 뜻 풀이

- **성대**: 후두의 중앙부에 있는 소리를 내는 기관.
- **한정**: 수량이나 범위 등을 제한하여 정함. 또는 그런 한도.
- **위협**: 힘으로 상대방이 겁먹도록 말이나 행동을 하고 억지로 어떤 일을 하도록 함.
- **촘촘히**: 틈이나 간격이 매우 좁거나 작게.
- **초음파**: 사람의 귀에 들리지 않고 들을 수 없는 음파.
- **의사소통**: 가지고 있는 생각이나 뜻이 서로 통함.

▶ 정답과 해설 2쪽

1

이 글의 제목으로 알맞은 것은 무엇인가요?

① 동물들이 내는 다양한 소리
② 동물들만 들을 수 있는 소리
③ 동물들이 내는 한 가지 소리
④ 성대를 통해 소리를 내는 방법
⑤ 사람들이 다양한 소리를 낼 수 있는 까닭

2

이 글의 내용으로 알맞은 것은 무엇인가요?

① 귀뚜라미는 암컷만 소리를 낼 수 있다.
② 고릴라는 물체를 두드려서 소리를 낸다.
③ 돌고래는 성대를 이용해서 소리를 낸다.
④ 박쥐가 사용하는 초음파는 사람이 들을 수 있다.
⑤ 개나 닭의 성대는 사람의 성대와 구조가 비슷하다.

3

이 글을 통해 알 수 없는 내용은 무엇인가요?

① 귀뚜라미가 소리를 내는 방법
② 박쥐의 귀가 크게 발달한 까닭
③ 박쥐가 초음파를 발생시키는 방법
④ 성대를 이용해서 소리를 내는 동물들
⑤ 개와 닭이 다양한 소리를 만들어 내지 못하는 까닭

4

㉠~㉤ 중 중심 문장으로 알맞은 것은 무엇인가요?

① ㉠　　② ㉡　　③ ㉢　　④ ㉣　　⑤ ㉤

5

세부
내용

박쥐와 돌고래가 무엇으로 장애물이나 먹잇감의 위치를 알아내는지 쓰세요.

사람이 들을 수 없는 ☐☐☐ 을/를 사용하여 알아낸다.

6

추론

보기를 읽고 이 글의 내용과 관련하여 알 수 있는 내용은 무엇인가요?

보기

매미는 발음근으로 소리를 냅니다. 매미는 수컷만 소리를 낼 수 있고, 암컷은 소리를 내지 못합니다. 매미의 배에 있는 발음막, 발음근, 공기주머니는 매미가 소리를 낼 수 있도록 도와줍니다. 하지만 암컷은 공기주머니가 없어서 소리를 낼 수 없답니다.

① 매미와 귀뚜라미는 같은 소리를 낸다.
② 매미와 귀뚜라미는 소리를 내는 방법이 같다.
③ 매미와 귀뚜라미는 수컷만 소리를 낼 수 있다.
④ 매미와 귀뚜라미는 암컷만 소리를 낼 수 있다.
⑤ 매미와 귀뚜라미는 모두 발음근을 가지고 있다.

7

글의 구조

이 글의 구조를 생각하며, 빈칸에 알맞은 말을 쓰세요.

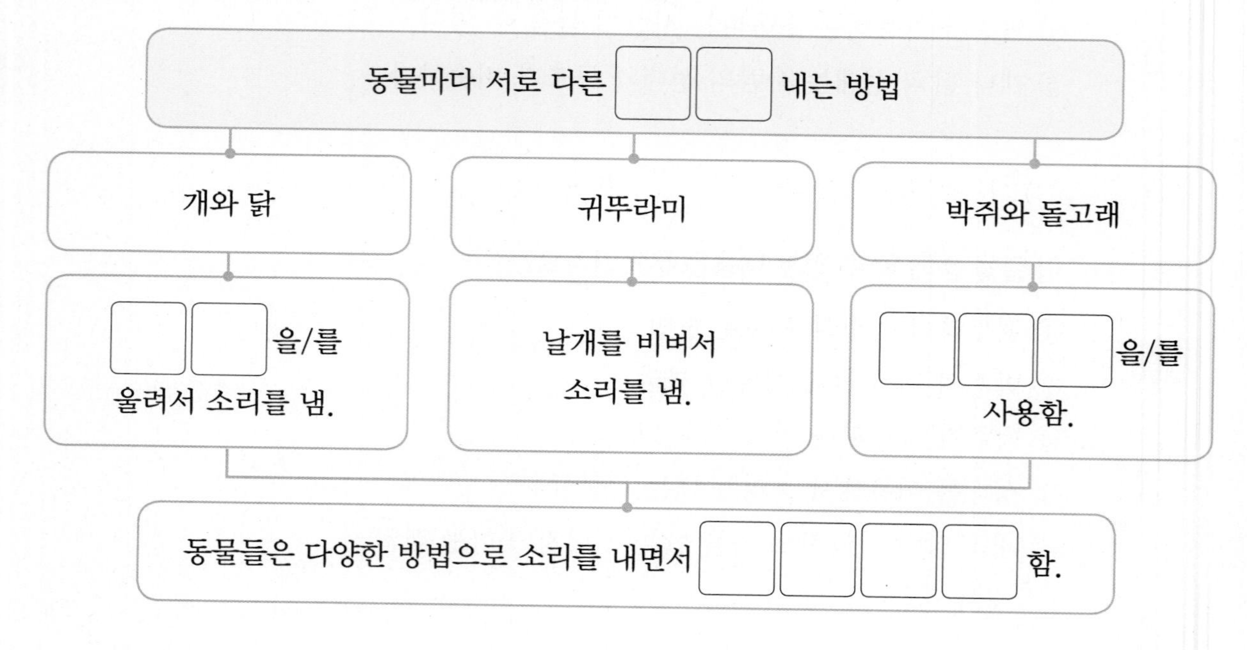

생각 글 쓰기

개나 닭이 사람처럼 성대를 울려서 소리를 내지만, 사람과 달리 다양한 소리를 내지 못하는 까닭은 무엇일까요?

▶ 정답과 해설 2쪽

01 **다음 낱말에 알맞은 뜻을 찾아 선으로 이으세요.**

(1) 성대 •
(2) 위협 •
(3) 초음파 •
(4) 한정 •

• ㉠ 후두의 중앙부에 있는 소리를 내는 기관.
• ㉡ 사람의 귀에 들리지 않고 들을 수 없는 음파.
• ㉢ 수량이나 범위 등을 제한하여 정함. 또는 그런 한도.
• ㉣ 힘으로 상대방이 겁먹도록 말이나 행동을 하고 억지로 어떤 일을 하도록 함.

02 **다음 문장에 알맞은 낱말을 보기 에서 찾아 쓰세요.**

보기
성대　　위협　　한정

(1) 지구에 있는 자원은 (　　　　　)되어 있다.
(2) 말을 할 때 목에 있는 (　　　　　)이/가 떨린다.
(3) 독립투사들은 항상 생명의 (　　　　　)을/를 느꼈지만 나라를 위하여 힘썼다.

03 **보기 를 읽고 다음 문장에서 의존 명사에 ○표를 하세요.**

보기
'의존 명사'는 반드시 그 앞에 꾸며 주는 말이 있어야 쓸 수 있는 명사를 말해요. 의존 명사는 자신을 꾸며 주는 앞말과 띄어 써야 하지요. 예를 들면, '나는 학교에 한 시간 만에 도착했다.'에서 '만'은 '앞말이 가리키는 동안이나 거리.'를 나타내는 의존 명사예요. 따라서 반드시 얼마만큼의 동안인지 꾸며 주는 '한 시간'의 꾸밈을 받아야 해요. 또한, 의존 명사 '만'과 꾸며 주는 말인 '한 시간'은 띄어 써야 하지요.

(1) 나는 내가 느낀 바를 말하였다.
(2) 책을 다 읽는 데에 두 시간이 걸렸다.

매일 학습 평가 맞은 문제에 표시해 주세요.							맞은 개수	
1 제목 ☐	2 세부 내용 ☐	3 세부 내용 ☐	4 요약 ☐	5 세부 내용 ☐	6 추론 ☐	7 글의 구조 ☐	개	스티커를 붙여 주세요

02회

설명문 | 사회

[사회 4-2] 3. 사회 변화와 문화의 다양성

공부한 날 ( )월 ( )일

오늘날 우리 사회의 가장 큰 문제점은 저출산과 인구의 고령화입니다. 저출산은 태어나는 아이의 수가 점점 줄어드는 현상을 말하고, 고령화는 전체 인구에서 노인 인구가 차지하는 비율이 높아지는 현상을 말합니다.

저출산으로 인해 학교에서는 예전보다 한 학급당 학생 수가 크게 줄었습니다. 또한 학생이 모이지 않아 *폐교하는 학교가 늘고 있습니다. 산부인과 등 출산을 도와주는 병원 수도 줄어들고 있습니다. 어린이를 위한 책, 옷, 학원을 만드는 어린이 관련 산업 역시 점차 그 규모가 축소되고 있습니다. 하지만 출산은 국가가 국민에게 *강요할 수 없는 일이기 때문에 저출산 문제는 해결하기가 쉽지 않은 상황입니다.

반면 고령화로 인해 노인 관련 산업은 그 규모가 커지고 있습니다. 몸이 아픈 노인이 많아지면서 노인 전문 병원, 요양원 등의 수가 크게 늘어났고, 노인을 대상으로 하는 *실버산업이 발달하고 있습니다. 또한 경제적으로 어려운 노인이 증가함에 따라 국가에서는 노인을 위한 각종 복지 제도를 마련하여 *시행하고 있지요.

저출산과 고령화는 *장기적으로 국가의 경제에 큰 부담을 줍니다. 저출산으로 인해 일할 사람은 계속해서 줄어드는 반면, 국가에서 *부양해야 할 노인의 수는 점차 늘어나기 때문입니다. 일할 사람이 없기에 시장에서 물건을 사거나 세금을 낼 사람은 줄어드는데 국가가 써야 할 노인 복지 비용은 갈수록 많아지는 것입니다.

정부는 이러한 문제를 해결하기 위한 다양한 정책을 펼치고 있습니다. 저출산을 해결하기 위해 자녀를 많이 낳는 가정에 경제적인 도움을 주고 있고, 자녀를 출산했을 때 받을 수 있는 육아 휴직 제도도 크게 개선하였습니다. 또한, 고령화를 해결할 방안으로 노인들의 노후를 보장하는 제도를 마련하는 한편, 노인들이 참여할 수 있는 일자리와 학습 기회를 늘리고자 노력하고 있습니다.

저출산과 고령화는 국가의 *존립을 위협할 수 있는 심각한 문제입니다. 정부와 국민은 문제의 심각성을 깨닫고, 장기적인 관점에서 문제를 해결할 수 있도록 함께 노력해야 할 것입니다.

낱말 뜻 풀이

- **폐교**: 학교 문을 닫고 수업을 중지하고 쉼.
- **강요**: 억지로 또는 강제로 요구함.
- **실버산업**: 노년층을 대상으로 한 상품·서비스를 제조·판매하거나 제공하는 산업.
- **시행**: 법령을 모두에게 알리고 실제로 행하도록 함.
- **장기적**: 오랜 기간에 걸치는. 또는 그런 것.
- **부양**: 스스로 생활할 능력이 없는 사람의 생활을 돌보는 것.
- **존립**: 국가, 제도, 단체 등이 그 위치를 지키며 존재함.

02회 ▶ 정답과 해설 3쪽

1 핵심어

이 글에서 가장 중심이 되는 낱말 두 가지를 찾아 쓰세요.

☐☐☐, ☐☐☐

2 세부 내용

이 글의 내용으로 알맞지 않은 것은 무엇인가요?

① 저출산과 고령화는 국가 경제에 큰 부담이 된다.
② 고령화가 진행됨에 따라 실버산업이 발달하고 있다.
③ 저출산의 영향으로 어린이 관련 산업의 규모가 커지고 있다.
④ 저출산과 고령화는 국가의 존립을 위협하는 심각한 문제이다.
⑤ 고령화란 전체 인구에서 노인 인구의 비율이 증가하는 것을 뜻한다.

3 세부 내용

이 글을 통해 답을 알 수 없는 질문은 무엇인가요?

① 저출산과 고령화로 인한 사회의 변화는 무엇인가요?
② 예전과 비교해 한 학급당 학생 수는 어떻게 변화했나요?
③ 저출산과 고령화가 경제에 부담을 주는 까닭은 무엇인가요?
④ 우리나라에서 전체 인구 중 노인이 차지하는 비율은 얼마인가요?
⑤ 저출산과 고령화를 해결하기 위해 정부는 어떤 노력을 하고 있나요?

4 추론

저출산과 고령화로 인한 사회 변화의 모습이 아닌 것은 무엇인가요?

① 노인 복지 제도를 마련하는 정부
② 학생 수 부족으로 문을 닫는 학교
③ 노인을 대상으로 한 일자리를 안내하는 구청
④ 계속해서 많아지는 어린이 전문 병원과 놀이방
⑤ 출산을 한 가족에게 경제적인 도움을 주는 정부

5 세부 내용

고령화가 진행되면서 발달하고 있는 산업은 무엇인가요?

☐☐ 산업

6

저출산과 고령화를 해결할 방법으로 알맞지 않은 의견을 말한 사람은 누구인지 쓰세요.

- 채민: 노인에 대한 복지를 강화할 필요가 있어.
- 영수: 아이를 낳을 수 있도록 경제적으로 지원을 해 줘야 해.
- 희철: 무조건 출산을 많이 하도록 국가에서 강제해야 한다고 생각해.

7

이 글의 구조를 생각하며, 빈칸에 알맞은 말을 쓰세요.

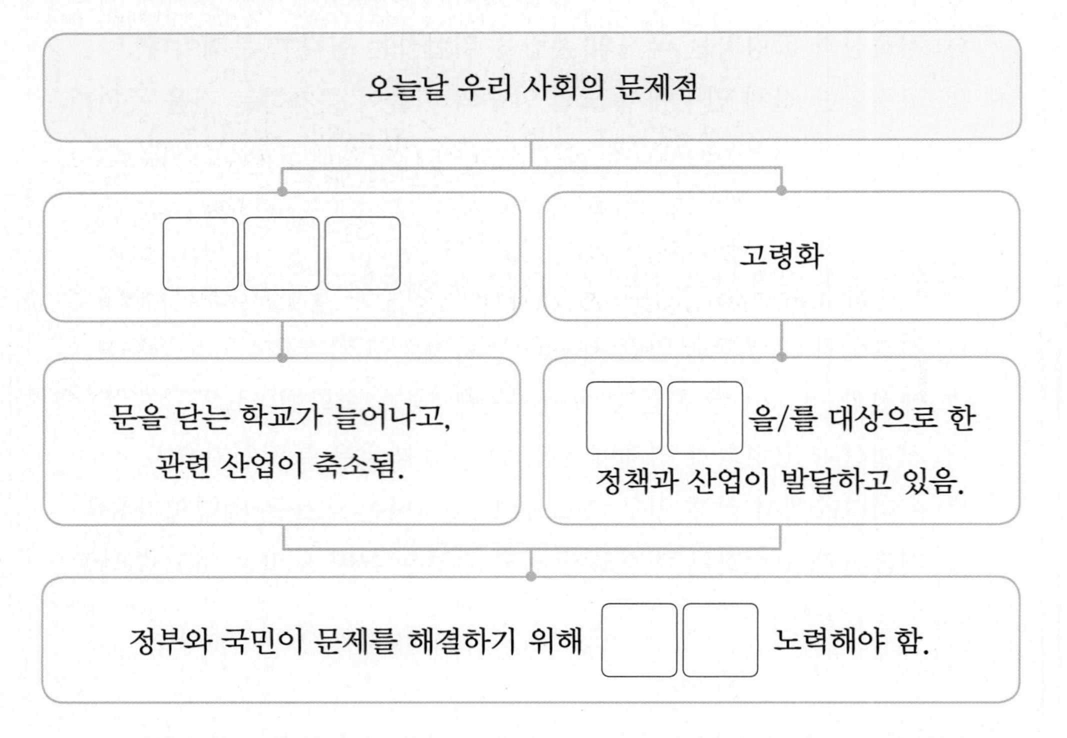

생각 글 쓰기

저출산과 고령화 문제를 해결하는 일이 중요한 까닭은 무엇일까요?

어휘·어법 다지기

01 **다음 낱말에 알맞은 뜻을 찾아 선으로 이으세요.**

(1) 부양 •
(2) 시행 •
(3) 실버산업 •
(4) 존립 •

• ㉠ 법령을 모두에게 알리고 실제로 행하도록 함.
• ㉡ 국가, 제도, 단체 등이 그 위치를 지키며 존재함.
• ㉢ 스스로 생활할 능력이 없는 사람의 생활을 돌보는 것.
• ㉣ 노년층을 대상으로 한 상품 · 서비스를 제조 · 판매하거나 제공하는 산업.

02 **다음 문장에 알맞은 낱말을 보기에서 찾아 쓰세요.**

보기

부양 시행 폐교

(1) 그 정책을 내년부터 (   )하기로 하였다.

(2) 나라에서는 매년 노인 (   ) 대책을 내놓고 있다.

(3) 농촌에 있는 학교가 (   ) 위기에 처했다는 소식을 들었다.

03 **보기를 읽고 다음 문장에 알맞은 낱말을 골라 ○표를 하세요.**

보기

'-(으)로서'와 '-(으)로써'

'-(으)로서'는 신분이나 위치 또는 자격을 나타내는 말이에요. 예를 들어 '선배로서 후배에게 모범을 보여라.'에서 '-로서'는 '선배'가 신분임을 나타내요. '-(으)로써'는 어떤 일의 수단이나 도구 또는 어떤 물건의 재료나 원료를 나타내는 말이에요. 예를 들어 '꿀로써 단맛을 낸다.'에서 '-로써'는 '꿀'이 단맛을 내는 일의 수단임을 나타내요.

(1) 그것은 학생으(로서 / 로써) 할 일이 아니다.

(2) 부모님에 대한 사랑을 글(로서 / 로써) 다 적지 못하였다.

매일 학습 평가 맞은 문제에 표시해 주세요.

1 핵심어	2 세부 내용	3 세부 내용	4 추론	5 세부 내용	6 적용	7 글의 구조	맞은 개수
☐	☐	☐	☐	☐	☐	☐	개

스티커를 붙여 주세요

설명문 | 기술

[과학 4-1] 5. 혼합물의 분리

공부한 날 ( )월 ( )일

크기가 다른 여러 가지 물질이 섞여 있을 때 어떻게 분리하면 좋을까요? 가장 쉬운 방법은 °체를 이용하는 것입니다. 체를 이용하면 서로 다른 물질이 섞여 있어도 체에 걸러지는 작은 물질과 걸러지지 않는 큰 물질로 쉽게 분리할 수 있습니다. 이러한 방법을 통해 만들어진 물건은 우리 생활의 곳곳에서 찾아볼 수 있습니다. 여러분들이 자주 사용하는 종이도 그중 하나입니다. 그런데 이 방법을 활용하면 다름 아닌 코끼리 똥으로 종이를 만들 수 있다는 사실, 알고 있었나요?

코끼리는 °지상에서 가장 큰 동물입니다. 커다란 몸집에 맞게, 코끼리 한 마리는 하루에 약 250킬로그램의 풀을 먹고 50킬로그램 정도의 똥을 눕니다. 똥이라고 하니 아무도 관심을 가지지 않을 것 같지만, 코끼리의 똥 안에는 종이의 °원료가 되는 물질이 10킬로그램 정도 들어 있습니다. 이는 우리가 사용하는 A4용지 약 660장을 만들 수 있는 양이지요.

그렇다면 ㉠코끼리 똥을 어떻게 ㉡종이로 만들 수 있을까요? 코끼리 똥이 종이가 되려면 먼저 코끼리 똥을 모아서 깨끗하게 씻는 작업이 필요합니다. 그리고 ㉮이 과정이 끝나면 똥을 충분히 끓여야 합니다. 코끼리 똥에 있는 세균들을 없애기 위한 것이지요. 이렇게 약 다섯 시간 동안 코끼리 똥을 끓이면 똥에 있던 해로운 세균이 없어집니다. 그 후에는 체를 이용하여 끓인 코끼리 똥에서 종이의 원료가 되는 물질을 분리합니다. 여기에 종이를 원하는 색깔로 바꾸기 위해 °색소를 섞은 다음, 물기를 빼고 여러 날 동안 말리면 우리가 사용하는 종이가 완성되는 것입니다.

더럽다고만 생각했던 코끼리 똥이 새하얀 종이가 된다는 사실, 정말 신기하지 않나요? 이처럼 사람들이 관심을 갖지 않아 버려졌던 것들도 우리에게 도움이 되는 소중한 °자원이 될 수 있답니다.

낱말 뜻 풀이

- **체**: 가루를 곱게 치거나 액체를 거르는 데 쓰는 기구.
- **지상**: 땅의 위.
- **원료**: 어떤 물건을 만드는 데 들어가는 재료.
- **색소**: 물체의 색깔이 나타나도록 해 주는 성분.
- **자원**: 인간 생활 및 경제 생산에 이용되는 원료로서의 광물, 산과 숲, 바다나 강에서 나는 것 등을 이르는 말.

1 **이 글에 알맞은 제목을 쓰세요.**

제목

착한 종이가 된 □□□ □

2

이 글의 내용으로 알맞지 않은 것은 무엇인가요?

① 코끼리는 지상에서 가장 큰 동물이다.

② 코끼리는 하루에 10킬로그램의 똥을 눈다.

③ 코끼리 똥을 이용하여 종이를 만들 수 있다.

④ 코끼리는 하루에 약 250킬로그램의 풀을 먹는다.

⑤ 체를 이용하면 크기가 다른 물질을 쉽게 분리할 수 있다.

3

㉠을 ㉡으로 만들 때 필요한 과정이 아닌 것은 무엇인가요?

① 끓이기

② 말리기

③ 깨끗하게 씻기

④ 납작하게 누르기

⑤ 체를 이용하여 거르기

4

㉮의 까닭으로 알맞은 것은 무엇인가요?

① 코끼리 똥의 냄새를 없애기 위해서

② 코끼리 똥의 모양을 바꾸기 위해서

③ 코끼리 똥의 무게를 줄이기 위해서

④ 코끼리 똥의 색깔을 바꾸기 위해서

⑤ 코끼리 똥의 세균을 없애기 위해서

5

추론

이 글을 읽은 후의 반응으로 알맞은 것은 무엇인가요?

① 윤지: 코끼리 똥은 아무 데도 쓸모가 없어.

② 기석: 내가 쓰고 있는 종이도 코끼리 똥으로 만들어졌을지 몰라.

③ 상진: 코끼리 똥으로 만든 종이는 일반 종이보다 세균이 많을 거야.

④ 소은: 코끼리 똥을 이용하여 종이를 만드는 것은 환경에 좋지 않아.

⑤ 준하: 코끼리 똥에 색소를 섞는 까닭은 세균을 없애기 위해서일 거야.

6

적용

에서 이 글의 '코끼리 똥'과 같은 역할을 하는 것은 무엇인가요?

①캠핑장에서 ②텐트를 고정하기가 생각보다 쉽지 않았다. ③바람 때문에 계속해서 텐트가 흔들렸다. 잠시 후 ④아빠가 어디선가 ⑤돌멩이를 가져와 텐트 위에 올려놓았더니 텐트가 더 이상 움직이지 않았다. 이 일로 평소에 그냥 지나치던 것들이 소중하게 쓰일 수 있다는 사실을 깨달았다.

7

글의 구조

이 글의 구조를 생각하며, 빈칸에 알맞은 말을 쓰세요.

처음	☐ 을/를 이용하여 코끼리 똥을 종이로 만들 수 있음.
가운데	☐☐☐ ☐ 안에 종이 원료가 되는 물질이 들어 있음.
	코끼리 똥을 이용하여 ☐☐ 을/를 만드는 과정
끝	버려졌던 것도 소중한 ☐☐ 이/가 될 수 있음.

생각 글 쓰기

코끼리 똥을 이용하여 종이를 만들면 좋은 점은 무엇일까요?

어휘·어법 다지기

▶ 정답과 해설 4쪽

01 **다음 낱말에 알맞은 뜻을 찾아 선으로 이으세요.**

(1) 색소 •　　　　• ㉠ 땅의 위.

(2) 원료 •　　　　• ㉡ 어떤 물건을 만드는 데 들어가는 재료.

(3) 지상 •　　　　• ㉢ 물체의 색깔이 나타나도록 해 주는 성분.

(4) 체 •　　　　• ㉣ 가루를 곱게 치거나 액체를 거르는 데 쓰는 기구.

02 **다음 문장에 알맞은 낱말을 보기에서 찾아 쓰세요.**

보기
색소　　자원　　지상　　체

(1) 물고기는 (　　　　)에서 살지 못한다.

(2) 노란 단무지는 무에 노란색 (　　　　)을/를 섞은 것이다.

(3) 나는 빵을 만들기 위하여 밀가루를 (　　　　)(으)로 걸렀다.

(4) 어른들은 청소년들이 우리나라의 중요한 (　　　　)(이)라고 하신다.

03 **보기를 읽고 밑줄 친 낱말의 쓰임이 알맞지 않은 문장을 고르세요.**

보기
'낫다, 낮다, 낳다'
'낫다'에는 두 종류가 있어요. 하나는 '보다 더 좋거나 앞서 있다.'라는 뜻의 '낫다'예요. 나머지 하나는 '병이나 상처가 고쳐져 본래대로 되다.'라는 뜻을 가진 '낫다'예요. '낮다'는 '건물이 낮다.', '관심도가 낮다.'와 같이 높이나 수치, 품질, 계급 등이 '보통 정도에 미치지 못하는 상태에 있다.'라는 뜻이에요. '낳다'는 '소가 송아지를 낳다.'와 같이 '배 속의 아이, 새끼, 알을 몸 밖으로 내놓다.'라는 뜻이에요.

① 관절염이 잘 낫지 않았다.
② 오늘은 어제보다 기온이 낮다.
③ 오래 앓고 있던 감기가 다 낳다.
④ 속에 있는 말을 털어놓는 것이 낫다.
⑤ 우리 집에서 키우는 달팽이가 알을 낳았다.

매일 학습 평가 맞은 문제에 표시해 주세요.

1 제목	2 세부 내용	3 세부 내용	4 세부 내용	5 추론	6 적용	7 글의 구조	맞은 개수
□	□	□	□	□	□	□	개

스티커를 붙여 주세요

여러분들은 독도에 대해 얼마나 알고 있나요? 독도는 아주 조그마한 섬이지만 *엄연한 우리나라 땅입니다. 그러나 일본은 독도가 자신의 땅이라고 주장하고 있습니다. 여러분들은 독도가 우리 땅이라는 사실을 잘 *인지하고 있을 것입니다. 그런데 독도가 일본 땅이라고 배운 일본 친구들을 만났을 때 독도가 왜 우리나라의 땅인지 자세히 설명할 수 있나요? 독도가 우리나라 땅이라는 사실을 확실하게 하기 위해서는 그저 독도가 우리나라 땅이라고 주장하는 것만으로는 부족합니다. 독도를 지키려는 자세와 노력이 필요하지요.

그렇다면 우리는 학생으로서 독도를 *보존하기 위해서 어떤 일을 해야 할까요? 독도에 관심과 애정을 쏟아야 합니다. 사람들이 독도에 관심을 가지지 않는다면 독도는 아무도 모르게 다른 나라의 땅이 되어 버릴지도 모릅니다. 우리는 우리나라 정부와 단체가 독도를 지키기 위해 어떤 노력을 하고 있는지, 정부의 제도나 정책에서 부족한 점은 없는지, 우리가 직접 참여할 수 있는 일은 없는지 등을 살펴보아야 합니다. 또한 우리는 독도에 대한 지식과 이해를 넓혀야 합니다. 독도가 우리 땅이라고 주장할 수 있는 *근거에는 어떤 것이 있는지 생각해 보아야 합니다. 독도가 위치적으로나 역사적으로 왜 중요한지 알아보거나, 역사 속에서 독도가 어떻게 *등장하고 있는지 찾아볼 수도 있습니다.

독도에 직접 다녀오는 것도 좋은 경험이 될 것입니다. 울릉도에 가서 다시 독도까지 가는 배를 타면 90분 정도 후에 독도에 도착할 수 있습니다. 배에서 내리면 독도의 아름다운 자연환경과 독도에 서식하는 많은 동식물을 볼 수 있지요. 이렇게 독도를 직접 체험하면 책이나 사진으로만 독도를 봤을 때보다 독도를 더 잘 알 수 있을 것입니다. 또한 아름다운 독도를 더 아끼고 사랑해야겠다고 *다짐하게 될 것입니다.

우리는 소중한 우리 땅인 독도에 많은 관심과 애정을 쏟아야 합니다. 여러분들도 우리 땅 독도의 중요성과 가치를 이해하고 독도와 관련된 지식을 얻기 위해 노력하며, 독도에 관심과 애정을 갖기를 바랍니다.

낱말 뜻 풀이

- **엄연한**: 어떠한 사실이나 현상이 부인할 수 없을 만큼 뚜렷한.
- **인지**: 어떤 사실을 인정하여 앎.
- **보존**: 잘 보호하고 보살피고 지켜 남김.
- **근거**: 어떤 일이나 의논, 의견에 그 근본이 되거나 그런 까닭.
- **등장**: 연극, 영화, 소설 등에 어떤 인물이 나타남.
- **다짐**: 마음이나 뜻을 굳게 가다듬어 정함.

▶ 정답과 해설 5쪽

1 제목

이 글에 알맞은 제목을 쓰세요.

소중한 우리 땅, □□

2 주제

이 글의 중심 내용으로 알맞은 것은 무엇인가요?

① 독도에서 살면 좋은 까닭
② 독도가 가지는 역사적 의미
③ 독도와 울릉도 사이의 관계
④ 독도에 대한 많은 관심과 애정을 바람
⑤ 일본이 독도를 자신의 땅이라고 주장하는 까닭

3

이 글의 내용으로 알맞지 않은 것은 무엇인가요?

① 독도에는 많은 지하자원이 묻혀 있다.
② 독도를 지키려는 관심과 애정이 필요하다.
③ 독도에 다녀오는 일은 독도를 더 잘 알 수 있게 해 준다.
④ 정부와 단체가 독도를 지키기 위해서 어떤 노력을 하고 있는지 알아야 한다.
⑤ 역사 속에서 독도가 어떻게 등장하는지 찾아보면 독도에 대한 지식과 이해가 넓어진다.

4 추론

이 글을 읽고 떠올린 생각으로 가장 알맞은 것은 무엇인가요?

① 독도에는 사람이 살고 있지 않다.
② 독도를 다녀오는 데에는 비용이 많이 든다.
③ 독도가 우리나라 땅이라는 사실만 알고 있으면 된다.
④ 독도에 대해 자세히 알아보는 것도 독도를 지키는 방법 중 하나이다.
⑤ 다른 나라 사람들도 모두 독도가 대한민국 땅이라는 사실을 인정하고 있다.

5

적용

다음 중 글쓴이의 의견과 다른 것은 무엇인가요?

① 일본에서는 독도에 대해 어떻게 배우는지 알아봐야겠어.

② 독도에 대해 알아보면 독도가 왜 우리 땅인지 말할 수 있을 거야.

③ 독도에 직접 가보는 것보다는 사진으로 보는 게 더 좋은 것 같아.

④ 정부에서는 독도를 지키기 위해 어떤 활동을 하고 있는지 알아봐야지.

⑤ 우리나라의 역사를 살펴보고 독도가 어떻게 등장하는지 찾아봐야겠어.

6

이 글의 구조를 생각하며, 빈칸에 알맞은 말을 쓰세요.

처음	☐☐에 대해 잘 모르는 사람이 많음.
가운데	독도를 보존하기 위해 학생으로서 할 일 – 독도와 관련된 제도와 정책 알기 – 독도에 대한 지식과 이해 넓히기 – 독도에 직접 다녀오기
끝	독도에 대한 ☐☐와/과 ☐☐을/를 갖자.

학생으로서 독도를 지키기 위하여 할 수 있는 일은 무엇일까요?

어휘·어법 다지기

04회 ▶정답과 해설 5쪽

01 다음 뜻에 알맞은 낱말을 찾아 선으로 이으세요.

(1) 잘 보호하고 보살피고 지켜 남김. • • ㉠ 근거

(2) 마음이나 뜻을 굳게 가다듬어 정함. • • ㉡ 다짐

(3) 연극, 영화, 소설 등에 어떤 인물이 나타남. • • ㉢ 등장

(4) 어떤 일이나 의논, 의견에 그 근본이 되거나 그런 까닭. • • ㉣ 보존

02 다음 문장에 알맞은 낱말을 보기 에서 찾아 쓰세요.

보기 근거 다짐 보존 인지

(1) 아름다운 자연을 잘 ( )해야 한다.

(2) 나는 내일부터 일찍 일어나겠다고 ( )하였다.

(3) 무엇을 주장할 때에는 그 ( )이/가 꼭 필요하다.

(4) 우리 문화재의 소중함을 항상 ( )하고 있어야 한다.

03  를 읽고 밑줄 친 부분의 발음을 쓰세요.

보기 '비음화'는 우리말로 '콧소리되기'라고 해요. 허파에서 나오는 공기를 막았다가 막은 자리를 터뜨리면서 내는 파열음 'ㄱ, ㄲ, ㅋ, ㄷ, ㄸ, ㅌ, ㅂ, ㅃ, ㅍ'이 뒤에 오는 비음 'ㄴ, ㅁ, ㅇ'에 영향을 받아서 비음으로 바뀌는 것을 말하지요. 예를 들면 '국물'은 [궁물]로 발음되는데 이는 '국'의 받침인 파열음 'ㄱ'이 뒤에 오는 'ㅁ'의 영향을 받아 비음 중 하나인 'ㅇ'으로 바뀌었기 때문이에요.

(1) 나는 오늘 밥만 먹었다. → [ ]

(2) 책을 읽는 동안 비가 내렸다. → [ ]

매일 학습 평가	맞은 문제에 표시해 주세요.					맞은 개수
1 제목 ☐	2 주제 ☐	3 세부 내용 ☐	4 추론 ☐	5 적용 ☐	6 글의 구조 ☐	개

05회

설명문 | 과학

[과학 4-1] 2. 지층과 화석

공부한 날 ( ) 월 ( ) 일

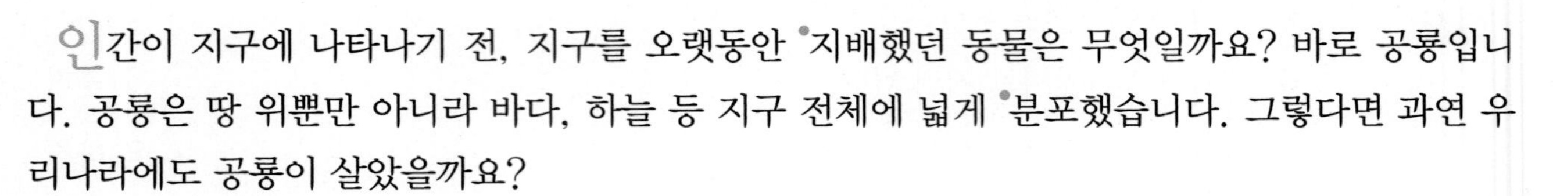

인간이 지구에 나타나기 전, 지구를 오랫동안 *지배했던 동물은 무엇일까요? 바로 공룡입니다. 공룡은 땅 위뿐만 아니라 바다, 하늘 등 지구 전체에 넓게 *분포했습니다. 그렇다면 과연 우리나라에도 공룡이 살았을까요?

2008년 경기도 화성시 전곡항에서 공룡 *화석이 발견되었습니다. 화석을 발견할 당시에는 대부분의 뼈들이 묻혀 있는 상태였지요. 한국지질자원연구원은 발견된 화석을 2년 동안 연구하였고, 이 공룡이 지금까지 알려지지 않은 새로운 뿔 공룡임을 밝혀냈습니다. 이융남 박사는 새로 발견한 이 공룡의 이름을 '코리아케라톱스 화성엔시스'로 *명명하였는데 이는 '대한민국 화성시에서 발견되었고 얼굴에 뿔이 달린 공룡'이라는 뜻입니다.

물과 식물이 많은 곳에 살았던 코리아케라톱스 화성엔시스는 몸길이가 2.3미터 정도였습니다. 꼬리뼈가 두껍고, 발목이 튼튼하며 발은 비교적 작은 편이었지요. 또한 물속과 땅 위를 자유롭게 오가며 생활하였습니다.

그런데 어떻게 화석만 가지고 아주 오래전에 살았고 지금은 *멸종한 공룡의 생김새와 ㉠생활 모습까지 알 수 있는 것일까요? 바로 고생물학자들의 연구를 통해서 알 수 있습니다. 고생물학자들은 화석을 관찰하고 연구하여 옛날에 살았던 동물과 식물의 모습, 생활 환경뿐만 아니라 그 당시에 어떤 일이 있었는지까지도 밝혀냅니다. 고생물학자들은 코리아케라톱스 화성엔시스 화석의 여러 부위 중 특히 독특한 꼬리 구조에 관심을 보였습니다. 꼬리 구조 때문에 코리아케라톱스 화성엔시스가 땅 위와 물속을 오가며 살았다고 *추측했던 것이지요.

고생물학자들의 이러한 노력 덕분에 코리아케라톱스 화성엔시스는 땅속에 묻혀 있던 화석이었지만, 이제는 화성시의 자랑으로 자리 잡을 수 있었습니다. 지금도 화성시에 가면 코리아케라톱스 화성엔시스를 주제로 한 멋진 동상을 볼 수 있습니다.

낱말 뜻 풀이

- **지배**: 어떤 사람이나 집단, 조직, 사물 등을 자기의 생각대로 따르게 하여 다스림.
- **분포**: 일정한 범위에 흩어져 퍼져 있음.
- **화석**: 지질 시대에 살았던 동식물의 뼈와 활동 흔적 등이 흙에 묻힌 채로 또는 땅 위에 그대로 남아 있는 것을 이르는 말.
- **명명**: 사람, 사물, 사건 등의 대상에 이름을 지어 붙임.
- **멸종**: 생물의 한 종류가 아주 없어짐. 또는 생물의 한 종류를 아주 없애 버림.
- **추측**: 미루어 생각하여 헤아림.

1

이 글에 알맞은 제목을 쓰세요.

우리나라에 살았던 ☐☐

2

이 글의 중심 내용과 거리가 먼 낱말은 무엇인가요?

① 공룡
② 동상
③ 화석
④ 생활 모습
⑤ 고생물학자

3

세부 내용

이 글의 내용으로 알맞지 않은 것은 무엇인가요?

① 우리나라에도 공룡이 살았다.
② 코리아케라톱스 화성엔시스는 우리나라에서 처음으로 발견되었다.
③ 코리아케라톱스 화성엔시스는 물속과 땅 위를 자유롭게 이동하였다.
④ 고생물학자들은 연구를 통해서 공룡의 생김새와 생활 모습을 추측한다.
⑤ 코리아케라톱스 화성엔시스가 멸종한 까닭은 먹이가 부족해졌기 때문이다.

4

이 글을 읽고 떠올린 생각으로 알맞지 않은 것은 무엇인가요?

① 옛날 우리나라에는 공룡이 살 만큼 물과 식물이 많았겠구나.
② 화석을 연구하면 공룡이 어떻게 생겼는지 짐작할 수 있겠어.
③ 알려지지 않은 공룡을 처음으로 발견하면 이름을 붙일 수 있어.
④ 화석을 연구해도 공룡이 어떤 환경에서 살았는지는 알기 어렵겠어.
⑤ 고생물학자들 덕분에 우리나라에도 공룡이 살았다는 것을 알게 되었어.

5

세부 내용

이 글의 내용으로 볼 때, ㉠을 알 수 있게 해 주는 화석 부위는 어디인가요?

① 발
② 뿔
③ 꼬리
④ 머리
⑤ 발목

6

글의 구조

이 글의 구조를 생각하며, 빈칸에 알맞은 말을 쓰세요.

구분	내용
처음	우리나라에도 □□ 이/가 있었는지에 대한 의문
가운데	우리나라에서 발견된 새로운 뿔 공룡 □□
	코리아케라톱스 화성엔시스의 생김새와 생활 모습
	화석을 관찰하고 연구하는 □□□□□
끝	□□□ 을/를 대표하는 코리아케라톱스 화성엔시스

공룡에 이름을 붙일 때 그 공룡이 발견된 지역의 이름을 사용하는 까닭은 무엇일까요?

01 **다음 낱말에 알맞은 뜻을 찾아 선으로 이으세요.**

(1) 명명 •   • ㉠ 미루어 생각하여 헤아림.

(2) 분포 •   • ㉡ 일정한 범위에 흩어져 퍼져 있음.

(3) 추측 •   • ㉢ 사람, 사물, 사건 등의 대상에 이름을 지어 붙임.

02 **다음 문장에 알맞은 낱말을 보기 에서 찾아 쓰세요.**

보기

멸종   분포   추측   화석

(1) 나의 (   )대로 오늘은 별로 춥지 않았다.

(2) 진수는 박물관에서 고생대 동물의 (   )을/를 보았다.

(3) 환경 오염으로 인하여 야생 동물들이 (   ) 위기에 처했다.

(4) 한라산에는 높이에 따라 다양한 야생 식물들이 (   )하고 있다.

03 **보기 를 읽고 밑줄 친 낱말의 쓰임이 알맞지 않은 문장을 고르세요.**

보기

'마치다, 맞추다, 맞히다'

'마치다'는 '어떤 일이나 과정, 절차 등이 끝나다.'라는 뜻이 있는 낱말이고, '맞추다'는 '둘 이상의 대상들을 나란히 놓고 비교하여 살피다.', '서로 어긋남이 없이 조화를 이루다.'라는 뜻이 있는 낱말이에요. 그리고 '맞히다'는 '문제에 대한 답을 틀리지 않게 하다.'라는 뜻을 가진 낱말이에요.

① 현수는 학교를 마치고 서점에 갔다.
② 스피드 퀴즈에서 겨우 한 문제만 마쳤다.
③ 체육 시간에 모두 함께 발을 맞추어 걸었다.
④ 청바지의 구멍 난 부분에 천 조각을 맞추어 꿰맸다.
⑤ 수수께끼의 답을 모두 맞히면 큰 상품을 준다고 하였다.

매일 학습 평가	맞은 문제에 표시해 주세요.					맞은 개수
1 제목 ☐	2 핵심어 ☐	3 세부 내용 ☐	4 추론 ☐	5 세부 내용 ☐	6 글의 구조 ☐	개

스티커를 붙여 주세요

설명문 | 인문

[사회 4-2] 1. 촌락과 도시의 생활 모습

공부한 날 월 일

도시는 오늘날 사람들의 대표적인 생활 공간 중 하나입니다. 현재 우리나라 인구의 90퍼센트가 넘는 사람들이 도시에 살고 있습니다. 도시가 촌락과 다른 점은 바로 인구 밀도가 높다는 점입니다. 도시는 좁은 지역에 많은 사람들이 모여 살고 있기 때문에 여러 사람이 함께 생활하는 높은 건물이 많이 세워져 있습니다. 또한 도시는 자연환경을 이용하는 1차 산업보다는 제조업, 서비스업 등을 중심으로 하는 2 · 3차 산업의 비율이 높게 나타난답니다.

촌락은 도시와는 다른 모습을 보입니다. 도시에 비해 촌락에 거주하는 사람은 매우 적지요. 따라서 사람들은 높은 건물이나 주택 단지보다는 소규모 마을에 흩어져서 살고 있습니다. 촌락은 농경지, 산림 등의 자연환경이 비교적 잘 보존되어 있기 때문에 이러한 자연환경을 이용한 농업이나 수산업 등의 1차 산업이 발달하였습니다. 촌락은 위치하고 있는 장소에 따라 다시 농촌, 어촌, 산지촌으로 분류할 수 있지요.

도시와 촌락은 서로 해결해야 할 문제점도 다릅니다. 도시의 가장 큰 문제는 바로 높은 인구 밀도입니다. 좁은 곳에 많은 사람들이 살고 있다 보니 교통 체증이 심각하고, 많은 사람들이 배출하는 쓰레기는 환경을 오염시키고 있습니다. 이 밖에도 인구 밀도가 높은 데 반해 일자리가 부족하여 수많은 실업자가 발생하고, 밤늦게까지 이어지는 도시의 시끄러운 소음과 꺼지지 않는 불빛은 사람들의 삶의 질을 떨어뜨리고 있습니다.

촌락 역시 가장 큰 문제는 인구수에 있습니다. 촌락은 젊은 사람들이 대부분 도시로 떠나 버리는 바람에 인구수가 많이 줄었고 일할 사람도 매우 부족해졌습니다. 또한, 각종 편의 시설 및 사회 기반 시설이 부족하여 생활하기 어렵기 때문에 남아 있는 사람들도 촌락에서의 삶을 망설이고 있습니다. 이러한 문제를 해결하기 위해 국가에서는 농기계를 도입하여 농사를 짓게 하는 한편, 도시의 많은 인구를 농촌으로 유입시키기 위해 귀농을 장려하고 있습니다. 하지만 다양한 문제점들을 해결하기에는 아직 더 많은 노력이 필요해 보입니다.

낱말 뜻 풀이

- **밀도**: 일정한 면적에 무엇이 빽빽이 들어선 정도.
- **체증**: 교통의 흐름이 순조롭지 아니하여 길이 막히는 상태.
- **도입**: 기술, 방법, 활동에 필요한 여러 가지 물건이나 재료 등을 끌어 들임.
- **유입**: 무엇이 어떤 곳으로 들어옴.
- **귀농**: 다른 일을 하던 사람이 그 일을 그만두고 농사를 지으려고 농촌으로 돌아감.
- **장려**: 좋은 일에 힘쓰도록 북돋아 줌.

▶ 정답과 해설 7쪽

1

제목

이 글에 알맞은 제목을 쓰세요.

☐☐ 와/과 촌락, 어떻게 다를까?

2

전개 방식

이 글에 대해 바르게 말한 것은 무엇인가요?

① 대표적인 도시와 촌락의 예를 드는 글이다.

② 촌락으로 이사하는 사람들을 비판하는 글이다.

③ 도시와 촌락이 만들어지는 과정을 설명하는 글이다.

④ 도시와 촌락의 생활 모습과 문제점을 설명하는 글이다.

⑤ 사람들은 모두 도시로 이사해야 한다고 주장하는 글이다.

3

세부 내용

이 글에 나타난 도시의 문제점이 아닌 것은 무엇인가요?

① 소음 공해

② 환경 오염

③ 실업자 발생

④ 높은 인구 밀도

⑤ 사회 기반 시설의 부족

4

세부 내용

이 글의 내용으로 알맞지 않은 것은 무엇인가요?

① 도시에서는 교통 체증이 심각한 문제이다.

② 우리나라 인구의 대부분은 도시에서 살고 있다.

③ 촌락에서는 1차 산업보다 2 · 3차 산업의 비율이 높다.

④ 최근에는 농촌 인구가 많아지도록 귀농을 장려하고 있다.

⑤ 촌락은 위치하고 있는 장소에 따라 농촌, 어촌, 산지촌으로 분류할 수 있다.

5

이 글을 읽고 빈칸에 알맞은 말을 쓰세요.

도시와 촌락에서 나타나는 문제는 모두 ☐☐ 수와 관련이 깊다.

6

추론

다음은 도시와 촌락의 문제를 해결할 방법을 제시한 것입니다. 알맞지 <u>않은</u> 말을 한 사람은 누구인지 쓰세요.

- 민지: 도시에 사는 사람들의 삶의 질을 높여야 해.
- 아영: 다양한 정책을 통해 촌락의 인구를 늘려야 해.
- 철수: 도시에 사는 사람들을 강제로라도 귀농시켜야 해.
- 현준: 도시에 사는 사람들이 환경 문제에 관심을 가져야 해.

7

이 글의 구조를 생각하며, 빈칸에 알맞은 말을 쓰세요.

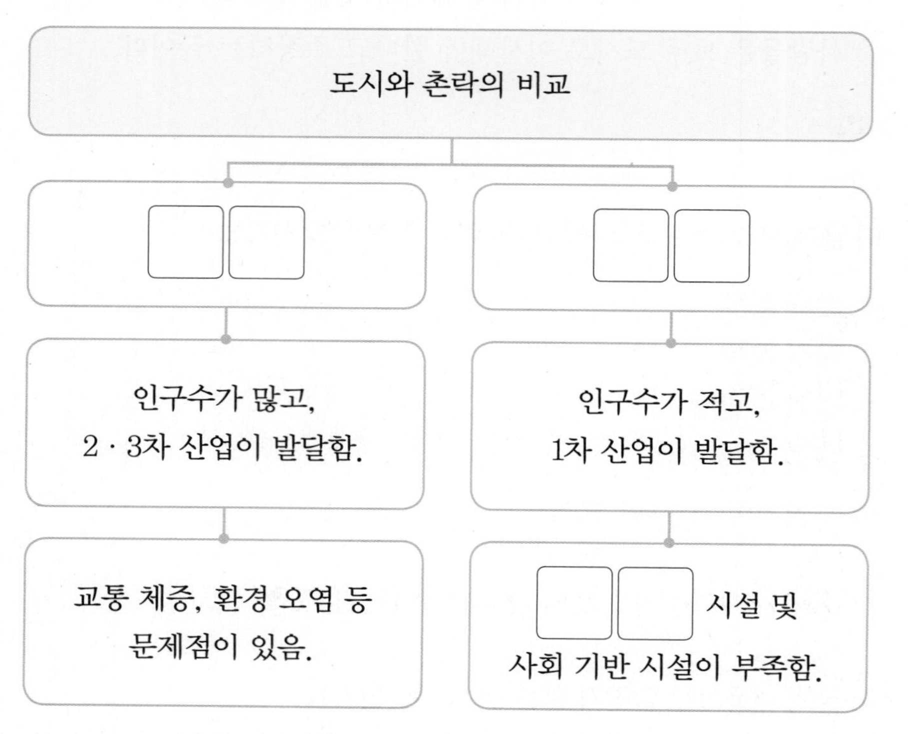

생각 글 쓰기

촌락에서 도시로 이사하는 사람들은 많지만 도시에서 촌락으로 이사하는 사람들은 적은 까닭은 무엇일까요?

어휘·어법 다지기

01 **다음 뜻에 알맞은 낱말을 찾아 선으로 이으세요.**

(1) 무엇이 어떤 곳으로 들어옴. • • ㉠ 귀농

(2) 일정한 면적에 무엇이 빽빽이 들어선 정도. • • ㉡ 밀도

(3) 교통의 흐름이 순조롭지 아니하여 길이 막히는 상태. • • ㉢ 유입

(4) 다른 일을 하던 사람이 그 일을 그만두고 농사를 지으려고 농촌으로 돌아감. • • ㉣ 체증

02 **다음 문장에 알맞은 낱말을 보기에서 찾아 쓰세요.**

보기

도입　　유입　　체증

(1) 주말에는 도로의 교통 (　　　　)이/가 심하다.

(2) 공장들은 첨단 장비를 (　　　　)하여 생산 시간을 줄인다.

(3) 환경 오염의 원인 중 하나는 하천에 오 · 폐수가 (　　　　)되는 것이다.

03 **보기를 읽고 다음 문장에 알맞은 낱말을 골라 ○표를 하세요.**

'반드시'와 '반듯이'

'반드시'는 '틀림없이 꼭.'이라는 뜻을 가진 낱말이에요. '반드시 시간 맞춰서 와야 해.'와 같이 써요. '반듯이'는 '작은 물체, 또는 생각이나 행동 등이 비뚤어지거나 기울거나 굽지 아니하고 바르게.'라는 뜻이 있는 낱말이에요. '나는 침대에 반듯이 누웠다.'와 같이 쓰지요.

(1) 의자에 (반드시 / 반듯이) 앉아 책을 읽었다.

(2) 진우는 (반드시 / 반듯이) 달리기 시합에서 우승할 것이다.

매일 학습 평가 맞은 문제에 표시해 주세요.

1 제목	2 전개 방식	3 세부 내용	4 세부 내용	5 세부 내용	6 추론	7 글의 구조	맞은 개수
☐	☐	☐	☐	☐	☐	☐	개

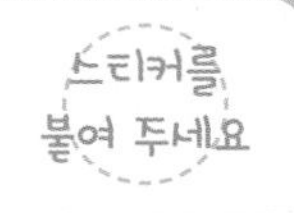

논설문 | 사회

공부한 날 월 일

우리는 하루에 얼마나 웃을까요? 사람은 어렸을 때 하루에 보통 400번을 웃지만, 어른이 된 후에는 하루에 보통 8번만 웃는다고 합니다. 사람이 나이를 먹을수록 웃음을 잃어 가는 까닭은 현실이 답답하고 삶의 무게가 무겁기 때문일 것입니다. 하지만 힘들수록 더 필요한 것이 바로 웃음입니다. 우리는 웃음을 통해 긍정적인 효과를 경험하기도 합니다.

첫째, 우리는 웃음을 통해 건강을 되찾을 수 있습니다. 웃음은 사람의 혈액 순환에 도움을 주고, 면역력을 높여 줍니다. 또한 웃음은 스트레스를 이겨 내고 쌓인 피로를 잠시나마 잊게 해 주는 훌륭한 약입니다. 웃음은 공짜로 얻을 수 있는 치료제인 것이지요.

둘째, 웃음은 인간관계에서 긍정적인 역할을 합니다. 사람을 처음 만났을 때 딱딱한 표정보다는 미소 띤 표정이 상대방을 편안하게 만들어 주고, 대화의 물꼬를 트게 하지요. 또한 웃음 가득한 밝은 표정은 보는 사람에게 긍정적인 인상을 주고 상대방이 나에게 호감을 갖게 합니다. 따라서 웃음은 인간관계의 윤활유가 될 수 있습니다.

셋째, 웃음은 학습 효과를 크게 높입니다. 웃음을 통해 우리는 학습하는 내용에 흥미를 느낄 수 있고, 기억력을 높이는 효과를 얻을 수 있지요. 또한 웃음은 새로운 것을 배울 때 생기는 긴장감을 해소하여 학습 능력을 크게 향상시킵니다. 긴장감이 감도는 딱딱한 분위기 속에서 수업을 받는 모습과 즐거운 분위기 속에서 웃으며 수업을 받는 모습을 상상해 봅시다. 어떤 분위기에서 수업을 받는 것이 공부가 더 잘 될까요? 즐거운 분위기에서 수업을 받을 때 공부도 더 잘 될 것입니다.

이렇게 웃음을 통해 우리가 얻을 수 있는 효과는 생각보다 매우 많습니다. 일상생활을 하면서 자신을 기쁘게 하는 즐거운 순간을 만났을 때, 시원하게 웃어 보는 것은 어떨까요? 많이 웃은 하루는 평소와 다르다고 느끼게 될 것입니다. 작은 웃음 한 번이 나를 다시 기쁘게 하고, 그 웃음의 물결이 퍼져서 상대방도 기분 좋게 만들어 줄 것입니다. 우리 모두 많이 웃읍시다.

낱말 뜻 풀이

- **순환**: 주기적으로 자꾸 되풀이하여 돎. 또는 그런 과정.
- **면역력**: 밖에서 들어온 병원균에 버티는 힘.
- **물꼬**: 어떤 일의 시작을 이르는 말.
- **인상**: 어떤 대상에 대하여 마음속에 새겨지는 느낌.
- **호감**: 좋게 여기는 감정.
- **윤활유**: 어떤 일을 좋은 방향으로 매끄럽게 이루어지도록 해 주는 것.
- **해소**: 어려운 일이나 문제가 되는 상태를 해결하여 없앰.
- **향상**: 실력, 수준, 기술 등이 나아지거나 나아지게 함.

▶ 정답과 해설 8쪽

1 제목

이 글에 알맞은 제목을 쓰세요.

☐☐의 긍정적인 효과

2 전개 방식

이 글에 대한 설명으로 알맞은 것은 무엇인가요?

① 자신이 겪은 경험을 이야기하고 있다.
② 소리를 흉내 내는 말을 사용하고 있다.
③ 시간의 순서에 따라 내용을 전개하고 있다.
④ 장소의 변화에 따라 글의 내용을 전개하고 있다.
⑤ 자신의 주장을 밝히고 그에 대한 근거를 제시하고 있다.

3

이 글에서 알 수 있는 웃음의 긍정적인 효과가 아닌 것은 무엇인가요?

① 혈액 순환에 도움을 준다.
② 세상의 모든 병을 치료해 준다.
③ 학습 능력을 크게 향상시켜 준다.
④ 상대방이 나에게 호감을 갖게 해 준다.
⑤ 학습하는 내용에 흥미를 느낄 수 있게 해 준다.

4

이 글의 주제를 나타내는 문장으로 알맞은 것은 무엇인가요?

① 사람은 자랄수록 웃음을 잃어 간다.
② 웃음은 학습 효과를 크게 높일 수 있다.
③ 일상생활을 하면서 자주 웃도록 노력하자.
④ 우리는 웃음을 통해 건강을 되찾을 수 있다.
⑤ 웃는 데 돈이 드는 것도, 엄청난 노력이 드는 것도 아니다.

5 추론

글쓴이의 주장에 반대하는 보기를 읽고 생각한 점으로 알맞은 것은 무엇인가요?

보기

서비스직에서 일하는 사람들이 말하는 고통 중 하나는 웃고 싶지 않아도 웃어야 하는 고통이다. 대부분의 사람들은 웃음으로 스트레스가 풀리고 건강해질 것이라고 생각하지만, 이들에게는 억지로 웃는 '감정 노동'으로서의 웃음이 스트레스의 원인이 되고 있다.

① 참고 웃다 보면 웃음으로 인한 스트레스도 사라질 거야.
② 어떠한 상황에서도 웃는 것만이 최고의 치료제가 될 수 있어.
③ 웃음 때문에 스트레스를 받는다는 사람들은 좀 이상한 것 같아.
④ 감정과 상관없이 무조건 웃는 것이 건강에 좋은 일은 아니구나.
⑤ 웃음으로 스트레스를 받는 사람은 너무 적게 웃어서 그런 거야.

6 글의 구조

이 글의 구조를 생각하며, 빈칸에 알맞은 말을 쓰세요.

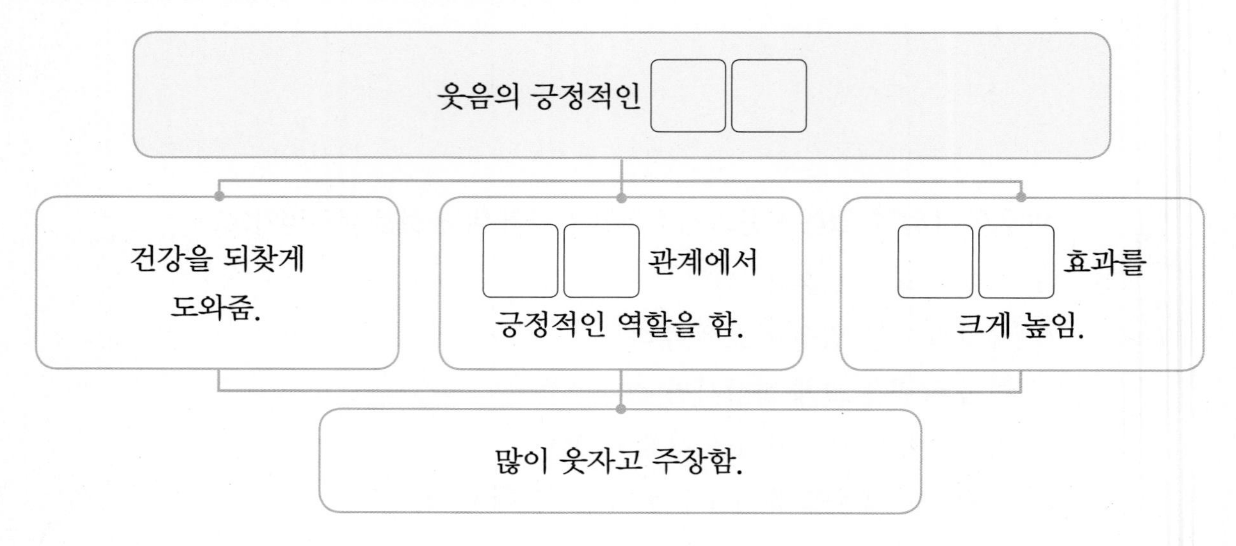

생각 글 쓰기

글쓴이가 웃음을 공짜로 얻을 수 있는 치료제라고 말한 까닭은 무엇일까요?

어휘·어법 다지기

▶ 정답과 해설 8쪽

01 **다음 낱말에 알맞은 뜻을 찾아 선으로 이으세요.**

(1) 면역력 •
(2) 물꼬 •
(3) 해소 •
(4) 향상 •

• ㉠ 어떤 일의 시작을 이르는 말.
• ㉡ 밖에서 들어온 병원균에 버티는 힘.
• ㉢ 실력, 수준, 기술 등이 나아지거나 나아지게 함.
• ㉣ 어려운 일이나 문제가 되는 상태를 해결하여 없앰.

02 **다음 문장에 알맞은 낱말을 보기에서 찾아 쓰세요.**

보기
면역력 인상 해소 향상

(1) 나는 ( )이/가 좋다는 이야기를 자주 듣는다.
(2) 몸이 피곤하면 ( )이/가 많이 약해진다고 한다.
(3) 운동선수는 꾸준한 연습을 통하여 기록을 ( )시킨다.
(4) 편안한 음악은 스트레스를 ( )하는 데 도움이 된다고 한다.

03 **보기를 읽고 밑줄 친 부분의 발음을 쓰세요.**

보기
'유음화'는 'ㄴ'이 'ㄹ'의 앞이나 뒤에서 'ㄹ'로 발음되는 것을 말해요. 유음화가 일어나는 까닭은 'ㄴ'과 'ㄹ'이 발음하는 자리가 같기 때문이에요. 예를 들어 '신라'가 [실라]로 발음되는 까닭은 '신'의 받침 'ㄴ'이 '라'의 'ㄹ'를 만나 발음되었기 때문이고, '칼날'이 [칼랄]로 발음되는 까닭은 '날'의 'ㄴ'이 '칼'의 받침 'ㄹ'을 만나 'ㄹ'로 발음되었기 때문이에요.

(1) 이번 설날에는 동생과 함께 연을 날렸다. → [ ]
(2) 찜질방에서는 식혜와 달걀을 먹는 것이 진리다. → [ ]

매일 학습 평가	맞은 문제에 표시해 주세요.					맞은 개수
1 제목 ☐	2 전개 방식 ☐	3 세부 내용 ☐	4 주제 ☐	5 추론 ☐	6 글의 구조 ☐	개

스티커를 붙여 주세요

아빠의 잠버릇

안경을 쓴 채
잠자는 •버릇이 있는 아빠
자주 안경을 망가뜨려
엄마에게
•핀잔을 듣지요

오늘도 안경을 쓴 채
긴 소파에 누워 잠든 아빠
엄마가 보기 전
•얼른 안경을 벗겨 주려다
그만두었지요

이따금
•꿈속에서 뵌다는 할머니
㉠ 똑똑히 보려고
안경을 쓰고 자는 것이라
•생각되었기 때문이지요

– 김용삼

낱말 뜻 풀이

- **버릇**: 오랫동안 반복하여 몸에 익어 버린 행동.
- **핀잔**: 맞대어 놓고 언짢게 꾸짖거나 비꼬아 꾸짖는 일.
- **얼른**: 시간을 끌지 아니하고 바로.
- **꿈속**: 꿈을 꾸는 동안.
- **생각**: 어떤 일에 대한 의견이나 느낌을 가짐.

1

소재

이 시의 중심 글감은 무엇인가요?

아빠의 □□

2

표현

이 시에 대한 설명으로 알맞지 않은 것은 무엇인가요?

① 3연 15행으로 이루어져 있다.
② 소리를 흉내 내는 말이 사용되었다.
③ 각각의 연을 같은 말로 끝맺고 있다.
④ 말하는 이가 아빠를 배려하는 마음이 나타나 있다.
⑤ 시를 통해 말하는 이의 할머니가 돌아가셨음을 알 수 있다.

3

세부 내용

이 시에서 아빠의 독특한 잠버릇은 무엇인가요?

① 눈을 뜨고 잠을 자는 것
② 안경을 쓴 채 잠을 자는 것
③ 코를 크게 골며 잠을 자는 것
④ 이상한 소리를 내며 잠을 자는 것
⑤ 계속해서 뒤척거리며 잠을 자는 것

4

추론

㉠에서 알 수 있는 사실로 알맞은 것은 무엇인가요?

① 아빠는 눈이 좋지 않다.
② 아빠는 잘 때 꿈을 잘 꾼다.
③ 아빠는 안경 쓰는 것을 좋아한다.
④ 아빠는 할머니를 그리워하고 있다.
⑤ 아빠는 잘 때 안경을 벗기 귀찮아한다.

5

감상

이 시를 읽고 난 후의 반응으로 알맞지 <u>않은</u> 것은 무엇인가요?

① 평소에 아빠가 할머니를 많이 그리워하나 봐.
② 아빠는 안경을 쓰고 잠을 자는 잠버릇이 있구나.
③ 엄마는 아빠가 안경을 자주 망가뜨려서 속상할 것 같아.
④ 엄마는 아빠가 할머니를 그리워하는 것을 못마땅해하고 있어.
⑤ 말하는 이는 할머니를 그리워하는 아빠의 마음을 이해하고 있구나.

6

이 시의 구조를 생각하며, 빈칸에 알맞은 말을 쓰세요.

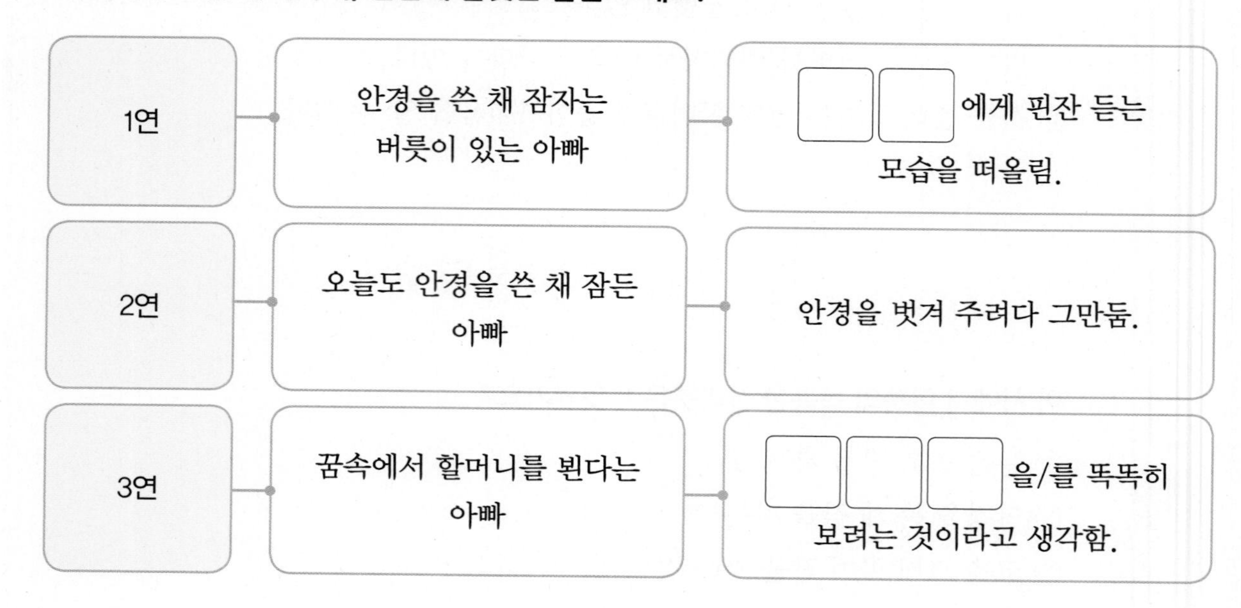

1연	안경을 쓴 채 잠자는 버릇이 있는 아빠	□□에게 핀잔 듣는 모습을 떠올림.
2연	오늘도 안경을 쓴 채 잠든 아빠	안경을 벗겨 주려다 그만둠.
3연	꿈속에서 할머니를 뵌다는 아빠	□□□을/를 똑똑히 보려는 것이라고 생각함.

생각 글 쓰기

말하는 이가 잠자는 아빠의 안경을 벗기지 않고 그대로 둔 까닭은 무엇일까요?

어휘·어법 다지기

01 **다음 낱말에 알맞은 뜻을 찾아 선으로 이으세요.**

(1) 꿈속 •
(2) 버릇 •
(3) 얼른 •
(4) 핀잔 •

• ㉠ 꿈을 꾸는 동안.
• ㉡ 시간을 끌지 아니하고 바로.
• ㉢ 오랫동안 반복하여 몸에 익어 버린 행동.
• ㉣ 맞대어 놓고 언짢게 꾸짖거나 비꼬아 꾸짖는 일.

02 **다음 문장에 알맞은 낱말을 보기에서 찾아 쓰세요.**

보기
꿈속 버릇 생각

(1) 동생은 손톱을 깨무는 (   )을/를 고쳤다.
(2) 나는 (   )에서 하늘을 날면서 여행을 하였다.
(3) 피곤해하시는 어머니를 보고 안마를 해 드리고 싶다고 (   )하였다.

03 **보기를 읽고 다음 문장에 알맞은 낱말을 골라 ○표를 하세요.**

보기
'바치다'와 받치다'
'바치다'는 '신이나 웃어른에게 정중하게 드리다.', '무엇을 위하여 모든 것을 아낌없이 내놓거나 쓰다.'라는 뜻을 가진 낱말이에요. '신에게 제물을 바쳤다.'와 같이 쓰지요. '받치다'는 '물건의 밑이나 옆 등에 다른 물체를 대다.', '어떤 일을 잘할 수 있도록 뒷받침해 주다.'라는 뜻으로 '쟁반에 접시를 받쳐 들었다.'와 같이 써요. 두 낱말의 발음은 구분하기 어렵지만 뜻이 다르니 알맞게 잘 써야 합니다.

(1) 겨울에는 춥기 때문에 꼭 내복을 (바쳐 / 받쳐) 입는다.
(2) 그 과학자는 평생을 (바쳐 / 받쳐) 연구한 끝에 노벨상을 받았다.

매일 학습 평가 맞은 문제에 표시해 주세요.

1 소재	2 표현	3 세부 내용	4 추론	5 감상	6 글의 구조	맞은 개수
□	□	□	□	□	□	개

스티커를 붙여 주세요

가 아침마다 사라는 어머니와 함께 버스를 탔습니다. 언제나 백인들이 앉는 자리와 *구분된 뒷자리에 앉았습니다. 고개를 돌려 자기를 쳐다보는 백인 아이들에게 사라는 얼굴을 찡그렸습니다. 백인 아이들도 얼굴을 찡그리며 웃어 댔습니다. 그러다가 어머니들에게 잔소리를 들은 뒤에야 바로 앉았습니다.

㉠"지금까지 언제나 이래 왔단다. 자리에 앉을 수 있는 것만으로도 *만족해야지."

어머니께서는 두 손을 깍지 낀 채 이렇게 말씀하시고는 했습니다.

나 어느 날 아침, 사라는 버스 앞쪽 자리가 얼마나 좋은 곳인지 알아보기로 마음먹었습니다. 사라는 자리에서 일어나 좁은 통로로 걸어 나갔습니다. 별다른 것도 없어 보였습니다. 창문은 똑같이 지저분했고, 버스의 시끄러운 소리도 똑같았습니다. 앞쪽 자리가 뭐가 그리 대단하다는 것일까요?

다 사라는 계속 나아갔습니다. 앞쪽 끝까지 가서 운전사 옆자리에 앉았습니다. 사라는 운전사가 *기어를 바꾸고 두 손으로 커다란 핸들을 돌리는 것을 지켜보았습니다. 운전사가 성난 얼굴로 사라를 쏘아보았습니다.

"꼬마 아가씨, 뒤로 가서 앉아라. ㉡너도 알다시피 늘 그래 왔잖니?"

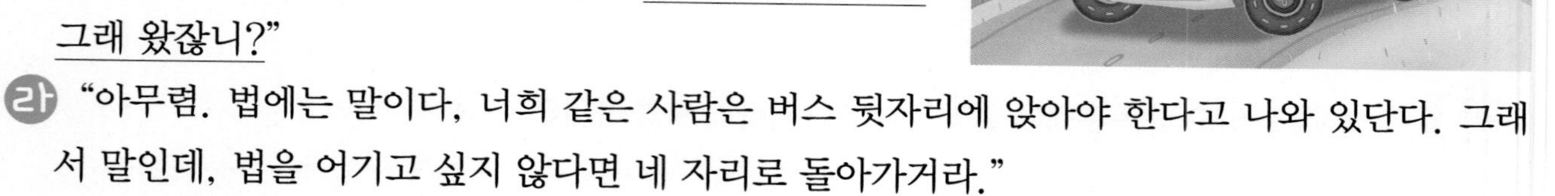

라 "아무렴. 법에는 말이다, 너희 같은 사람은 버스 뒷자리에 앉아야 한다고 나와 있단다. 그래서 말인데, 법을 어기고 싶지 않다면 네 자리로 돌아가거라."

밖에 사람들이 모여들기 시작했습니다. 사람들이 *흥분하여 사라에게 큰 소리를 질렀지만, 몇몇은 사라를 응원했습니다.

한 아저씨께서 소리치셨습니다.

"일어나지 마라. 그 자리는 네 피부색과 아무 상관이 없어."

경찰관이 안타깝다는 듯 고개를 절레절레 흔들더니 사라를 번쩍 안아 올렸습니다. 그러고는 사람들 사이를 지나 경찰서로 향했습니다.

마 "그런데 왜 저는 버스 앞자리에 타면 안 되나요?"

"법이 그렇기 때문이야. 법이라고 다 좋은 것은 아니지만 말이다."

사라가 어머니의 피곤한 눈을 올려다보며 물었습니다.

"법은 절대 바뀌지 않나요?"

어머니께서 부드럽게 대답하셨습니다.

"언젠가는 바뀌겠지."

바 ㉢그날은 어떤 흑인도 버스를 타지 않았습니다. 그다음 날도 마찬가지였습니다. 버스 회사는 당황했습니다. *시장도 어쩔 줄 몰라 했습니다. 그리하여 사람들은 마침내 법을 바꾸었습니다.

운전사가 문을 열어 주며 말했습니다.

"타시죠, 꼬마 아가씨."

사라는 자리에 앉기 전에 뒤돌아서 어머니를 쳐다보았습니다. 평소와 똑같은 외투와 똑같은 신발이었습니다. 그런데 오늘 어머니께서는 무엇인가 달라 보이셨습니다. *자랑과 행복이 두 눈에 가득했습니다.

어머니께서 말씀하셨습니다.

"사라야, 왜 머뭇거리니? 그 자리에 앉을 자격이 있는 사람은 바로 우리 딸인데……."

운전사가 사라를 쳐다보았습니다. 버스에 있는 모든 사람이 사라를 쳐다보았습니다.

"아니에요, 어머니. 이 자리는 바로 어머니의 자리예요! 앞으로 어머니께서 계속 앉으실 수 있어요."

어머니께서 활짝 웃으셨습니다. 사라와 어머니는 함께 자리에 앉았습니다.

– 윌리엄 밀러, 「사라, 버스를 타다」

낱말 뜻 풀이

- **구분**: 일정한 기준에 따라 전체를 몇 개로 갈라 나눔.
- **만족**: 모자람이 없이 충분하고 넉넉함.
- **기어**: 주로 차량 등에서 속도나 방향을 바꾸는 장치.
- **흥분**: 어떤 자극을 받아 감정이 북받쳐 일어남.
- **시장**: 한 도시의 책임자.
- **자랑**: 자기 자신 또는 자기와 관계있는 사람이나 물건, 일 등이 훌륭하거나 남에게 칭찬을 받을 만한 것임을 드러내어 말함.

1

인물

이 글의 주인공은 누구인지 쓰세요.

□□

2

세부 내용

이 글의 내용으로 알맞지 않은 것은 무엇인가요?

① 사라는 버스 뒷자리에 계속 앉아 있었다.

② 사라는 버스 뒷자리에 앉아야 하는 흑인이었다.

③ 운전사가 앞쪽 끝까지 온 사라를 성난 얼굴로 쏘아보았다.

④ 사라의 눈에는 버스 앞자리와 뒷자리는 별다른 것이 없어 보였다.

⑤ 법이 바뀌기 전까지 버스에는 백인과 흑인이 앉는 자리가 구분되어 있었다.

3

세부 내용

㉣에서 사라가 경찰서에 가게 된 까닭은 무엇인가요?

① 백인 아이들과 싸웠기 때문이다.

② 버스 요금을 내지 않았기 때문이다.

③ 앞자리에 앉아 법을 어겼기 때문이다.

④ 버스 앞자리에서 뒷자리까지 뛰었기 때문이다.

⑤ 버스 운전사에게 예의 없게 행동했기 때문이다.

4

추론

㉠과 ㉡을 통해 알 수 있는 것은 무엇인가요?

① 깨끗하지 않은 버스

② 지나치게 시끄러운 버스의 소음

③ 사람들에게 불친절한 버스 운전사

④ 백인 아이들과 흑인 아이들의 계속되는 싸움

⑤ 백인과 흑인을 차별하는 것이 당연하다고 생각하는 태도

5

사라와 흑인들이 ㉢과 같이 행동한 까닭은 무엇인가요?

① 버스에 타는 사람이 너무 많았기 때문에

② 흑인은 버스에 탈 수 없다는 법이 생겼기 때문에

③ 버스가 너무 느려서 걷는 것이 더 빨랐기 때문에

④ 버스 요금이 너무 비싸서 돈을 낼 수 없었기 때문에

⑤ 흑인을 차별하는 법이 잘못되었음을 알리고 싶었기 때문에

생각 글 쓰기

사라와 흑인들이 버스를 타지 않는 운동을 함으로써 바꾸고자 했던 것은 무엇일까요?

어휘·어법 다지기

▼ 정답과 해설 10쪽

01 **다음 뜻에 알맞은 낱말을 찾아 선으로 이으세요.**

(1) 한 도시의 책임자. •　　　• ㉠ 기어

(2) 모자람이 없이 충분하고 넉넉함. •　　　• ㉡ 만족

(3) 어떤 자극을 받아 감정이 북받쳐 일어남. •　　　• ㉢ 시장

(4) 주로 차량 등에서 속도나 방향을 바꾸는 장치. •　　　• ㉣ 흥분

02 **다음 문장에 알맞은 낱말을 보기에서 찾아 쓰세요.**

보기
구분　　기어　　시장

(1) 우리나라의 시에는 (　　　　)이/가 있다.

(2) 자동차에서 (　　　　)은/는 아주 중요한 장치이다.

(3) 나는 나의 책과 동생의 책을 (　　　　)하여 책꽂이에 꽂았다.

03 **보기를 읽고 다음 문장에 알맞은 낱말을 골라 ○표를 하세요.**

보기

'구별'과 '구분'

'구별'은 '성질이나 종류에 따라 차이가 나는 것을 갈라놓음.'이라는 뜻의 낱말이에요. '티셔츠는 남녀의 구별이 거의 없다.'와 같이 써요. 그리고 '구분'은 '일정한 기준에 따라 전체를 몇 개로 갈라 나눔.'이라는 뜻의 낱말이에요. '열차는 특실과 일반실로 구분되어 있었다.'와 같이 쓸 수 있지요. 즉 '구별'은 나누어진 각각의 것들에서 차이를 인식한다는 것에 초점이 놓여 있고, '구분'은 하나의 어떤 것을 몇 개로 나눈다는 것에 초점이 놓여 있습니다.

(1) 나는 쌍둥이인 친구들을 전혀 (구별 / 구분)할 수 없었다.

(2) 내 책꽂이에는 읽은 책과 읽지 않은 책이 (구별 / 구분)되어 있다.

매일 학습 평가 맞은 문제에 표시해 주세요.

1 인물	2 세부 내용	3 세부 내용	4 추론	5 추론	맞은 개수
☐	☐	☐	☐	☐	개

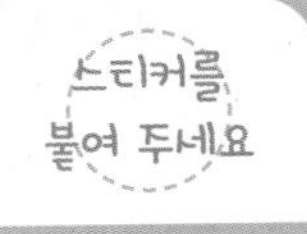

문학 | 우화

공부한 날 ( )월 ( )일

어느 날, 모기 한 마리가 산 속을 헤매며 날아다니다가 사자를 만났습니다. 사자를 보고서 모기는 건방진 말투로 사자를 *도발하기 시작했습니다.

"네가 아무리 짐승들의 왕이라지만 나는 조금도 무섭지 않아. 덤빌 테면 덤벼 봐라."

이 말을 들은 사자는 어이가 없었습니다. 그래서 모기를 단번에 없애 버리려고 어흥 소리를 지르면서 앞발을 번쩍 들고 껑충 뛰었습니다. 그러나 사자가 아무리 빨리 발을 휘둘러도 날아다니는 모기를 잡을 수는 없었습니다.

모기는 사자의 공격을 유유히 피하다가 사자의 눈앞으로 바싹 날아와서 말했습니다.

"네가 나를 잡으려고? 어림도 없지. 너는 날카로운 발톱과 이빨을 자랑하지만, 내게는 그까짓 것은 아무것도 아니야. 조그만 동물이라도 싸울 때는 물고 뜯고 하는 것이 큰 동물과 *마찬가지라고. 그러니 이번에는 내가 너를 물어뜯어 놓을 테다."

이렇게 말하고 모기는 사자를 마구 쏘아댔습니다. 그 바람에 사자는 도저히 견딜 수가 없었습니다.

"그만! 내가 졌다. *항복할 테니 그만 공격해."

사자는 그만 작은 모기에게 항복하고 말았습니다.

㉠"짐승의 왕 사자를 이겼으니, 이제 내가 왕 중의 왕이다!"

모기는 몹시 *거만해져서 이렇게 외치고는 자신의 자랑스러운 행동을 모두에게 알리려고 날아갔습니다. 그러나 신이 난 모기는 앞을 똑바로 보지 않고 날아가다가, 얼마 가지 못해서 그만 나무 사이에 쳐 놓은 거미줄에 걸리고 말았습니다. 모기는 거미줄에서 벗어나려고 열심히 *발버둥을 쳤지만, 아무리 날갯짓을 해도 거미줄은 점점 더 몸을 죄어왔습니다. 그때가 되어서야 모기는 눈물을 흘리며 후회했습니다.

'사자를 이겼다고 우쭐해져서 내 *분수를 잊었구나. 그냥 다른 동물들의 피를 빨아먹으면서 평소처럼 살걸 그랬어.'

—「사자와 모기」

낱말 뜻 풀이

- **도발**: 남을 말이나 행동으로 자꾸 건드려 괴롭고 귀찮게 하여 일이 일어나게 함.
- **마찬가지**: 사물의 모양이나 형편이 서로 같음.
- **항복**: 적이나 상대편의 힘에 눌리어 굴복함.
- **거만**: 잘난 체하며 남을 낮추어 보거나 하찮게 여기는 데가 있음.
- **발버둥**: 온갖 힘이나 수단을 다하여 애를 쓰는 일을 비유적으로 이르는 말.
- **분수**: 자기 신분에 맞는 한도.

▶ 정답과 해설 11쪽

1 주제

이 글의 주제는 무엇인가요?

① 착하게 살면 복을 받는다.
② 생명을 소중히 여겨야 한다.
③ 노력하면 무엇이든지 할 수 있다.
④ 자기의 분수를 알고 행동해야 한다.
⑤ 다른 사람들과 사이좋게 지내야 한다.

2 세부 내용

이 글에서 가장 먼저 일어난 사건은 무엇인가요?

① 모기가 거미줄에 걸렸다.
② 모기가 사자를 도발했다.
③ 사자가 모기에게 항복했다.
④ 모기와 사자가 산속에서 우연히 만났다.
⑤ 사자가 앞발을 휘둘렀지만 모기를 잡을 수 없었다.

3 어휘

이 글을 읽고 떠올린 속담으로 알맞은 것은 무엇입니까?

① 굼벵이도 구르는 재주가 있다.
② 송충이는 솔잎을 먹어야 한다.
③ 서당개 삼 년이면 풍월을 읊는다.
④ 구슬이 서 말이어도 꿰어야 보배이다.
⑤ 종로에서 뺨 맞고 한강에서 눈 흘긴다.

4

㉠을 통해 알 수 있는 모기의 성격으로 알맞은 것은 무엇인가요?

① 친절하다
② 깐깐하다
③ 건방지다
④ 다정하다
⑤ 천진난만하다

5
적용

이 글을 읽고 주제와 가장 가까운 생각을 한 사람은 누구인가요?

① 승재: 남을 위해 봉사하는 삶을 살아야겠어.
② 연우: 욕심내지 말고 내 능력에 맞게 살아야겠어.
③ 준수: 힘든 일이 있어도 포기하지 않고 노력해야겠어.
④ 정연: 다른 사람들의 생각을 헤아릴 줄 아는 자세를 가져야겠어.
⑤ 효진: 앞으로는 하고 싶은 일이 있으면 망설이지 않고 해야겠어.

6
감상

모기가 거미줄에 걸리게 된 까닭을 다음과 같이 정리하였습니다. 빈칸에 알맞은 말을 쓰세요.

모기는 [ ][ ] 을/를 이겼다고 생각하여 앞을 제대로 살피지 않고 날아가다가 거미줄에 걸리고 말았습니다. 모기처럼 되지 않으려면 우리도 [ ][ ] 하게 행동하지 말고 항상 겸손한 마음가짐으로 살아야 합니다.

만약 모기가 거미줄에서 풀려난다면 어떻게 행동할지 상상하여 쓰세요.

어휘·어법 다지기

01 **다음 낱말에 알맞은 뜻을 찾아 선으로 이으세요.**

(1) 거만 •　　　　• ㉠ 자기 신분에 맞는 한도.

(2) 마찬가지 •　　　　• ㉡ 사물의 모양이나 형편이 서로 같음.

(3) 분수 •　　　　• ㉢ 잘난 체하며 남을 낮추어 보거나 하찮게 여기는 데가 있음.

02 **다음 문장에 알맞은 낱말을 보기에서 찾아 쓰세요.**

보기　거만　　발버둥　　분수

(1) 거북이가 뒤집혀서 (　　　　)을/를 쳤다.

(2) 정우는 미술 대회에서 대상을 받고 (　　　　)한 표정을 지었다.

(3) 할아버지께서는 자신의 (　　　　)을/를 지킬 줄 알아야 한다고 하셨다.

03 **보기를 읽고 다음 중 띄어쓰기가 알맞지 <u>않은</u> 문장을 고르세요.**

단위를 나타내는 말은 하나의 낱말로 인정되기 때문에 앞말과 띄어 써야 해요. 예를 들면 '소 한 마리', '풀 한 포기'에서 '마리', '포기'는 앞말과 띄어 쓰지요. 그리고 거리를 나타내는 단위인 'm'와 길이를 나타내는 단위인 'cm'를 한글로 나타낼 때는 '육 미터, 육 센티미터'처럼 숫자와 단위를 띄어서 써야 해요. 하지만 시간을 나타낼 때는 '두시 삼십분'처럼 '시'와 '분'을 앞의 숫자와 붙여서 써요. 이렇게 단위마다 띄어쓰기 하는 방법이 다르기 때문에 주의하며 써야 해요.

① 내 침대는 <u>이미터</u>이다.
② 배추를 <u>다섯 포기</u> 샀다.
③ 지금은 <u>네시 오십분</u>이다.
④ 키가 <u>삼 센티미터</u>나 자랐다.
⑤ 어항에 물고기 <u>다섯 마리</u>가 있다.

매일 학습 평가	맞은 문제에 표시해 주세요.					맞은 개수
1 주제 ☐	2 세부 내용 ☐	3 어휘 ☐	4 인물 ☐	5 적용 ☐	6 감상 ☐	개

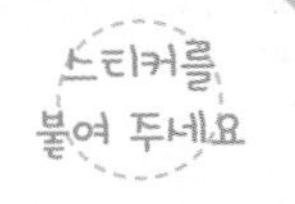

이해력을 키우는 재미있는 독해

✿ 자신의 학습 능력과 상황에 따라 꾸준하게 공부하는 것이 가장 중요합니다.
✿ 학습 계획을 먼저 세우고, 스스로 지킬 수 있도록 노력해 보세요.

회	제목	갈래	분야	학습할 날짜
11회	물 부족을 해결하는 빗물 사용 전문가	설명문	사회	월 일
12회	자동 제세동기의 원리와 사용법	설명문	기술	월 일
13회	태안에서 만들어 낸 기적	논설문	사회	월 일
14회	조상의 지혜를 담은 전통 그릇, 옹기	설명문	예술	월 일
15회	컴퓨터의 이용과 우리 생활	설명문	기술	월 일
16회	장영실이 만든 발명품들	설명문	기술	월 일
17회	복도에 안전 거울을 설치해 주세요	논설문	사회	월 일
18회	지구를 운전하는 엄마	문학	동시	월 일
19회	안창호 선생이 아들에게 쓴 편지	문학	편지글	월 일
20회	장끼전	문학	고전	월 일

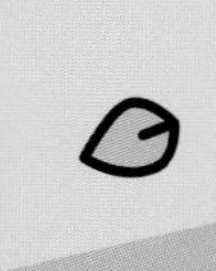

11회

설명문 | 사회

공부한 날 ( )월 ( )일

우리나라는 유엔(UN)에서 정한 '물 스트레스 국가'입니다. 물 스트레스란 국가가 필요로 하는 물의 전체 양을 1년간 쓸 수 있는 물의 양으로 나눈 것으로, 이 수치가 높을수록 사용할 수 있는 물이 부족하다는 뜻입니다. 유엔 경제사회이사회의 조사에 따르면 한국의 물 스트레스는 20~40퍼센트 수준으로, 인도나 남아프리카공화국 등 대표적인 물 부족 국가와 같은 수준인 것으로 나타났습니다. 또한 경제협력개발기구(OECD)에서 2012년에 발표한 보고서에서도 한국은 2050년이 되면 경제협력개발기구(OECD) *소속 국가 중 물 스트레스 *지수가 1위인 국가가 될 것이라고 예측하고 있습니다.

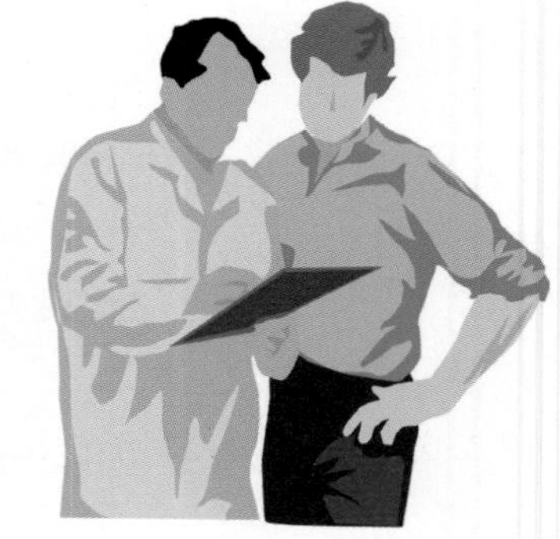

우리나라가 물이 부족하다니, 정말 이상한 이야기입니다. 우리나라에 비가 내리지 않는 사막이 있는 것도 아니고, *당장 비가 오는 날 창밖에 내리는 비만 봐도 전혀 물이 부족해 보이지 않기 때문입니다. 물론 *강수량으로만 따지면 우리나라는 문제가 없습니다. 하지만 강수가 사계절 중 장마가 드는 여름철에만 집중된 데다가, 이 많은 물을 가두어 둘 수 있는 시설이 부족하여 해마다 많은 물을 그대로 바다에 흘려보내고 있습니다. 물 부족이 저 멀리 다른 나라만의 문제는 아니라는 것입니다.

이러한 물 부족 문제를 해결할 수 있는 직업이 있습니다. 바로 *유망 직업 중 하나인 ㉠ 빗물 사용 전문가입니다. 물 부족 문제를 해결하는 데에는 빗물을 얼마나 사용할 수 있느냐가 중요하기 때문입니다. 그래서 앞으로는 빗물을 저장하는 기술과 모아 놓은 빗물을 효과적으로 사용하는 기술을 연구하고 알려 주는 전문가가 필요해질 것입니다.

이미 다른 나라에서는 빗물을 저장하고 관리하는 시설을 갖춘 *친환경 건축물들이 개발되고 있습니다. 예를 들어 영국 런던 남부의 월링턴에 있는 탄소 제로 주택 단지 '베드제드'에는 빗물을 지하 탱크로 연결하여 화장실 물로 사용하는 ㉡ '시드 루프' 시설이 갖추어져 있습니다. 놀랍게도 이 시설을 설치한 것만으로도 물 사용량이 예전보다 65퍼센트나 줄어들었다고 합니다.

여러분도 빗물을 효율적으로 관리해서 자원으로 재활용하는 빗물 사용 전문가에 관심을 가져 보는 것은 어떨까요?

낱말 뜻 풀이

- **소속**: 일정한 단체나 기관에 속함.
- **지수**: 해마다 변하는 사항을 알기 쉽도록 보이기 위해 비율로 나타낸 수치.
- **당장**: 눈앞에 닥친 현재의 이 시간.
- **강수량**: 비, 눈, 우박, 안개 등으로 일정 기간 동안 일정한 곳에 내린 물의 총량.
- **유망**: 앞으로 잘될 듯한 희망이나 전망이 있음.
- **친환경**: 자연환경을 오염하지 않고 자연 그대로의 환경과 잘 어울리는 일.

1 제목

이 글에 알맞은 제목을 쓰세요.

물 부족을 해결하는 [ ][ ] 사용 전문가

2 세부 내용

이 글의 내용으로 알맞지 않은 것은 무엇인가요?

① 우리나라의 물 스트레스 지수는 높은 편이다.
② 우리나라는 유엔에서 정한 물 스트레스 국가이다.
③ 우리나라가 물 스트레스 국가인 까닭은 강수량이 적기 때문이다.
④ 빗물을 저장하고 효과적으로 사용하면 물 부족 문제를 해결할 수 있다.
⑤ 다른 나라에는 이미 빗물을 관리하는 시설을 갖춘 건축물이 개발되고 있다.

3 세부 내용

㉠이 주로 하는 일은 무엇인가요?

① 홍수로 인한 피해 막기
② 비가 올 때 습도 조절하기
③ 비가 얼마나 올지 예측하기
④ 빗물을 연구하여 대기 오염 측정하기
⑤ 빗물을 모아 놓고 효과적으로 사용하는 기술 연구하기

4 추론

이 글의 내용으로 미루어 볼 때, ㉡을 개발한 까닭은 무엇인가요?

물 [ ][ ][ ] 을/를 줄이기 위해서이다.

5 추론

우리나라의 미래 모습에 대한 예측으로 알맞지 않은 내용은 무엇인가요?

① 물 부족이 심해져 사막이 생길 거야.
② 빗물 사용 전문가라는 직업이 떠오를 거야.
③ 많은 비를 효과적으로 모아 두는 시설이 생길 거야.
④ 물 사용량의 많은 부분을 빗물로 대신할 수 있을 거야.
⑤ 빗물을 모아 두었다가 화장실에서 사용할 수 있는 시설이 집집마다 설치될 거야.

6 글의 구조

이 글의 구조를 생각하며, 빈칸에 알맞은 말을 쓰세요.

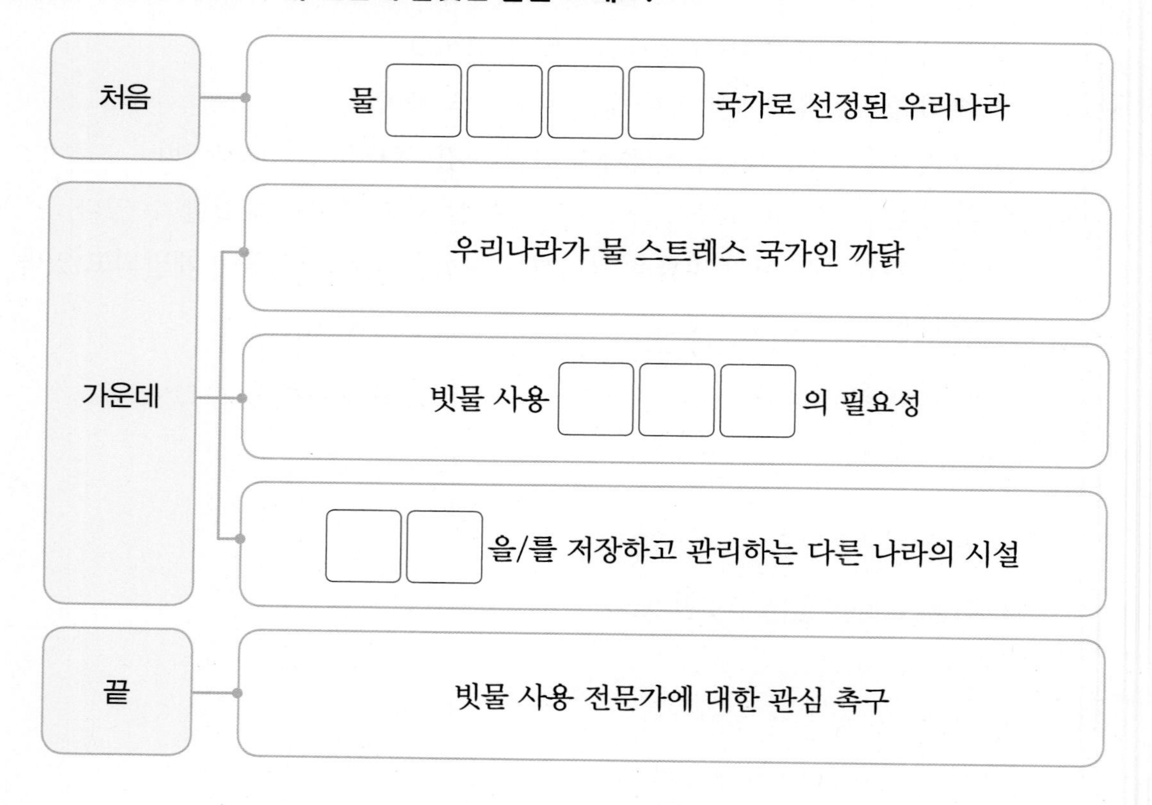

생각 글 쓰기

빗물 사용 전문가가 되기 위해서는 어떤 노력을 해야 할까요?

어휘·어법 다지기

01 **다음 뜻에 알맞은 낱말을 찾아 선으로 이으세요.**

(1) 일정한 단체나 기관에 속함. • • ㉠ 강수량

(2) 눈앞에 닥친 현재의 이 시간. • • ㉡ 당장

(3) 앞으로 잘될 듯한 희망이나 전망이 있음. • • ㉢ 소속

(4) 비, 눈, 우박, 안개 등으로 일정 기간 동안 일정한 곳에 내린 물의 총량. • • ㉣ 유망

02 **다음 문장에 알맞은 낱말을 보기 에서 찾아 쓰세요.**

보기 소속 유망 친환경

(1) 아버지께서는 조기 축구회에 ( )되어 있으시다.

(2) 농촌에서는 우렁이를 이용하여 ( )으로 농사를 짓고 있다.

(3) 시대가 변하면서 그에 맞는 ( ) 직업도 변하고 있다고 한다.

03 **보기 를 읽고 다음 문장에 알맞은 낱말을 골라 ○표를 하세요.**

보기

'출연'과 '출현'

'출연'은 '연기, 공연, 연설 등을 하기 위하여 무대나 연단에 나감.'이라는 뜻이에요. '그 배우는 연극에 출연해 달라는 부탁을 받았다.'와 같이 써요. '출현'은 '나타나거나 또는 나타나서 보임.'을 뜻해요. '서울 하늘에 갑자기 전투기가 출현하였다.'와 같이 써요. 낱말의 뜻을 익혀 두었다가 문장에 알맞은 낱말을 사용해야 해요.

(1) 그 배우는 첫 (출연 / 출현)한 영화를 통해 상을 받았다.

(2) 교실에 갑자기 강아지가 (출연 / 출현)하여 모두 웃었다.

(3) 유희는 오늘 텔레비전에 처음 (출연 / 출현)하게 되어 떨렸다.

11회 ▶정답과 해설 12쪽

매일 학습 평가	맞은 문제에 표시해 주세요.					맞은 개수
1 제목 ☐	2 세부 내용 ☐	3 세부 내용 ☐	4 추론 ☐	5 추론 ☐	6 글의 구조 ☐	개

스티커를 붙여 주세요

설명문 | 기술

공부한 날 월 일

학교나 지하철역 등 사람이 많이 모이는 공공장소라면 반드시 *비치된 것이 있습니다. 바로 자동 *제세동기입니다. 자동 심장 충격기로도 불리는 이 기기는 심장 마비로 쓰러진 사람을 구할 수 있는 매우 중요한 의료기기입니다.

사람들은 대부분 심장 마비를 심장이 완전히 멈춘 상태라고 생각하지만, 실제로는 그렇지 않습니다. 심장은 심장 자체에서 나오는 신경 신호에 따라 뛰는데, 이 신호에 이상이 생기면 *심장 박동이 꼬이면서 심장 전체에 문제가 발생합니다. 이때 심장은 정상적으로 박동하지 못하고 미세하게 떨리는 상태가 되는데, 이를 심장 마비라고 하는 것입니다.

자동 제세동기는 이렇게 심장에 이상이 생겼을 때, 순간적으로 강한 전류를 흐르게 하여 심장을 완전히 멈추게 한 뒤 다시 규칙적으로 뛰게 합니다. 다른 상황에 비유해 볼까요? ㉠ 운동장에서 아이들이 발을 맞추어 걷다가 ㉡ 걸음이 각자 흐트러지는 경우가 생깁니다. 이때 ㉢ 선생님이 호루라기를 불면 아이들이 순간적으로 걸음을 모두 멈춥니다. ㉣ 그 후 아이들이 다시 발을 맞추어 걷습니다. 이것이 자동 제세동기가 심장 박동을 정상으로 되돌리는 *원리입니다.

자동 제세동기의 사용법은 다음과 같습니다. 전원을 켜면 음성 안내가 나옵니다. 안내에 따라 환자의 상의를 벗긴 후 패드를 *부착합니다. 하나는 오른쪽 쇄골 아래에 부착하고, 나머지 하나는 왼쪽 가슴 아래 겨드랑이 부분에 부착합니다. 패드를 부착하는 정확한 위치는 패드의 겉부분에 그림으로 제시되어 있습니다.

패드에 연결된 선을 기계에 꽂으면 기계에서 '심장 리듬 분석 중'이라는 안내가 나옵니다. 심장 충격이 필요한 경우, '제세동이 필요합니다.'라는 안내가 나오면서 자동으로 충전이 시작됩니다. 충전이 다 되어 '제세동' 버튼이 깜빡이면 즉시 누릅니다. 전기 충격을 가할 때는 *감전의 위험이 있으므로 "모두 물러나세요."라고 외쳐서 주변 사람들이 환자로부터 떨어지게 해야 합니다. 충격이 끝나면 필요에 따라 다시 제세동을 실행할 수 있습니다. 또, 제세동기가 심장 리듬을 다시 분석하는 동안 *심폐 소생술을 하면 환자를 살리는 데 큰 도움이 될 수 있습니다.

낱말 뜻 풀이

- **비치**: 마련하여 갖추어 둠.
- **제세동기**: 심장에 미세한 떨림이 있는 경우에 피부 표면에 부착된 전극을 통하여 심장에 전기 충격을 주는 데 사용되는 장치.
- **심장 박동**: 심장이 주기적으로 오므라졌다 부풀었다 하는 운동.
- **원리**: 사물의 근본이 되는 이치.
- **부착**: 떨어지지 아니하게 붙음.
- **감전**: 전기에 영향을 받는 것.
- **심폐 소생술**: 심장의 박동과 호흡이 멈춘 상태를 정상으로 회복시키는 처치 방법.

1

주제

이 글의 주제는 무엇인지 쓰세요.

자동 ☐☐☐☐ 의 원리와 사용법

2

세부 내용

이 글의 내용으로 알맞지 않은 것은 무엇인가요?

① 심장 마비가 발생하면 심장은 완전히 멈추게 된다.
② 자동 제세동기의 또 다른 이름은 자동 심장 충격기이다.
③ 자동 제세동기는 심장에 순간적으로 강한 전류를 흐르게 한다.
④ 사람이 많이 모이는 공공장소에는 자동 제세동기가 반드시 비치되어 있다.
⑤ 자동 제세동기가 전기 충격을 가할 때는 주변 사람들이 환자와 떨어져 있어야 한다.

12회 ▶ 정답과 해설 14쪽

3

이 글에 대한 설명으로 알맞은 것은 무엇인가요?

① 자동 제세동기의 구조를 분석하여 설명하고 있다.
② 자동 제세동기의 사용법을 순서대로 설명하고 있다.
③ 자동 제세동기의 개수를 늘려야 한다고 주장하고 있다.
④ 자동 제세동기의 중요성을 비유를 통해 강조하고 있다.
⑤ 자동 제세동기의 장점과 단점을 차례대로 설명하고 있다.

4

이 글의 ㉠~㉣은 자동 제세동기의 원리를 비유적으로 표현한 것입니다. 보기 중 비유한 내용이 알맞은 것의 기호를 쓰세요.

㉠: 심장이 미세하게 떨리는 상태
㉡: 심장이 정상적으로 뛰는 상태
㉢: 심장에 전기 충격을 가해 심장이 일시적으로 멈추는 상태
㉣: 심장이 뛰고 멈춤을 반복하는 상태

5

적용

이 글의 넷째, 다섯째 문단을 읽고 제세동기의 사용법에 맞게 순서대로 기호를 쓰세요.

㉮ 제세동기가 충전될 때까지 기다린다.
㉯ 기계의 전원을 켜고 환자의 상의를 벗긴다.
㉰ 제세동기의 '제세동' 버튼이 깜빡이면 즉시 누른다.
㉱ 패드를 환자의 몸에 부착하고 패드에 연결된 선을 기계에 꽂는다.

(　　　) → (　　　) → (　　　) → (　　　)

6

글의 구조

이 글의 구조를 생각하며, 빈칸에 알맞은 말을 쓰세요.

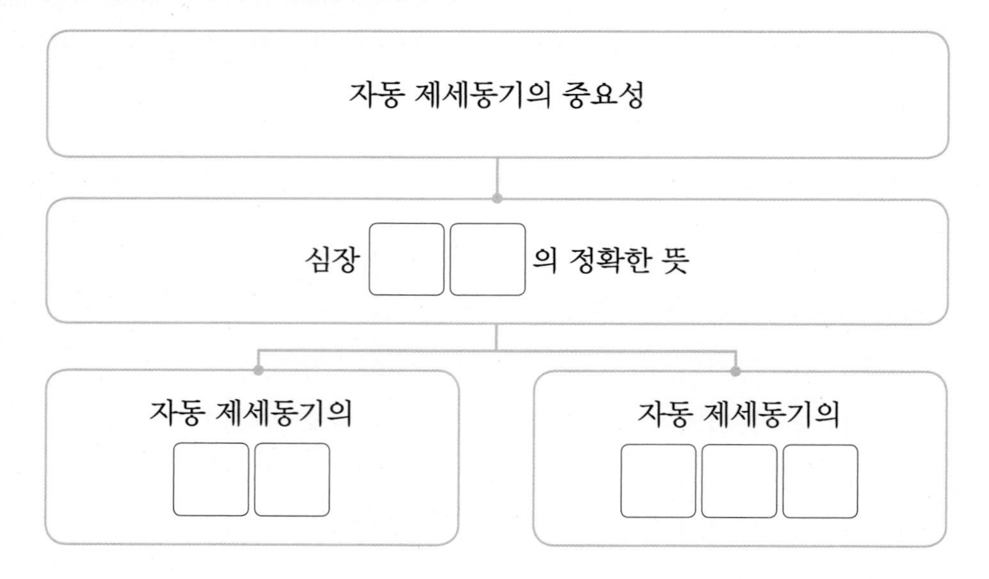

심장 마비에 걸렸을 때, 제세동기로 심장에 강한 전류가 흐르게 하는 까닭은 무엇일까요?

어휘·어법 다지기

01 **다음 낱말에 알맞은 뜻을 찾아 선으로 이으세요.**

(1) 부착 •　　　　• ㉠ 마련하여 갖추어 둠.

(2) 비치 •　　　　• ㉡ 떨어지지 아니하게 붙음.

(3) 심장 박동 •　　　　• ㉢ 심장이 주기적으로 오므라졌다 부풀었다 하는 운동.

02 **다음 문장에 알맞은 낱말을 보기에서 찾아 쓰세요.**

보기	감전	부착	비치	제세동기

(1) 학급 게시판에 압정으로 게시물을 (　　　　)하였다.

(2) 배에는 항상 구명조끼가 (　　　　)되어 있어야 한다.

(3) 물이 묻은 손으로 전기 기구를 만지면 (　　　　)의 위험이 있다.

(4) 자동 (　　　　)의 사용법을 알면 위급 상황에 환자에게 도움을 줄 수 있다.

03 **보기를 읽고 밑줄 친 낱말의 쓰임이 맞으면 ○표, 틀리면 ×표를 하세요.**

> 보기
>
> '희한하다'는 '매우 드물거나 신기하다.'라는 뜻입니다. 예를 들어, '참 희한한 물건이다.'와 같이 씁니다. 가끔 '참 희안한 물건이다.'처럼 '희안'을 '희안'이라고 쓰는 경우를 볼 수 있는데 이것은 틀린 표현입니다.

(1) 나는 어제 <u>희안한</u> 꿈을 꾸었다. (　　　　)

(2) 선생님께서는 <u>희한한</u> 일도 다 있다고 말씀하셨다. (　　　　)

(3) 할머니 댁에 있는 암탉은 <u>희안하게도</u> 밤에만 알을 낳는다. (　　　　)

매일 학습 평가	맞은 문제에 표시해 주세요.					맞은 개수
1 주제 □	2 세부 내용 □	3 전개 방식 □	4 추론 □	5 적용 □	6 글의 구조 □	개

스티커를 붙여 주세요

㉠2007년 12월, 충청남도 태안 앞바다에서 *유조선과 다른 선박이 충돌하는 사고가 일어났습니다. 이 사고로 수많은 양의 기름이 태안 앞바다에 *유출되었습니다. 이 기름 유출 사고는 바다에서 어업을 하던 태안군 사람들에게 사형 선고나 다름없었습니다. 오염된 바다에서는 더 이상 물고기를 잡을 수도, *양식업을 할 수도 없었기 때문입니다. *하루아침에 수많은 사람이 *생계를 잃었습니다. ㉡환경 전문가들은 '수십 년이 지나야 태안의 생태계가 복구될 것이다.'라는 절망적인 의견을 내놓았습니다.

하지만 기름 유출 사고가 일어난 지 10년이 넘은 지금, 태안 앞바다는 이전의 생명력 넘치는 모습을 거의 되찾았습니다. 태안에서 나는 수산물은 안정성을 *검증받았고, 돌고래를 포함하여 다양한 생물들이 다시 태안을 찾았습니다. 어떻게 이런 기적이 일어난 것일까요?

이러한 기적 뒤에는 이름 없는 수많은 사람들의 노력이 있었습니다. ㉢태안 기름 유출 사고가 일어난 직후, 전국 각지에서 도움의 손길이 이어졌습니다. 누가 시키지 않았음에도 불구하고 *자발적으로 나선 사람들은 태안 앞바다에 모여 바닷물 위의 기름을 걷어 내고 기름때에 오염된 돌들을 닦으며 구슬땀을 흘렸습니다. 이러한 자원봉사자들의 수는 백만 명이 넘었습니다. 이들 중에는 학생들과 군인들도 포함되어 있었습니다.

자원봉사자들의 노력, 정부의 경제적 지원, 환경 감시 활동, 방송사에서의 모금 행사 등 사회 전반의 노력으로 태안은 빠르게 이전의 모습을 되찾아 갔습니다. 그리고 최근에는 ㉣태안 앞바다가 건강하게 회복되어 가는 중이며 피해에서 거의 벗어났다는 의견이 나오고 있습니다.

이러한 '태안의 기적'은 많은 사람들의 협동과 봉사가 없었다면 불가능했을 것입니다. 내 일이 아님에도 불구하고 내 일처럼 발 벗고 나선 작은 천사들이 힘을 합쳐 기적을 만들어 낸 것입니다. 이 일을 통해 오늘날의 사회에서 협동의 의미를 되새겨 보는 것은 어떨까요? 서로 손을 잡고 힘을 합친다면 어떠한 어려움이라도 이겨 낼 수 있을 것입니다. ㉤지금 바로, 옆에 힘든 사람이 있다면 함께 손을 잡아 주세요.

낱말 뜻풀이

- **유조선**: 석유, 가솔린 등을 담아 두는 통을 갖추고 석유를 운반하는 배.
- **유출**: 밖으로 흘러 나가거나 흘려 내보냄.
- **양식업**: 물고기나 해조, 버섯 등을 인공적으로 길러 만들어 냄.
- **하루아침**: 갑작스러울 정도의 짧은 시간.
- **생계**: 살림을 살아 나가기 위한 방법과 길.
- **검증**: 검사하여 증명함.
- **자발적**: 남이 시키거나 요청하지 아니하여도 자기 스스로 나아가 행하는 것.

1

제목

이 글에 알맞은 제목을 쓰세요.

태안에서 만들어 낸 ☐☐

2

세부 내용

이 글의 내용으로 알맞지 않은 것은 무엇인가요?

① 태안 앞바다에서 기름 유출 사고가 발생했다.

② 태안에서 나는 수산물은 안정성을 검증받았다.

③ 태안은 10년이 넘은 지금도 환경 오염이 심각한 상황이다.

④ 백만 명이 넘는 자원봉사자들이 태안에 모여 구슬땀을 흘렸다.

⑤ 환경 전문가들은 수십 년이 지나야 태안의 생태계가 복구될 것이라고 하였다.

▶ 정답과 해설 15쪽

3

태안의 기름 유출 사고를 이겨 내기 위해 한 일이 아닌 것은 무엇인가요?

① 모금 행사

② 환경 감시 활동

③ 정부의 경제적 지원

④ 자원봉사자들의 봉사

⑤ 기름 유출 사고를 일으킨 책임자 처벌

4

주제

이 글의 주제로 알맞은 것은 무엇인가요?

① 환경을 소중히 여기는 마음이 필요하다.

② 기름 유출 사고의 원인을 정확히 밝혀야 한다.

③ 태안 기름 유출 사고는 역대 최악의 사고였다.

④ 어떤 어려움이라도 협동을 통해서 이겨 낼 수 있다.

⑤ 사고로 피해를 입은 사람들에게 적절한 보상을 해 주어야 한다.

5

추론

㉠~㉤ 중 글쓴이의 생각이 드러난 것을 찾아 기호로 쓰세요.

6

추론

이 글을 읽은 뒤의 반응으로 알맞지 않은 것은 무엇인가요?

① 태안에서 나는 수산물은 먹지 말아야겠어.

② 기름 유출 사고로 많은 사람들이 피해를 입었구나.

③ 어려움이 있을 때 협동하는 것의 중요성을 깨닫게 되었어.

④ 나도 다른 사람이 어려움에 처했을 때 도와주어야겠다는 생각이 들었어.

⑤ 자신의 일처럼 나서서 태안 사람들을 돕는 봉사자들의 모습이 감동적이었어.

7

글의 구조

이 글의 구조를 생각하며, 빈칸에 알맞은 말을 쓰세요.

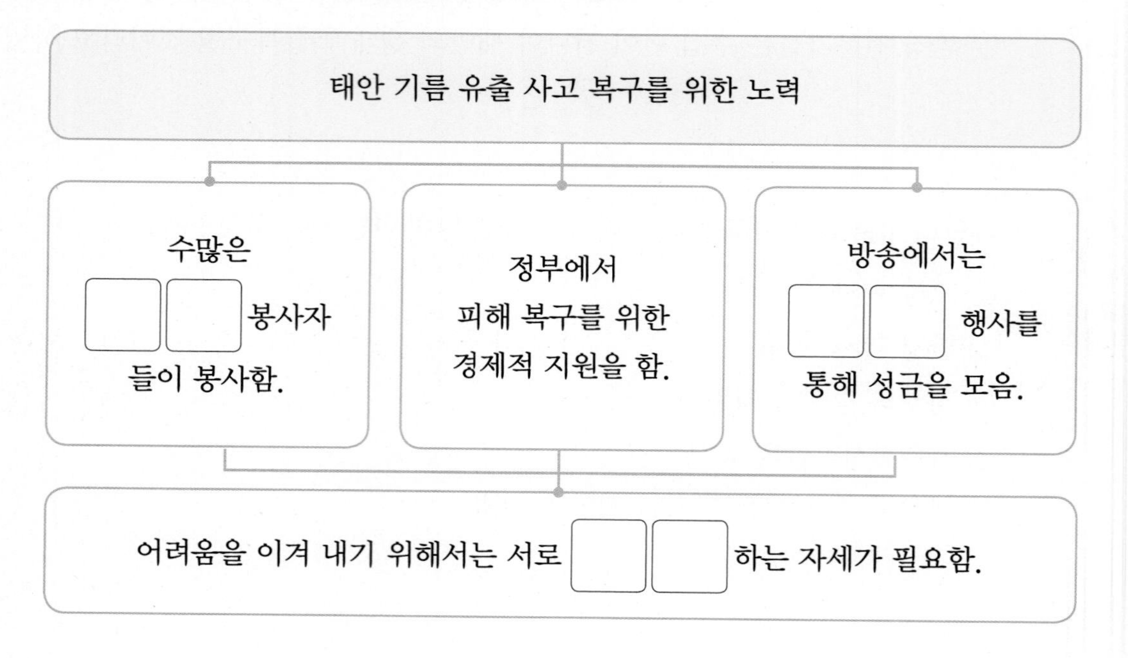

생각 글 쓰기

기름 유출 사고가 일어난 태안 앞바다가 원래의 모습으로 복구될 수 있었던 까닭은 무엇일까요?

어휘·어법 다지기

01 **다음 뜻에 알맞은 낱말을 찾아 선으로 이으세요.**

(1) 갑작스러울 정도의 짧은 시간. •

(2) 밖으로 흘러 나가거나 흘려 내보냄. •

(3) 살림을 살아 나가기 위한 방법과 길. •

(4) 남이 시키거나 요청하지 아니하여도 자기 스스로 나아가 행하는 것. •

• ㉠ 생계

• ㉡ 유출

• ㉢ 자발적

• ㉣ 하루아침

02 **다음 문장에 알맞은 낱말을 보기에서 찾아 쓰세요.**

보기

검증　　생계　　자발적

(1) 약은 꼭 관련 기관의 (　　　　)을/를 받은 것을 먹어야 한다.

(2) 나는 방학 때 (　　　　)(으)로 시골에 가서 할머니의 농사일을 도와드렸다.

(3) 형편이 어려운 어르신들께서는 (　　　　)을/를 위하여 종이나 깡통을 모으신다.

03 **보기를 읽고 밑줄 친 낱말의 발음을 쓰세요.**

보기

'음절의 끝소리 규칙'은 우리말에서 받침에 'ㄱ, ㄴ, ㄷ, ㄹ, ㅁ, ㅂ, ㅇ'이 아닌 자음이 올 때, 이 일곱 자음 중 하나로 발음되는 것을 말해요. 예를 들어, '부엌'은 받침 'ㅋ'이 일곱 자음 중 'ㄱ'으로 발음되므로 [부억]으로 발음해요. '겉옷'은 받침 'ㅌ'이 일곱 자음 중 'ㄷ'으로 발음되므로 [거돋]으로 발음하지요. '음절의 끝소리 규칙'을 잘 기억해서 발음하도록 해요.

(1) <u>꽃</u> 위에 노란 나비가 앉았다. → [　　　　]

(2) 내일 <u>낮</u>부터 비가 내린다고 하였다. → [　　　　]

매일 학습 평가	맞은 문제에 표시해 주세요.						맞은 개수
1 제목 ☐	2 세부 내용 ☐	3 세부 내용 ☐	4 주제 ☐	5 추론 ☐	6 추론 ☐	7 글의 구조 ☐	개

우리나라의 대표적인 전통 그릇은 무엇일까요? 바로 옹기입니다. 언뜻 보기에 옹기는 단순하고 투박해 보이지만, 조상들의 지혜가 *오롯이 담겨 있는 귀중한 전통 그릇입니다.

옹기가 다른 그릇들보다 특별한 점은 바로, 숨을 쉬는 살아 있는 그릇이라는 점입니다. 옹기에는 눈에 보이지 않을 정도로 *미세한 숨 구멍이 나 있습니다. 옹기는 만들어질 때 높은 온도에서 구워지는데, 이때 옹기 내부의 수분이 *증발하여 빠져나가면서 숨 구멍이 생기는 것이지요. 이 숨 구멍을 통해 그릇 안과 밖의 공기가 *순환하는 구조가 만들어집니다. 이러한 원리가 숨어 있는 옹기는 음식물이 잘 익도록 하며, 상하는 것을 막는 과학적이고 *실용적인 그릇입니다.

옹기의 종류 중 하나인 항아리는 음식물을 저장하는 데 쓰였습니다. 우리나라의 대표적인 음식인 김치부터 간장, 된장, 젓갈, 술 등을 *발효시키고 저장하는 필수적인 저장 용기였지요. 특히 항아리 중 크기가 큰 것을 '독'이라고 부르는데, 우리 조상들은 겨울이면 독에 김치를 저장하여 오랫동안 먹을 수 있었습니다.

옹기의 또 다른 종류인 뚝배기는 열을 보존하는 것이 특징입니다. 찌개나 탕, 국 등 따뜻한 온도를 유지해야 맛있는 음식을 조리하는 데 꼭 필요한 그릇이지요. 오늘날에도 유용하게 쓰이는 뚝배기는 사용할 때 한 가지 주의할 점이 있습니다. ㉠뚝배기를 씻을 때 세제를 사용하면 안 된다는 점입니다. 그릇의 미세한 숨 구멍에 세제가 들어가서 다음에 음식을 조리할 때 배어 나올 수 있기 때문이지요. 따라서 뚝배기를 씻을 때는 *쌀뜨물이나 밀가루를 사용해야 합니다.

옹기는 집을 지을 때도 중요한 역할을 하였습니다. 특히 굴뚝과 기와의 재료로 많이 사용되었는데, 우리 조상들은 옹기로 만든 굴뚝에 구멍을 뚫어서 연기와 *그을음이 잘 빠져나가도록 하였지요. 또한 옹기로 만든 기와는 습기나 열을 간직하였다가 서서히 내보내는 특징이 있어 여름의 더위나 장마를 견디는 데 큰 도움을 주었습니다.

이렇듯 조상의 지혜가 담겨 있는 우리나라의 전통 그릇인 옹기는 오늘날에도 사람들에게 많은 사랑을 받고 있답니다.

낱말 뜻 풀이

- **오롯이**: 모자람이 없이 온전하게.
- **미세**: 구별하기 어려울 정도로 아주 작음.
- **증발**: 물질이 액체 상태에서 기체 상태로 변함.
- **순환**: 일정한 간격을 두고 자꾸 되풀이하여 돎.
- **실용**: 실제로 쓰기에 알맞은 것.
- **발효**: 미생물이 분해하여 알코올류, 이산화 탄소 등이 생기게 하는 작용.
- **쌀뜨물**: 쌀을 씻고 난 뿌연 물.
- **그을음**: 어떤 물질이 불에 탈 때에 연기에 섞여 나오는 먼지 모양의 검은 가루.

1

제목

이 글에 알맞은 제목을 쓰세요.

조상의 지혜를 담은 전통 그릇, □□

2

세부 내용

이 글의 내용으로 알맞지 않은 것은 무엇인가요?

① 뚝배기는 열을 보존하는 특징이 있다.
② 옹기는 집을 지을 때에도 사용되었다.
③ 항아리 중 크기가 큰 것을 뚝배기라고 한다.
④ 옹기는 우리나라의 대표적인 전통 그릇이다.
⑤ 옹기는 숨 구멍이 있어 음식물이 상하는 것을 막는다.

3

세부 내용

㉠의 까닭으로 알맞은 것은 무엇인가요?

① 세제를 사용하면 뚝배기가 썩기 때문에
② 세제를 사용하면 뚝배기가 녹아내리기 때문에
③ 뚝배기에 사용하는 세제의 양이 많이 들기 때문에
④ 세제를 사용하면 뚝배기의 기능이 떨어지기 때문에
⑤ 숨 구멍에 들어간 세제가 음식을 할 때 배어 나올 수 있기 때문에

4

세부 내용

옹기의 '숨 구멍'에 대한 설명으로 알맞지 않은 것은 무엇인가요?

① 눈에 보이지 않는 미세한 구멍이다.
② 옹기 내부의 수분이 증발하면서 만들어진다.
③ 숨 구멍을 통해 옹기 안과 밖의 공기가 순환된다.
④ 숨 구멍은 낮은 온도에서 옹기를 구울 때 만들어진다.
⑤ 음식물이 잘 익도록 돕고 상하는 것을 막는 역할을 한다.

5

적용

다음 상황에서 쓸 수 있는 옹기는 무엇인지 이 글에서 찾아 쓰세요.

(1) 김치를 썩지 않게 저장해 두고 싶어. □□□

(2) 가족들과 된장찌개를 따뜻하게 먹으려고 해. □□□

14회 ▶ 정답과 해설 17쪽

6

추론

이 글을 읽고 난 후의 반응으로 알맞지 않은 것은 무엇인가요?

① 옹기는 겨울에만 쓸 수 있었겠구나.
② 옹기가 그릇에만 쓰인 것이 아니구나.
③ 옹기에는 조상들의 지혜가 담겨 있구나.
④ 뚝배기를 씻을 때는 쌀뜨물로 씻는 것이 좋겠구나.
⑤ 뚝배기에 찌개를 끓이면 오랫동안 따뜻한 까닭이 있었구나.

7

글의 구조

이 글의 구조를 생각하며, 빈칸에 알맞은 말을 쓰세요.

옹기의 종류와 특징

항아리	뚝배기	굴뚝과 기와
음식물을 ☐☐ 하거나 발효시킴.	☐ 을/를 보존하여 음식을 따뜻하게 유지해 줌.	☐☐ 와/과 그을음이 잘 빠지고, 습기나 열을 서서히 내보냄.

생각 글 쓰기

옹기로 만든 기와가 여름의 더위나 장마를 견디는 데 큰 도움을 준 까닭은 무엇일까요?

어휘·어법 다지기

01 **다음 낱말에 알맞은 뜻을 찾아 선으로 이으세요.**

(1) 미세 •
(2) 순환 •
(3) 실용 •
(4) 증발 •

• ㉠ 실제로 쓰기에 알맞은 것.
• ㉡ 구별하기 어려울 정도로 아주 작음.
• ㉢ 물질이 액체 상태에서 기체 상태로 변함.
• ㉣ 일정한 간격을 두고 자꾸 되풀이하여 돎.

▶ 정답과 해설 17쪽

02 **다음 문장에 알맞은 낱말을 보기에서 찾아 쓰세요.**

보기
순환 실용 증발

(1) 물을 끓이면 물이 공기 중으로 ( )한다.
(2) 어머니께서는 예쁜 옷보다는 ( )적인 옷을 사신다.
(3) 겨울에는 춥더라도 창문을 열고 공기를 ( )시켜야 한다.

03 **보기를 읽고 다음 문장에 알맞은 낱말을 골라 ○표를 하세요.**

보기
'부치다'와 '붙이다'
'부치다'는 '편지나 물건 등을 일정한 수단이나 방법을 써서 상대에게 보내다.'라는 뜻입니다. 우리말에는 이 '부치다'와 상관이 없고 모양만 같은 '부치다'가 또 있습니다. 그 '부치다'는 '프라이팬 등에 기름을 바르고 음식을 익혀서 만들다.'라는 뜻입니다. 한편 '붙이다'는 '맞닿아 떨어지지 아니하게 하다.'라는 뜻을 가지고 있습니다.

(1) 나는 우체국에 가서 소포를 (부쳤다 / 붙였다).
(2) 아버지께서 김치 부침개를 (부쳐 / 붙여) 주셨다.
(3) 친구에게 줄 편지 봉투에 꽃 모양 스티커를 (부쳤다 / 붙였다).

매일 학습 평가 맞은 문제에 표시해 주세요.

1 제목	2 세부 내용	3 세부 내용	4 세부 내용	5 적용	6 추론	7 글의 구조	맞은 개수
□	□	□	□	□	□	□	개

우리 생활에서 컴퓨터가 사라진다면 어떻게 될까요? 얼마나 불편할지 상상하기가 쉽지 않을 것입니다. 최초의 컴퓨터가 개발된 지 60년이 넘은 지금, 컴퓨터는 생활에서 떼려야 뗄 수 없는 존재가 되었습니다. 컴퓨터는 우리 생활의 어느 곳에서 사용되고 있을까요?

컴퓨터는 가정에서 학습, 통신 등의 다양한 목적으로 쓰입니다. 우리는 컴퓨터를 인터넷과 연결하여 원하는 정보를 찾을 수 있고, 인터넷 강의도 들을 수 있습니다. 멀리 떨어진 친구와 컴퓨터를 통해 이메일을 주고받기도 합니다. 또한, 친구들과 컴퓨터로 게임을 하기도 합니다.

컴퓨터는 나라를 운영하는 데에도 꼭 필요합니다. 정부는 컴퓨터를 통해 대부분의 •행정 업무를 처리하며, 시민들이 직접 주민 센터나 시청에 가지 않고도 컴퓨터로 각종 •민원을 접수하고 신속하게 처리할 수 있도록 돕습니다. 또한 슈퍼컴퓨터를 사용하여 태풍, 지진, 황사 등의 국가 •재난 상황을 예측하고 •대비하여 피해를 줄이기도 합니다.

산업용 로봇 또한 움직이는 컴퓨터라고 할 수 있습니다. 산업용 로봇은 사람이 하기 어려운 매우 •정밀하거나 위험한 작업을 짧은 시간 내에 정확히 해낼 수 있습니다. 제품의 •설계부터 생산까지의 모든 과정을 사람 없이 컴퓨터가 담당하기도 합니다.

컴퓨터는 교통 분야에서도 폭넓게 이용됩니다. 교통의 흐름이 질서 있게 유지되도록 설치한 신호등은 컴퓨터에 의해 자동으로 조절됩니다. 비행기와 지하철 등의 교통수단도 컴퓨터를 통해 자동으로 운행되도록 점차 바뀌고 있습니다.

컴퓨터가 발달할수록 크기는 작아지고 •성능은 더 좋아지고 있습니다. 오늘날 사람들이 많이 사용하는 스마트폰은 작은 컴퓨터로 볼 수 있습니다. 이 스마트폰을 통해 사람들은 각종 정보를 얻고 사람들과 의사소통하며, 물건 사기, 음악 듣기, 송금하기 등 많은 일을 손쉽게 하고 있습니다. 작은 컴퓨터를 손에 들고 다니면서 일을 처리할 수 있는 시대가 온 것입니다.

이처럼 컴퓨터가 우리 생활에 많은 영향을 미치고 있는 만큼 컴퓨터를 •효율적으로 이용하는 것이 우리 생활의 질을 높이는 중요한 일이 될 것입니다.

낱말 뜻 풀이

- **행정**: 정치나 사무를 행함.
- **민원**: 주민이 행정 기관에 대하여 원하는 바를 요구하는 일.
- **재난**: 뜻밖에 일어난 재앙과 고난.
- **대비**: 앞으로 일어날지도 모르는 어떠한 일에 대응하기 위하여 미리 준비함.
- **정밀**: 아주 정확하고 빈틈이 없고 자세함.
- **설계**: 계획을 세움.
- **성능**: 기계 등이 지닌 성질이나 기능.
- **효율적**: 들인 노력에 비하여 얻는 결과가 큰. 또는 그런 것.

1

제목

이 글에 알맞은 제목을 쓰세요.

☐☐☐ 의 이용과 우리 생활

2

이 글에 대한 설명으로 알맞은 것은 무엇인가요?

① 컴퓨터로 인해 생긴 문제점을 설명하고 있다.
② 컴퓨터의 구조가 어떻게 이루어졌는지 설명하고 있다.
③ 컴퓨터를 사용하는 시간을 줄여야 한다고 주장하고 있다.
④ 컴퓨터가 이용되는 각각의 분야를 나누어서 설명하고 있다.
⑤ 컴퓨터가 만들어지고 발달한 역사를 시간 순서대로 설명하고 있다.

15회
▶ 정답과 해설 18쪽

3

이 글의 내용으로 알맞지 않은 것은 무엇인가요?

① 산업용 로봇은 컴퓨터로 볼 수 없다.
② 스마트폰은 크기가 작은 컴퓨터라고 할 수 있다.
③ 컴퓨터는 우리 생활에 많은 영향을 미치고 있다.
④ 정부는 컴퓨터를 이용하여 각종 민원을 처리한다.
⑤ 도로 위의 신호등은 컴퓨터에 의해 자동으로 조절된다.

4

이 글에서 컴퓨터를 생활에서 이용하는 예로 알맞지 않은 것은 무엇인가요?

① 스마트폰을 통해 뉴스를 살펴본다.
② 멀리 이사 간 친구와 이메일을 주고받는다.
③ 슈퍼컴퓨터를 통해 재난을 예측하고 대비한다.
④ 고장 난 컴퓨터를 고쳐서 다른 사람에게 팔아 돈을 번다.
⑤ 위험한 작업을 산업용 로봇으로 신속하고 정확하게 해낸다.

5 다음 중 이 글의 내용을 잘못 이해하고 있는 사람은 누구인지 쓰세요.

추론

- 경후: 컴퓨터가 없다면 우리 삶이 많이 불편해질 거야.
- 민지: 컴퓨터에 너무 의지하지 않도록 이용 시간을 줄여야 해.
- 영희: 생활 속에서 컴퓨터를 이렇게 많이 이용하고 있다니 놀라워.
- 원명: 시간이 지날수록 컴퓨터는 우리 생활에서 더욱 많이 이용될 거야.

6 이 글의 구조를 생각하며, 빈칸에 알맞은 말을 쓰세요.

글의 구조

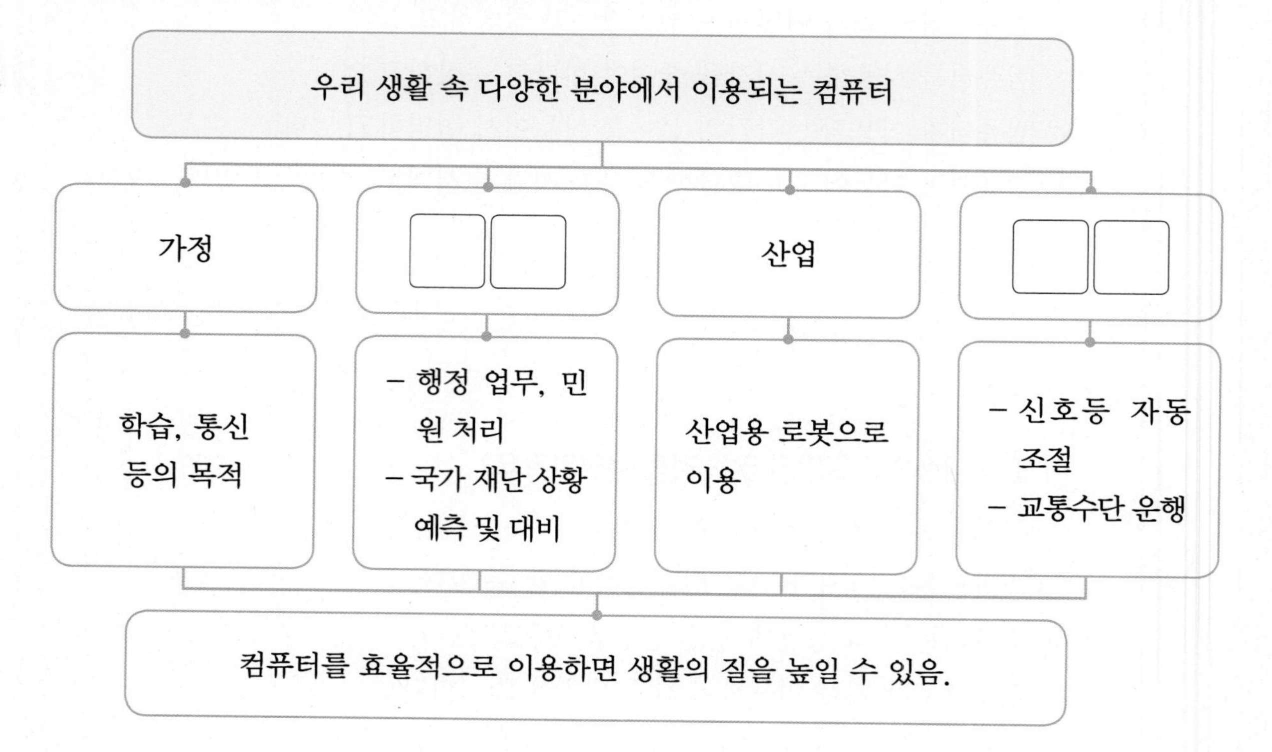

생각 글 쓰기

교통 분야에서는 컴퓨터를 어떻게 이용하고 있나요?

어휘·어법 다지기

▶ 정답과 해설 18쪽

01 **다음 뜻에 알맞은 낱말을 찾아 선으로 이으세요.**

(1) 뜻밖에 일어난 재앙과 고난. • 　　• ㉠ 민원

(2) 아주 정확하고 빈틈이 없고 자세함. • 　　• ㉡ 재난

(3) 주민이 행정 기관에 대하여 원하는 바를 요구하는 일. • 　　• ㉢ 정밀

02 **다음 문장에 알맞은 낱말을 보기에서 찾아 쓰세요.**

보기

대비　　정밀　　효율적

(1) 회사는 일을 (　　　　)(으)로 처리하기 위한 방법을 연구한다.

(2) 현미경은 물질이나 물체를 (　　　　)하게 살펴볼 수 있는 기구이다.

(3) 주민 센터에서는 장마에 (　　　　)하여 곳곳에 모래주머니를 두었다.

03 **보기를 읽고 다음 문장에 알맞은 낱말을 골라 ○표를 하세요.**

보기

'배다'와 '베다'

우리말의 동사 '배다'에는 두 종류가 있습니다. 하나는 '스며들거나 스며 나오다.'라는 뜻을 가진 '배다'입니다. 나머지 하나는 '배 속에 아이나 새끼를 가지다.'라는 뜻의 '배다'입니다.

'베다'에도 두 종류가 있습니다. 하나는 '날이 있는 물건으로 상처를 내다.'라는 뜻의 '베다'입니다. 나머지 하나는 '누울 때 베개 등을 머리 아래에 받치다.'라는 뜻이 있는 '베다'입니다.

(1) 현서는 종이에 손을 (배었다 / 베었다).

(2) 할머니 댁에 있는 토끼가 새끼를 (배었다 / 베었다).

(3) 나는 팔을 (배고 / 베고) 방에 누워 곰곰이 생각하였다.

매일 학습 평가	맞은 문제에 표시해 주세요.					맞은 개수	
1 제목 □	2 전개 방식 □	3 세부 내용 □	4 적용 □	5 추론 □	6 글의 구조 □	개	스티커를 붙여 두세요

설명문 | 기술

[사회 4-1] 2. 우리가 알아보는 지역의 역사

공부한 날 월 일

장영실은 조선 시대에 °활약한 과학자이자 다양한 발명품을 만들어 낸 기술자로 알려져 있습니다. 장영실은 그의 뛰어난 업적을 인정받아서, °노비 출신임에도 불구하고 신분 제도가 °엄격했던 조선 시대에 벼슬을 지냈습니다. 그가 만든 대표적인 발명품으로는 앙부일구, 자격루, 혼천의 등이 있습니다.

앙부일구는 장영실이 발명한 해시계입니다. 해가 떠 있는 동안 시계 내부에 생기는 그림자로 시각을 표시하지요. 해는 동쪽에서 떠서 서쪽으로 지는데, 이에 따라 그림자의 위치도 계속해서 달라집니다. 앙부일구는 이 원리를 이용하여 시간의 변화를 나타낼 수 있었던 것입니다. 또한 장영실은 앙부일구에 그림자의 길이에 따른 °절기를 표시하여 백성들이 농사를 짓는 데 도움이 되도록 하였습니다.

자격루는 물을 이용한 시계입니다. 자격루가 뛰어난 발명품으로 인정받는 까닭은 자동으로 시간을 알려 줄 수 있기 때문입니다. 자격루 안에는 물을 흘려주는 항아리인 '파수호'와 물을 받는 항아리인 '수수호'가 있습니다. 수수호에는 작은 막대가 있는데, 파수호에서 흘린 물이 수수호에 차오르면 막대도 같이 떠오르기 시작합니다. 떠오른 막대가 미리 마련된 구슬을 떨어뜨리면, 인형들이 자동으로 움직이고 소리를 내면서 시간을 알려 주었습니다.

혼천의는 하늘의 별들을 °관측하기 위하여 만든 천문 기구입니다. 장영실은 혼천의를 지구가 우주의 중심에 있고 태양과 달, 행성이 지구 주변을 도는 모습으로 만들었습니다. 혼천의는 계절과 시간의 변화를 알 수 있게 만든 매우 과학적인 발명품이었지요.

장영실이 만든 수많은 발명품은 조선 전기에 과학 기술이 발달하고 농업 생산량이 늘어나는 데 큰 도움을 주었습니다. 그가 만든 천문 기구와 시계들 덕분에 조선은 중국과 다른 고유의 °역법을 탄생시킬 수 있었고, 이는 조선의 농경 생활에 큰 발전을 가져왔습니다.

낱말 뜻 풀이

- **활약**: 활발히 활동함.
- **노비**: 예전에 남의 집에 딸려 천한 일을 하던 사람을 아울러 이르는 말.
- **엄격**: 말, 태도, 규칙 등이 매우 엄하고 철저함.
- **절기**: 한 해를 스물넷으로 나눈, 계절의 표준.
- **관측**: 눈이나 기계로 자연 현상 특히 천체나 기상의 상태, 변화 등을 관찰하여 측정하는 일.
- **역법**: 천체의 주기적 현상을 기준으로 하여 한 해의 절기나 달, 계절 등을 정하는 방법.

1

제목

이 글에 알맞은 제목을 쓰세요.

□□□ 이/가 만든 발명품들

2

전개 방식

이 글에 대한 설명으로 알맞은 것은 무엇인가요?

① 장영실의 성품을 칭찬하고 있다.
② 조선 시대의 노비 제도를 비판하고 있다.
③ 장영실의 일생을 순서대로 보여 주고 있다.
④ 장영실이 만든 발명품을 자세하게 설명하고 있다.
⑤ 조선 시대의 과학 기술이 어떤 수준이었는지 설명하고 있다.

3

세부 내용

장영실의 발명품에 대한 설명으로 알맞지 않은 것은 무엇인가요?

① 앙부일구는 해를 이용하는 해시계이다.
② 혼천의는 태양을 우주의 중심에 두고 만들었다.
③ 자격루는 자동으로 시간을 알려 주는 물시계이다.
④ 혼천의는 하늘의 별들을 관측하기 위한 기구이다.
⑤ 혼천의를 통해 계절과 시간의 변화를 알 수 있었다.

4

세부 내용

다음 빈칸에 공통으로 들어갈 알맞은 낱말을 쓰세요.

보기

자격루는 □□□ 와/과 수수호라는 항아리로 이루어져 있다. □□□ 에서 물을 흘리면 수수호에 물이 차게 되고, 막대가 떠오르면서 구슬을 떨어뜨려 인형이 자동으로 움직여 소리를 내면서 시간을 알려 주다.

16회 ▶ 정답과 해설 20쪽

5

추론

'앙부일구'와 '자격루'를 비교한 내용으로 알맞은 것의 기호를 쓰세요.

㉠ 앙부일구와 자격루는 모두 하늘의 별을 관측할 수 있었다.
㉡ 앙부일구는 자동으로, 자격루는 수동으로 시간을 알려 주었다.
㉢ 앙부일구는 흐린 날에만, 자격루는 맑은 날에만 사용할 수 있었다.
㉣ 앙부일구는 절기를 알려 주었지만, 자격루는 절기를 알려 주지 않았다.

6

이 글의 구조를 생각하며, 빈칸에 알맞은 말을 쓰세요.

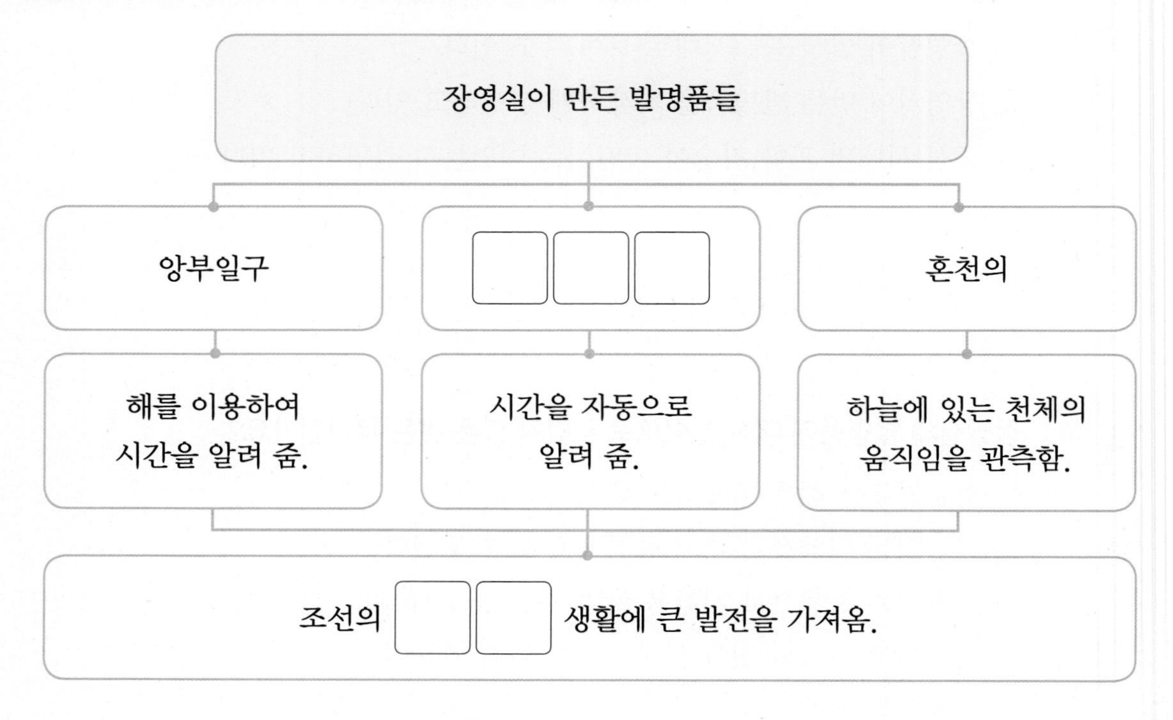

장영실이 만든 발명품이 조선 시대의 농업에 미친 영향은 무엇일까요?

어휘·어법 다지기

01 다음 낱말에 알맞은 뜻을 찾아 선으로 이으세요.

(1) 관측 •
(2) 엄격 •
(3) 절기 •
(4) 활약 •

• ㉠ 활발히 활동함.
• ㉡ 한 해를 스물넷으로 나눈, 계절의 표준.
• ㉢ 말, 태도, 규칙 등이 매우 엄하고 철저함.
• ㉣ 눈이나 기계로 자연 현상 특히 천체나 기상의 상태, 변화 등을 관찰하여 측정하는 일.

▶ 정답과 해설 20쪽

02 다음 문장에 알맞은 낱말을 보기 에서 찾아 쓰세요.

보기
관측 노비 엄격

(1) 옛날에는 (   )을/를 사고팔았다고 한다.
(2) 담임 선생님은 매우 (   )하셔서 아이들이 무서워한다.
(3) 천문학자들은 천체를 (   )하여 우주의 모습을 연구한다.

03 보기 를 읽고 다음 밑줄 친 낱말 중 체언이 아닌 것을 고르세요.

보기
'체언'은 명사, 대명사, 수사를 통틀어 일컫는 말이에요. 먼저 명사는 사물의 이름을 나타내는 낱말이에요. '책이 재미있다.'라고 할 때 종이를 엮어 만든 물건의 이름을 나타내는 '책'이 명사이지요. 대명사는 사람이나 사물의 이름을 대신하는 낱말이에요. '너 거기 갔었어?'에서 '거기'가 대명사이지요. 마지막으로 수사는 수량이나 순서를 나타내는 낱말이에요. '과자 하나 주세요.'에서 '하나'가 수사이지요.

① "<u>어제</u> 신발 샀어?"
② "응, <u>이거</u> 샀어."
③ 나는 가방을 <u>샀다</u>.
④ 학생 <u>둘</u>이 걸어왔다.
⑤ <u>사과</u>가 정말 맛있다.

매일 학습 평가	맞은 문제에 표시해 주세요.					맞은 개수
1 제목 ☐	2 전개 방식 ☐	3 세부 내용 ☐	4 세부 내용 ☐	5 추론 ☐	6 글의 구조 ☐	개

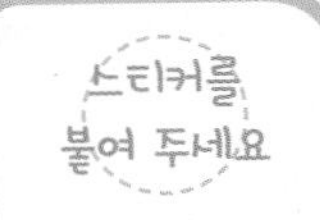

교장 선생님, 안녕하세요? 저는 4학년 3반 정영훈이라고 합니다. 항상 우리 학교와 학생들을 위해 노력해 주시는 교장 선생님께 감사 드립니다. 오늘 제가 교장 선생님께 글을 쓰는 까닭은 최근 복도에서 *안전사고가 많이 *발생하고 있기 때문입니다.

새 학기가 시작된 지난주에 우리 학교에서 아찔한 사고가 있었습니다. 제 친구인 민영이가 복도 *모퉁이를 돌다가 갑자기 튀어나온 친구를 보고 놀라 넘어진 것입니다. 다행히 민영이는 다른 곳은 크게 다치지 않았지만, 다리뼈에 금이 가고 말았습니다. 그래서 지금은 *붕대를 한 채 학교에 다니고 있습니다. 더욱 심각한 것은 민영이 말고도 비슷한 사고를 당해 붕대를 하고 다니는 친구들이 다른 반에도 꽤 많이 있다는 것입니다.

이러한 복도에서의 안전사고는 우리 학교만의 문제가 아니라고 합니다. ○○ 신문은 최근 1년 동안 학교 안에서 일어난 안전사고 *건수를 조사하였는데, 2018년에 발생한 안전사고가 2017년에 비해 16퍼센트나 늘었다고 합니다. 특히 복도에서의 안전사고는 사고가 일어난 장소로 순위를 매겼을 때 4위를 차지할 정도로 자주 발생하고 있었습니다.

저는 이러한 신문 기사를 읽고 교장 선생님께 꼭 *건의를 드려야겠다고 생각했습니다. ㉠교장 선생님, 우리 학교 복도에 안전 거울을 설치해 주십시오. ㉡안전 거울이 필요한 곳을 조사하여 설치한다면, 친구들이 모퉁이를 돌기 전에 누가 오는지 미리 확인할 수 있기 때문에 안전사고가 눈에 띄게 줄어들 것입니다. ㉢자동차가 다니는 도로에도 곳곳에 이러한 안전 거울이 설치되어 있어 도로 위 자동차들의 사고를 *예방하고 있습니다. 안전 거울을 설치하는 일은 학교 친구들뿐만 아니라 선생님들의 안전을 위한 일이기도 합니다.

교장 선생님, 안전 거울을 설치하여 우리 학교 친구들과 선생님들이 더 안전한 학교생활을 할 수 있게 만들어 주세요. 긴 글 읽어 주셔서 정말 고맙습니다.

낱말 뜻 풀이

- **안전사고:** 안전 교육이 갖춰지지 않거나 부주의 등으로 일어나는 사고.
- **발생:** 어떤 일이나 사물이 생겨남.
- **모퉁이:** 구부러지거나 꺾어져 돌아간 자리.
- **붕대:** 상처 등에 감는 소독한 헝겊.
- **건수:** 사물이나 사건의 가짓수.
- **건의:** 개인이나 단체가 의견이나 희망을 내놓음.
- **예방:** 질병이나 재해 등이 일어나기 전에 미리 대처하여 막는 일.

1 제목

이 글에 알맞은 제목을 쓰세요.

복도에 □□ □□ 을/를 설치해 주세요.

2 세부 내용

이 글을 읽을 사람은 누구인가요?

① 구청장
② 교장 선생님
③ 시청 공무원
④ 학교 보안관
⑤ 학부모 대표

3 세부 내용

이 글의 내용으로 알맞지 않은 것은 무엇인가요?

① 글쓴이는 4학년 3반 학생이다.
② 글쓴이의 친구는 복도에서 넘어져서 뼈에 금이 갔다.
③ 글쓴이는 복도에 안전 거울을 설치할 것을 건의하고 있다.
④ 학교 안에서 안전사고가 가장 많이 발생한 장소는 복도이다.
⑤ 학교 안에서 발생한 안전사고는 2017년보다 2018년에 더 늘어났다.

4 세부 내용

글쓴이가 복도에 안전 거울을 설치해 달라고 건의한 까닭은 무엇인가요?

① 다른 학교에는 이미 있기 때문에
② 복도를 예쁘게 꾸미고 싶기 때문에
③ 복도에서도 자신의 모습을 보고 싶기 때문에
④ 복도에서 안전사고가 자주 발생하고 있기 때문에
⑤ 안전 거울을 설치하면 복도가 더 넓어 보이기 때문에

5 적용

㉠~㉢을 주장과 근거로 나누어 알맞은 것에 기호를 쓰세요.

(1) 주장	
(2) 근거	

17회 ▶ 정답과 해설 21쪽

6 다음 중 글쓴이의 주장과 다른 의견을 골라 기호를 쓰세요.

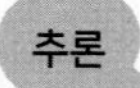

㉮ 교장 선생님께서 안전 거울을 꼭 설치해 주셨으면 좋겠어.
㉯ 학생들과 선생님들의 안전을 위해서라도 안전 거울을 설치해야 해.
㉰ 안전 거울을 어디에 설치하는 것이 좋을지 먼저 조사해 보아야 할 것 같아.
㉱ 안전 거울을 설치하기보다는 한 달에 한 번씩 안전 교육을 실시하는 것이 더 좋겠어.

7 이 글의 구조를 생각하며, 빈칸에 알맞은 말을 쓰세요.

글의 구조

글을 쓴 까닭	복도에서 □□□□ 이/가 많이 발생하고 있음.
주장	□□ 에 안전 거울을 설치해야 함.
근거	– 모퉁이를 돌기 전 사람이 오는지 미리 확인할 수 있음. – 도로 위 자동차들도 안전 거울로 사고를 예방하고 있음.

복도에 안전 거울이 설치되면 좋은 점은 무엇일까요?

어휘·어법 다지기

17회 ▶ 정답과 해설 21쪽

01 **다음 뜻에 알맞은 낱말을 찾아 선으로 이으세요.**

(1) 상처 등에 감는 소독한 헝겊. •　　　　• ㉠ 건의

(2) 구부러지거나 꺾어져 돌아간 자리. •　　　　• ㉡ 모퉁이

(3) 개인이나 단체가 의견이나 희망을 내놓음. •　　　　• ㉢ 붕대

(4) 질병이나 재해 등이 일어나기 전에 미리 대처하여 막는 일. •　　　　• ㉣ 예방

02 **다음 문장에 알맞은 낱말을 보기 에서 찾아 쓰세요.**

보기

건의　　모퉁이　　예방

(1) 윤지는 학급 회의 시간에 (　　　　) 사항을 발표하였다.

(2) 전염병을 (　　　　)하기 위해서는 자주 손을 씻어야 한다.

(3) 나는 학교 앞 (　　　　)에서 자전거가 갑자기 나타나서 놀랐다.

03 **보기 를 읽고 다음 문장에 알맞은 낱말을 골라 ○표를 하세요.**

'한참'과 '한창'

'한참'은 '시간이 상당히 지나는 동안.'이라는 뜻입니다. '담장을 따라서 한참을 걸었다.'와 같이 씁니다. '한창'은 '어떤 일이 가장 활기 있고 왕성하게 일어나는 때.'라는 뜻입니다. '요즘 여의도에는 벚꽃이 한창이다.'와 같이 씁니다.

(1) 나는 친구를 (한참 / 한창) 동안 기다렸다.

(2) 동원이는 요즘 (한참 / 한창) 인기 있는 노래를 모두 알고 있다.

매일 학습 평가 맞은 문제에 표시해 주세요.

1 제목	2 세부 내용	3 세부 내용	4 세부 내용	5 적용	6 추론	7 글의 구조	맞은 개수
☐	☐	☐	☐	☐	☐	☐	개

스티커를 붙여 주세요

지구를 운전하는 엄마

봄나들이 갔다가
㉠냉이밭을 만난 엄마

호미 대신
㉡자동차 열쇠로 냉이를 ㉮캔다

열쇠를 ㉢땅에 꽂을 때마다
㉣지구를 시동 거는 것 같다

부릉부릉
지구를 몰고 가는 엄마

우리는 시속 1,667킬로미터 ㉤지구 자동차를 탔다

– 안상학

낱말 뜻 풀이

- **봄나들이**: 봄을 맞으러 잠시 외출하거나 그 외출.
- **호미**: 논밭의 잡풀을 뽑아내거나 감자, 고구마 등을 캘 때 쓰는 쇠로 만든 농기구.
- **냉이**: 두해살이풀로, 잎이 뭉쳐나고 깃 모양으로 갈라져 있음.
- **시동**: 발전기, 전동기 등의 발동이 걸리기 시작함.
- **시속**: 한 시간을 단위로 하여 잰 속도.

1

이 시는 무엇에 따라 이야기가 흘러가고 있나요?

① 계절의 변화에 따라
② 말하는 이의 기분에 따라
③ 새로운 사건이 일어나는 것에 따라
④ 장면을 보고 떠오르는 생각에 따라
⑤ 사건이 일어나는 장소의 변화에 따라

18회
▶ 정답과 해설 22쪽

2

이 시에서 말하는 이의 느낌으로 가장 알맞은 것은 무엇인가요?

① 무섭다　② 슬프다　③ 설렌다
④ 우울하다　⑤ 재미있다

3

적용

이 시에 나타난 '지구'와 '자동차'의 비슷한 점을 두 가지 고르세요.

① 빠르게 움직인다.
② 연료가 필요하다.
③ 어마어마하게 크다.
④ 냉이가 자라고 있다.
⑤ 엄마가 열쇠를 꽂는다.

4

이 시를 읽고 떠올릴 수 있는 장면으로 알맞은 것은 무엇인가요?

① 열쇠로 냉이를 캐는 '나'
② 우주에서 본 지구의 모습
③ 지구에 있는 여러 가지 자동차들
④ 지구를 위하여 쓰레기를 줍는 엄마
⑤ 열쇠로 시동을 걸듯이 냉이를 캐는 엄마

5

시어의 의미

㉠~㉤ 중 가리키는 것이 다른 하나는 무엇인가요?

① ㉠ ② ㉡ ③ ㉢
④ ㉣ ⑤ ㉤

6

추론

보기 는 5연에 대한 선생님의 설명입니다. 빈칸에 알맞은 말을 쓰세요.

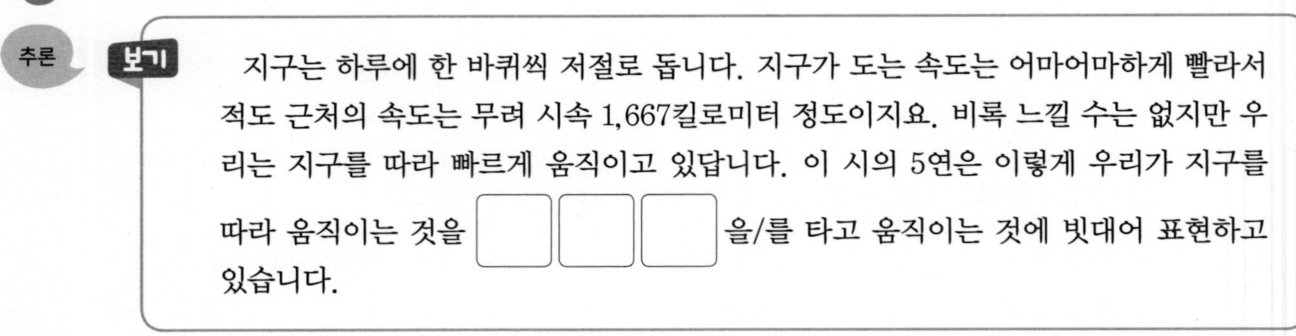
보기

지구는 하루에 한 바퀴씩 저절로 돕니다. 지구가 도는 속도는 어마어마하게 빨라서 적도 근처의 속도는 무려 시속 1,667킬로미터 정도이지요. 비록 느낄 수는 없지만 우리는 지구를 따라 빠르게 움직이고 있답니다. 이 시의 5연은 이렇게 우리가 지구를 따라 움직이는 것을 □□□ 을/를 타고 움직이는 것에 빗대어 표현하고 있습니다.

7

어휘

다음 중 ㉮와 낱말의 뜻이 다르게 쓰인 것은 무엇인가요?

① 인삼 밭에서 인삼을 캐었다.
② 그는 어디선가 조개를 잔뜩 캐어 왔다.
③ 사건의 원인을 캐어서 일을 꼭 해결하겠다.
④ 아버지는 탄광에서 석탄을 캐는 일을 하신다.
⑤ 우리는 지난 주말에 밭에서 고구마와 감자를 캐었다.

말하는 이가 엄마가 지구를 운전한다고 생각한 까닭은 무엇일까요?

어휘·어법 다지기

18회 ▶ 정답과 해설 22쪽

01 다음 낱말에 알맞은 뜻을 찾아 선으로 이으세요.

(1) 냉이 •
(2) 봄나들이 •
(3) 시속 •
(4) 호미 •

• ㉠ 한 시간을 단위로 하여 잰 속도.
• ㉡ 봄을 맞으러 잠시 외출하거나 그 외출.
• ㉢ 두해살이풀로, 잎이 뭉쳐나고 깃 모양으로 갈라져 있음.
• ㉣ 논밭의 잡풀을 뽑아내거나 감자, 고구마 등을 캘 때 쓰는 쇠로 만든 농기구.

02 다음 문장에 알맞은 낱말을 보기에서 찾아 쓰세요.

보기
시동　시속　호미

(1) 나는 (　　　　)(으)로 땅을 파서 꽃을 심었다.
(2) 겨울에는 차에 (　　　　)이/가 잘 걸리지 않는다.
(3) 어린이 보호 구역은 자동차의 제한 속도가 (　　　　) 30킬로미터이다.

03 보기를 읽고 다음 문장에 알맞은 낱말을 골라 ○표를 하세요.

보기
'띄다'와 '띠다'
'띄다'는 '뜨이다'를 줄여서 표현한 것으로, '눈에 보이다', '남보다 훨씬 두드러지다.' 등의 뜻이 있습니다. '띠다'는 '물건을 몸에 지니다.', '빛깔이나 색채 등을 가지다.', '감정이나 기운 등을 나타내다.' 등의 뜻이 있습니다. 두 낱말은 발음은 비슷하지만 뜻이 다르기 때문에 낱말의 뜻에 따라 주의해서 써야 합니다.

(1) 사과는 붉은빛을 (띄어 / 띠어) 맛있게 보였다.
(2) 내 동생은 눈에 (띄게 / 띠게) 귀여운 얼굴이다.

매일 학습 평가	맞은 문제에 표시해 주세요.						맞은 개수
1 전개 방식 □	2 화자 □	3 적용 □	4 세부 내용 □	5 시어의 의미 □	6 추론 □	7 어휘 □	개

문학 | 편지글

[국어 4-2 (가)] 2. 마음을 전하는 글을 써요

공부한 날 월 일

사랑하는 아들 필립

어머니의 편지를 받아 보았다. ㉠ 네가 넘어져 팔을 다쳤다는 *소식이 들어 있어 매우 걱정되는구나. 팔이 낫거들랑 내게 바로 알려라. ㉡ 한 학년 올라가게 된 것을 축하한다. 아버지는 무척 기쁘구나. 나는 이곳에 편안히 잘 있다. 미국 국회 의원들이 *동양에 온다고 해 홍콩으로 왔다만 그들이 이곳에 들르지 않아 만나지는 못했단다. 나는 곧 상하이로 돌아갈 거란다.

내 아들 필립아. 키가 크고 몸이 커지는 만큼 스스로 좋은 사람이 되려고 힘써야 한단다. 네가 어리고 몸이 작았을 때보다 더욱더 힘써야 하지. 스스로 좋은 사람이 되려고 노력하는 네 모습을 내 눈으로 직접 보고 싶구나. ㉢ 너는 워낙 남을 속이지 않는 진실한 사람이라 좋은 사람이 되기도 쉬울 거란다.

㉮ 좋은 사람이 되려면 *진실하고 깨끗해야 해. 또 좋은 친구를 가려 사귀어야 한단다. 그게 좋은 사람이 되는 첫 번째 *조건이지. 더욱 부지런해져라. 어려운 일도 열심히 견디거라. ㉣ 책은 부지런히 보고 있니? 아무 책이나 읽지 말고, 좋은 책을 골라 꾸준히 읽어라. 좋은 책을 가려 보는 것이 좋은 사람이 되는 두 번째 조건이란다. 좋은 친구를 사귀고 좋은 책을 읽는 일을 멈추지 말아라. 책은 두 *종류를 택하렴. 첫째는 좋은 사람들의 이야기가 담겨 있어 본받을 수 있는 책이고, 둘째는 너의 공부에 필요한 *지식을 얻기 위한 책이다. 또 우리글과 책을 잘 익혀라. ㉤ 즐거운 마음으로 내 말을 따라 주겠지? 너를 믿는다.

1920년 8월 3일 홍콩에서

안창호

낱말 뜻 풀이

- **소식**: 멀리 떨어져 있는 사람의 사정을 알리는 말이나 글.
- **동양**: 아시아의 동부 및 남부를 이름. 한국, 중국, 일본, 인도, 미얀마, 타이, 인도네시아 등.
- **진실**: 마음에 거짓이 없이 순수하고 바름.
- **조건**: 일정한 일을 결정하기에 앞서 내놓는 요구나 견해.
- **종류**: 사물의 부문을 나누는 갈래.
- **지식**: 어떤 대상에 대하여 배우거나 실천을 통하여 알게 된 명확한 인식이나 이해.

1

이 글은 누구에게 쓴 글인가요?

안창호 선생이 아들 [ ][ ]에게 쓴 편지글

2

이 글에 대한 설명으로 알맞지 않은 것은 무엇인가요?

① 글쓴이는 홍콩에서 편지를 썼다.
② 글쓴이는 홍콩에서 미국 국회 의원들을 만났다.
③ 글쓴이가 아들을 걱정하는 마음이 드러나 있다.
④ 글쓴이는 아들이 자신의 말을 따라 줄 것이라고 믿고 있다.
⑤ 글쓴이는 아들에게 좋은 사람이 되어야 한다고 말하고 있다.

3

추론

㉠~㉤에 나타난 글쓴이의 마음으로 알맞지 않은 것은 무엇인가요?

① ㉠: 걱정스러운 마음
② ㉡: 기쁜 마음
③ ㉢: 아들을 믿는 마음
④ ㉣: 아들을 자랑스러워하는 마음
⑤ ㉤: 아들에게 기대하는 마음

4

㉮에서 말하는 좋은 사람이 되기 위한 조건은 무엇인가요?

① 잠을 많이 자야 한다.
② 진실하고 깨끗해야 한다.
③ 모든 책을 다 읽어야 한다.
④ 학교에서 공부를 많이 해야 한다.
⑤ 최대한 많은 친구를 사귀어야 한다.

5

㉮에서 글쓴이가 말하는 좋은 책은 무엇인지 두 가지를 골라 기호를 쓰세요.

㈎ 글이 적고 그림이 많은 책
㈏ 주변 사람들이 많이 보는 책
㈐ 좋은 사람들의 이야기가 담겨 있는 책
㈑ 자신의 공부에 필요한 지식을 얻기 위한 책

19회 ▶ 정답과 해설 23쪽

6

이 글을 읽고 알맞지 않은 반응을 보인 사람은 누구인가요?

① 광수: 아들에 대한 아버지의 사랑이 잘 느껴지는 편지글이었어.
② 정민: 좋은 친구를 사귀고 좋은 책을 읽는 일을 꾸준히 해야겠어.
③ 지연: 내가 '좋은 사람'인지 스스로 생각해 볼 수 있는 시간이었어.
④ 현수: 책을 읽을 때에도 나에게 도움이 될 만한 책이 무엇인지 생각하면서 읽어야겠어.
⑤ 효민: 자신을 향한 아버지의 기대가 너무 커서 힘들어하는 아들의 모습이 나타나 있어.

7

이 글의 구조를 생각하며, 빈칸에 알맞은 말을 쓰세요.

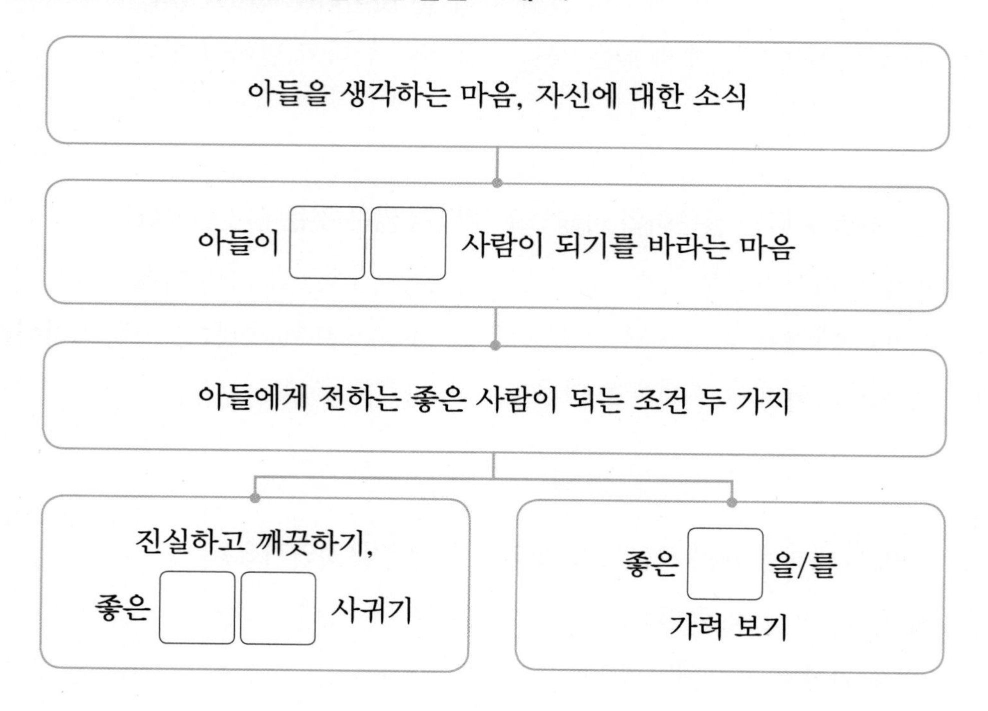

글쓴이가 편지로 아들에게 전하고 싶었던 마음은 무엇일까요?

어휘·어법 다지기

01 **다음 뜻에 알맞은 낱말을 찾아 선으로 이으세요.**

(1) 마음에 거짓이 없이 순수하고 바름. • • ㉠ 소식

(2) 일정한 일을 결정하기에 앞서 내놓는 요구나 견해. • • ㉡ 조건

(3) 멀리 떨어져 있는 사람의 사정을 알리는 말이나 글. • • ㉢ 지식

(4) 어떤 대상에 대하여 배우거나 실천을 통하여 알게 된 명확한 인식이나 이해. • • ㉣ 진실

02 **다음 문장에 알맞은 낱말을 보기 에서 찾아 쓰세요.**

보기 동양 소식 지식

(1) 책을 읽으면 많은 (　　　　)을 얻을 수 있다.

(2) 오랫동안 (　　　　)이 끊겼던 친구에게서 연락이 왔다.

(3) 예술 작품을 보면 (　　　　)과 서양의 차이가 느껴진다.

03  **를 읽고 다음 문장에서 용언을 골라 ○표를 하세요.**

보기 '용언'은 문장 안에서 사람이나 사물의 움직임, 성질, 상태 등을 서술하는 역할을 하는 말로, 다시 동사와 형용사로 나뉩니다. 먼저 동사는 사람이나 사물의 움직임을 나타내는 말입니다. 예를 들면, '철수는 학교에 간다.'에서 '간다'는 '철수'의 움직임을 나타내는 동사이지요. 그리고 형용사는 사물의 성질이나 상태를 나타내는 말입니다. 예를 들면, '그 꽃은 정말 아름답다.'에서 '아름답다'는 꽃의 성질을 나타내는 형용사입니다.

(1) 내 가방은 정말 크다.

(2) 지수는 어제 빵을 먹었다.

(3) 우리 담임선생님은 마음도 예쁘시다.

매일 학습 평가	맞은 문제에 표시해 주세요.						맞은 개수
1 세부 내용 □	2 세부 내용 □	3 추론 □	4 세부 내용 □	5 세부 내용 □	6 추론 □	7 글의 구조 □	개

19회 ▶ 정답과 해설 23쪽

어느 마을에 장끼와 까투리가 살았습니다. 장끼는 수꿩이고, 까투리는 암꿩을 말합니다. 장끼와 까투리는 서로 결혼했습니다. 장끼와 까투리는 서로 사이가 아주 좋았습니다. 그래서 자식이 많았습니다. 아들이 아홉, 딸이 열둘이나 되는 대식구였답니다.

겨울이 되어 온 세상에 눈이 소복이 쌓였습니다. *풍경은 매우 아름다웠지만, 꿩들에게는 그리 반가운 일은 아니었습니다. 먹을 것을 구하기가 힘들었기 때문입니다. 꿩들은 사람들이 땅에 떨어뜨린 곡식을 주워 먹어야 하는데, 눈이 쌓여서 곡식이 보이지 않았습니다. 먹을 것이 없었던 장끼와 까투리는 자식들을 먹이기 위해 밭에 나가 보기로 했습니다.

먹을 것을 찾기 위해 쏘다니던 장끼가 큰 콩을 발견했습니다. 기분이 좋아진 장끼는 신이 나서 콩을 향해 달려가려고 했습니다. 그때, 까투리가 옆에서 소리쳤습니다.

㉠"잠깐 멈춰요! 그 콩을 먹으면 안 돼요. 왠지 사람이 우리를 잡으려고 일부러 가져다 놓은 것 같아요. 먹지 않는 것이 좋겠어요."

신이 나서 뛰어가던 장끼가 걸음을 멈추고 까투리를 쳐다보았습니다.

"밖이 이렇게 추운데 사람들이 밭에 왔겠어요? 눈이 와서 사람들이 오지 않아요."

"그래도 먹지 않는 것이 좋겠어요."

까투리가 계속해서 말렸지만, 장끼는 이런 까투리의 *잔소리가 듣기 싫었습니다.

까투리는 장끼에게 어젯밤에 꾸었던 꿈 이야기를 해 주었습니다.

"어젯밤에 잠이 들자마자 꿈을 꾸었어요. 비가 오다가 날씨가 맑아졌어요. 하늘에 무지개가 생겼는데, 그게 갑자기 칼로 바뀌었어요. 그러더니 그 칼이 당신의 목을 베었어요. 당신이 죽을 꿈이 분명해요. 제발 먹지 말아요."

하지만 장끼는 오히려 기뻐하며 대답했습니다.

"그 꿈은 나쁜 꿈이 아니에요. 꿈은 반대라고 하잖아요? 무지개가 나한테 떨어졌으니까 나한테 좋은 일이 있을 거예요."

까투리는 계속해서 다른 꿈 이야기를 했지만, 장끼는 버럭 화를 내며 소리쳤습니다.

"더는 듣기 싫어요. 한 번만 더 꿈 이야기를 하면, 내가 당신을 가만두지 않을 거요."

까투리의 간절한 *애원을 뒤로 한 채, 장끼는 *보무도 당당하게 콩을 향해 걸어갔습니다.

장끼는 기뻐하며 콩을 부리로 콕 쪼았습니다.

"으악!"

장끼가 소리를 질렀습니다. 장끼가 *덫에 걸린 것입니다. 쇠가 부딪치는 소리가 나고 날카로운 것이 장끼의 목을 눌렀습니다. 숨이 막힌 장끼가 푸드덕거렸으나 때는 이미 늦었습니다.

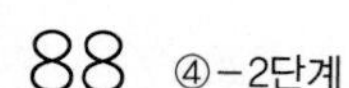

ⓒ"아이고, 나 죽네! 진작에 까투리 자네 말을 들을 것을! 이제 와서 후회해도 소용없구나!"

"아이고, 이게 무슨 일이야! 그렇게 내 말을 안 듣더니 어쩌면 좋아! 이렇게 될 줄 몰랐나? 여자 말을 안 듣다가 집안이 망했네."

까투리가 놀라서 큰 소리로 울었습니다.

새끼들도 아버지가 덫에 걸린 모습을 보았습니다. 모두 발만 동동 구를 뿐 어찌할 바를 몰랐습니다. 까투리가 통곡하며 말했습니다.

"좋은 약이 맛은 쓰지만 몸에 좋다고 했는데. 옳은 말은 듣기 싫지만 행동에 좋다고 했는데! 당신이 내 말을 들었으면 좋았을 텐데. 둘이 사이좋게 살다가 하나가 죽게 되었네. 나는 이제 어떻게 하나? 아이고, 답답하고 가여워라."

까투리가 가슴을 치면서 울었습니다.

–「장끼전」

▶ 정답과 해설 24쪽

낱말 뜻 풀이

- **풍경**: 산, 들, 강, 바다 등 자연이나 지역의 모습.
- **잔소리**: 필요 이상으로 듣기 싫게 꾸짖음.
- **애원**: 소원이나 요구 등을 들어 달라고 애처롭게 사정하여 간절히 바람.
- **보무**: 위엄 있고 활기 있게 걷는 걸음.
- **덫**: 동물을 꾀어 잡는 기구.
- **통곡**: 소리를 높여 슬피 욺.

1 이 글의 계절적 배경과 공간적 배경을 쓰세요.

배경

(1) 계절적 배경	
(2) 공간적 배경	

2 이 글의 내용으로 알맞지 않은 것은 무엇인가요?

① 까투리는 조심스러운 성격이다.
② 장끼는 덫에 걸려 죽을 위기에 처했다.
③ 장끼는 다른 사람의 말을 잘 듣지 않는다.
④ 사람들이 꿩을 잡기 위해 콩으로 덫을 놓았다.
⑤ 장끼는 꿈에서 까투리에게 무지개가 떨어졌다고 하였다.

3
추론

까투리가 ㉠과 같이 말한 까닭은 무엇인가요?

① 콩이 썩은 것처럼 보여서
② 자식들에게 콩을 먹이기 위해서
③ 장끼가 먹으려는 콩을 먹고 싶어서
④ 사람들이 쳐 놓은 덫이라고 생각해서
⑤ 콩을 땅에 심어 더 많은 콩을 얻기 위해서

4
어휘

㉡의 상황을 나타내는 속담으로 알맞은 것은 무엇인가요?

① 소 잃고 외양간 고친다.
② 고래 싸움에 새우 등 터진다.
③ 가는 말이 고와야 오는 말이 곱다.
④ 구슬이 서 말이라도 꿰어야 보배다.
⑤ 콩 심은 데 콩 나고 팥 심은 데 팥 난다.

5
감상

이 글을 읽은 뒤의 생각으로 알맞지 않은 것은 무엇인가요?

① 남편 없이 혼자 살아가야 할 까투리가 불쌍해.
② 꿩들에게 콩을 가져다 준 사람은 정말 착하구나.
③ 먹이를 구하러 돌아다니는 꿩들의 모습이 안쓰러워.
④ 다른 사람의 충고를 무시하지 말고 귀담아들어야 해.
⑤ 까투리의 말을 듣지 않고 행동하다 덫에 걸린 장끼가 안타까워.

생각 글 쓰기

장끼와 까투리의 이야기를 통해 얻을 수 있는 교훈은 무엇일까요?

어휘·어법 다지기

01 다음 낱말에 알맞은 뜻을 찾아 선으로 이으세요.

(1) 덫 •　　　　• ㉠ 소리를 높여 슬피 욺.

(2) 보무 •　　　　• ㉡ 동물을 꾀어 잡는 기구.

(3) 통곡 •　　　　• ㉢ 위엄 있고 활기 있게 걷는 걸음.

(4) 풍경 •　　　　• ㉣ 산, 들, 강, 바다 등 자연이나 지역의 모습.

20회 ▶ 정답과 해설 24쪽

02 다음 문장에 알맞은 낱말을 보기 에서 찾아 쓰세요.

보기

덫　　잔소리　　통곡　　풍경

(1) 사냥꾼은 (　　　　　)을/를 놓아 멧돼지를 잡았다.

(2) 시골 (　　　　　)은/는 대부분 자연으로 둘러싸여 있다.

(3) 그는 어머니께서 돌아가셨다는 소식을 듣고 (　　　　　)하였다.

(4) 나는 아버지의 (　　　　　)을/를 듣고 방을 청소하기 시작하였다.

03 보기 를 읽고 다음 문장에 알맞은 낱말을 골라 ○표를 하세요.

보기

'무난하다'와 '문안하다'

'무난하다'는 '별로 어려움이 없다.', '이렇다 할 단점이나 흠잡을 만한 것이 없다.', '성격 등이 까다롭지 않고 무던하다.'라는 뜻이에요. '시험을 무난하게 통과하였다.', '성격이 무난하다.'와 같이 써요. '문안하다'는 '웃어른께 안부를 여쭈다.'라는 뜻이에요. '신하가 왕에게 문안했다.'와 같이 써요.

(1) 지현이는 할머니께 (무난하고 / 문안하고) 학교에 갔다.

(2) 이 신발은 새로 산 옷에 (무난하게 / 문안하게) 어울린다.

(3) 나는 달리기 시합에서 (무난하게 / 문안하게) 우승을 차지하였다.

매일 학습 평가 맞은 문제에 표시해 주세요.

1 배경	2 세부 내용	3 추론	4 어휘	5 감상	맞은 개수
☐	☐	☐	☐	☐	개

스티커를 붙여 두세요

사고력을 키우는 **다양한 독해**

❀ 자신의 학습 능력과 상황에 따라 꾸준하게 공부하는 것이 가장 중요합니다.

❀ 학습 계획을 먼저 세우고, 스스로 지킬 수 있도록 노력해 보세요.

회차	제목	갈래	분야	학습할 날짜
21회	착한 소비를 생활화하자	논설문	사회	월 일
22회	가깝고도 먼 나라, 북한	설명문	사회	월 일
23회	공기의 역할	설명문	과학	월 일
24회	소매곡리를 살린 친환경 에너지	설명문	기술	월 일
25회	학교 폭력을 예방하자	논설문	사회	월 일
26회	레오나르도 다 빈치	전기문	예술	월 일
27회	식물들의 다양한 서식지와 생김새	설명문	과학	월 일
28회	등 굽은 나무	문학	동시	월 일
29회	공부와 근면함	문학	동화	월 일
30회	양반전	문학	고전	월 일

21회

논설문 | 사회

공부한 날 월 일

여러분은 물건을 살 때 어떤 것을 먼저 살펴보나요? 많은 사람들이 빼놓지 않고 보는 것은 가격일 것입니다. 적은 돈으로 좋은 물건을 구매하는 것이 현명한 소비라고 생각하기 때문이지요. 그러나 가격만을 중요하게 생각하는 것이 올바른 소비라고 할 수는 없습니다. 물건을 살 때는 그 물건이 어떤 과정을 거쳐 완성되었는지도 고려해 보아야 하기 때문입니다. 물건의 가격뿐만이 아니라 이웃과 사회, 환경을 생각하는 의미 있는 소비를 해야 하는 것입니다. 우리는 이러한 소비를 '착한 소비'라고 합니다. '착한 소비'가 필요한 까닭은 무엇일까요?

첫째, 우리의 환경을 보존할 수 있기 때문입니다. 물건을 만드는 데에는 지구에 있는 수많은 자원이 사용되고, 물건을 만드는 과정에서 환경이 오염되기도 합니다. 환경 오염을 줄이기 위해서는 유기농, 친환경 농작물을 구매하고, 간소하게 포장된 물건을 사야 합니다. 이것이 우리의 환경을 지키는 '착한 소비'입니다.

둘째, 물건을 만드는 사람들에게 일하는 것에 대한 정당한 대가를 줌으로써 올바른 사회를 만들 수 있기 때문입니다. 몇몇 나라에서는 아이들이 학교에 다니지 못하고 하루 종일 일하며 카카오나 커피의 열매를 땁니다. 그리고 그 대가로 너무나도 적은 돈을 받고 있지요. 어린아이들에게 일을 시키는 것과 정당한 대가를 주지 않는 것은 모두 불법입니다. 이러한 과정으로 만들어진 물건을 구매하지 않는 것이 올바른 사회를 만들 수 있는 길입니다.

셋째, 우리 주변의 이웃에게 도움을 줄 수 있기 때문입니다. 우리가 구매하는 여러 물건 중에는 그것을 구매하는 동시에 기부할 수 있는 것들이 있습니다. 예를 들면, 어떤 신발 회사에서는 신발 한 켤레를 판매하면 자동으로 우리 주변의 이웃에게 신발 한 켤레가 기부됩니다. 또한, 옷이 한 벌 팔리면 어려운 이웃에게 옷을 선물하는 회사도 있습니다. 이러한 회사의 물건을 이용하는 '착한 소비'를 통해 우리는 이웃들에게 도움을 줄 수 있습니다.

이처럼 '착한 소비'는 우리의 환경, 사회, 이웃이 더 나아지도록 만들 수 있습니다. 우리는 물건을 구매할 때 가격뿐만 아니라 더 다양한 조건을 고려하고 자신과 사회에 좋은 영향을 줄 수 있는 '착한 소비'를 생활화할 수 있도록 노력해야 할 것입니다.

낱말 뜻 풀이

- **현명**: 어질고 슬기로워 사리에 밝음.
- **소비**: 돈이나 물자, 시간, 노력 등을 들이거나 써서 없앰.
- **유기농**: 화학 비료, 농약을 쓰지 않은 농업 방식.
- **대가**: 일을 하고 그에 대한 값으로 받는 돈.
- **기부**: 어려운 사람을 돕기 위하여 돈이나 물건 등을 대가 없이 내놓음.

1 이 글에 알맞은 제목을 쓰세요.

제목

□□ □□ 을/를 생활화하자

2 이 글에 나타난 글쓴이의 주장으로 알맞은 것은 무엇인가요?

주제

① 매일매일 소비를 늘리자.
② 지구의 자원을 많이 사용하자.
③ 적은 돈으로 많은 물건을 구매하자.
④ 주변의 힘든 이웃을 찾아가 봉사 활동을 하자.
⑤ 환경, 사회, 이웃에 도움이 되는 착한 소비를 하자.

21회

▶ 정답과 해설 25쪽

3 '착한 소비'를 해야 하는 까닭으로 알맞지 않은 것은 무엇인가요?

세부 내용

① 우리 주변의 이웃을 도울 수 있기 때문이다.
② 자신과 사회에 좋은 영향을 줄 수 있기 때문이다.
③ 적은 돈으로 좋은 물건을 구매할 수 있기 때문이다.
④ 노동자들이 정당한 대가를 받도록 도울 수 있기 때문이다.
⑤ 지구의 환경을 보존하는 데에 도움이 될 수 있기 때문이다.

4 다음 중 '착한 소비'의 예로 알맞지 않은 것은 무엇인가요?

추론

① 주원이는 유기농 상추를 구매하였다.
② 민수는 포장이 간소한 물건을 구매하였다.
③ 지수는 어린아이들이 딴 카카오로 만든 초콜릿을 구매하였다.
④ 지현이는 노동자들이 정당한 대가를 받고 만든 축구공을 구매하였다.
⑤ 명환이는 신발 한 켤레를 구매하면 자동으로 어려운 이웃에게 신발 한 켤레가 기부되는 신발을 구매하였다.

5 이 글과 보기에 대한 생각으로 알맞지 않은 것의 기호를 쓰세요.

보기

카카오를 가장 많이 생산하는 지역인 남미와 아프리카의 몇몇 나라에서는 노동자들이 정당한 대가를 받지 못하고 일하는 현상이 심각하다. 이를 해결하기 위해 나타난 사회 운동을 '공정 무역'이라고 한다. 공정 무역의 목적은 노동자들이 생산한 물건에 정당한 대가를 지불하여 그들이 경제적으로 독립하도록 하는 것이다.

㉠ 공정 무역을 통해 우리는 좀 더 올바른 사회로 나아갈 수 있을 거야.
㉡ 공정 무역으로 아이들은 카카오나 커피 열매를 따는 방법을 배울 수 있을 거야.
㉢ 공정 무역에 참여한 회사가 만든 물건을 구매하는 것은 '착한 소비'라고 할 수 있어.

6 이 글의 구조를 생각하며, 빈칸에 알맞은 말을 쓰세요.

글의 구조

'착한 소비'를 해야 하는 까닭

□□ 을/를 지킬 수 있음.	□□□ 사회를 만들 수 있음.	어려운 □□ 을/를 도울 수 있음.
친환경 농작물, 간소하게 포장된 물건 구매	노동자에게 정당한 대가를 준 물건 구매	구매할 때 이웃에게 기부되는 물건 구매

'착한 소비'가 환경에 좋은 영향을 줄 수 있는 까닭은 무엇일까요?

어휘·어법 다지기

01 다음 뜻에 알맞은 낱말을 찾아 선으로 이으세요.

(1) 일을 하고 그에 대한 값으로 받는 돈. •	• ㉠ 기부
(2) 화학 비료, 농약을 쓰지 않은 농업 방식. •	• ㉡ 대가
(3) 돈이나 물자, 시간, 노력 등을 들이거나 써서 없앰. •	• ㉢ 소비
(4) 어려운 사람을 돕기 위하여 돈이나 물건 등을 대가 없이 내놓음. •	• ㉣ 유기농

02 다음 문장에 알맞은 낱말을 보기 에서 찾아 쓰세요.

보기

기부　　대가　　현명

(1) 내가 심부름을 한 (　　　　)(으)로 아버지께서 빵을 주셨다.

(2) 준희는 어려운 상황에서도 (　　　　)하게 일을 해결해 나갔다.

(3) 뉴스에서는 김밥 장사를 하신 할머니께서 전 재산을 (　　　　)하셨다고 전했다.

03 보기 를 읽고 다음 문장에 알맞은 낱말을 골라 ○표를 하세요.

'복구'와 '복귀'

'복구'는 '잃어버리거나 손해를 보기 전의 상태로 회복함.'이라는 뜻으로, '도로를 복구하고 있다.'와 같이 씁니다. 그리고 '복귀'는 '본디의 자리나 상태로 되돌아감.'이라는 뜻으로, '그 운동선수는 다시 정상에 복귀하였다.'와 같이 씁니다.

(1) 유학을 갔던 배우가 영화에 다시 (복구 / 복귀)하였다.

(2) 장마로 인하여 생긴 피해를 빠르게 (복구 / 복귀)하고 있다.

(3) 그 그림은 너무 오랫동안 관리하지 않아서 (복구 / 복귀)가 힘들다고 한다.

21회
▶ 정답과 해설 25쪽

매일 학습 평가 맞은 문제에 표시해 주세요.

1 제목	2 주제	3 세부 내용	4 추론	5 적용	6 글의 구조	맞은 개수
□	□	□	□	□	□	개

스티커를 붙여 주세요

•휴전으로 6 · 25 전쟁이 멈춘 뒤, 북한은 우리나라와 가장 가까우면서도 가장 먼 나라가 되었습니다. 같은 한반도에 위치해 있고 우리나라의 바로 위에 맞닿아 있지만, 마음대로 갈 수 있는 곳이 아니기 때문입니다. 그렇게 서로 •왕래하지 못한 채 50년 이상의 세월이 흘렀기 때문에, 남한 사람들과 북한 사람들의 생활 모습은 많이 달라졌습니다.

먼저, 북한 사람들은 남한 사람들과 사용하는 말이 조금 다릅니다. 북한의 표준어는 평양 지역의 사람들이 사용하는 '문화어'입니다. 문화어에는 외래어나 외국어를 순우리말로 •순화한 낱말이 많습니다. 예를 들어 '젤리'는 '단묵', '아이스크림'은 '얼음보숭이'로 바꾸어 부릅니다. 또한 '일 없다.'라는 표현을 남한에서는 '네가 신경 쓸 일이 아니다.'라는 뜻으로 사용하지만, 북한에서는 '괜찮다.'라는 뜻으로 사용합니다. 만약 남한 사람과 북한 사람이 처음 만나서 대화한다면 간단한 대화는 할 수 있겠지만, 서로가 하는 말의 뜻을 모두 이해하기는 어려울 것입니다.

그리고 남한과 북한은 •기후도 다릅니다. 북한의 겨울은 강원도의 겨울보다 훨씬 춥고 깁니다. 그 까닭은 북한이 남한보다 더 북쪽에 있기 때문입니다. 북한에는 1월에 평균 기온이 영하 20도까지 떨어지는 곳도 있을 정도로 겨울에는 춥고, 여름에는 남한보다 덥지 않은 편입니다. 그래서 북한 인구의 60퍼센트는 남한과 기후가 비슷하여 많이 춥지 않은 북한의 남쪽에 살고 있습니다.

북한의 음식 문화 역시 남한과는 다릅니다. 남북이 •분단되기 전에는 남한과 북한이 같은 역사와 문화를 •공유하였기 때문에 별로 차이가 없었지만, 분단이 된 뒤 북한에서는 남한과 다른 음식 문화가 발달하였습니다. 북한 음식들은 대체로 남한의 음식보다 덜 자극적이고, 맛이 싱거운 편입니다. 북한의 음식에는 자극적이지 않은 조선 시대 요리의 •흔적이 남아 있는 것입니다. 또한, 북한은 중국, 러시아와 맞닿아 있기 때문에 중국, 러시아의 영향을 받은 요리도 많습니다. 예를 들면 북한의 짜장면은 남한의 짜장면과 비슷하게 생겼지만, 중국의 영향을 많이 받아 덜 기름지고 구수한 맛이 훨씬 강합니다.

낱말 뜻풀이

- **휴전**: 교전국이 서로 합의하여, 전쟁을 얼마 동안 멈추는 일.
- **왕래**: 가고 오고 함.
- **순화**: 복잡한 것을 걸러서 순수하게 함.
- **기후**: 기온, 비, 눈, 바람 등의 대기 상태.
- **분단**: 잘라지게 끊어 가름.
- **공유**: 두 사람 이상이 한 물건을 공동으로 소유함.
- **흔적**: 어떤 현상이나 실체가 없어졌거나 지나간 뒤에 남은 자국이나 자취.

1 제목

이 글에 알맞은 제목을 쓰세요.

가깝고도 먼 나라, ☐☐

2

이 글의 내용으로 알맞지 <u>않은</u> 것은 무엇인가요?

① 북한의 음식은 남한 음식보다 싱겁다.

② 북한의 겨울은 남한의 겨울보다 춥고 길다.

③ 북한 사람들은 대부분 북한의 북쪽에 살고 있다.

④ 북한의 짜장면은 남한의 짜장면과 맛이 다르다.

⑤ 북한 사람들과 남한 사람들의 생활 모습은 많이 다르다.

▶ 정답과 해설 27쪽

3

문화어에 대한 설명으로 알맞지 <u>않은</u> 것은 무엇인가요?

① '젤리'는 문화어로 '단묵'이다.

② '일없다.'는 '괜찮다.'라는 뜻이다.

③ 순우리말을 사용하는 경우가 많다.

④ '아이스크림'은 문화어로 '얼음보숭이'이다.

⑤ 남한 사람들도 누구나 쉽게 이해할 수 있다.

4

이 글의 내용으로 보아 북한이 남한보다 더 추운 까닭은 무엇인가요?

① 북한이 남한보다 산이 많기 때문에

② 북한이 남한보다 더 북쪽에 있기 때문에

③ 북한이 남한보다 눈이 더 많이 내리기 때문에

④ 남한보다 난방 기술이 발달하지 않았기 때문에

⑤ 북한은 중국, 러시아의 영향을 많이 받기 때문에

5 다음 보기 를 읽고 빈칸에 알맞은 말을 쓰세요.

적용

> **보기** 북한에서 온 친구에게서 '어제 호박을 잡았다.'라는 말을 들었습니다. 무슨 말이냐고 물어봤더니, 길을 가다가 천 원짜리 지폐를 주웠다고 하였습니다. 아하! 북한말로 '호박을 잡다.'는 우리말로 '(　　　　)하다.'와 같은 뜻이었습니다.

① 공부　　② 싸움　　③ 운동
④ 악수　　⑤ 횡재

6 이 글의 구조를 생각하며, 빈칸에 알맞은 말을 쓰세요.

글의 구조

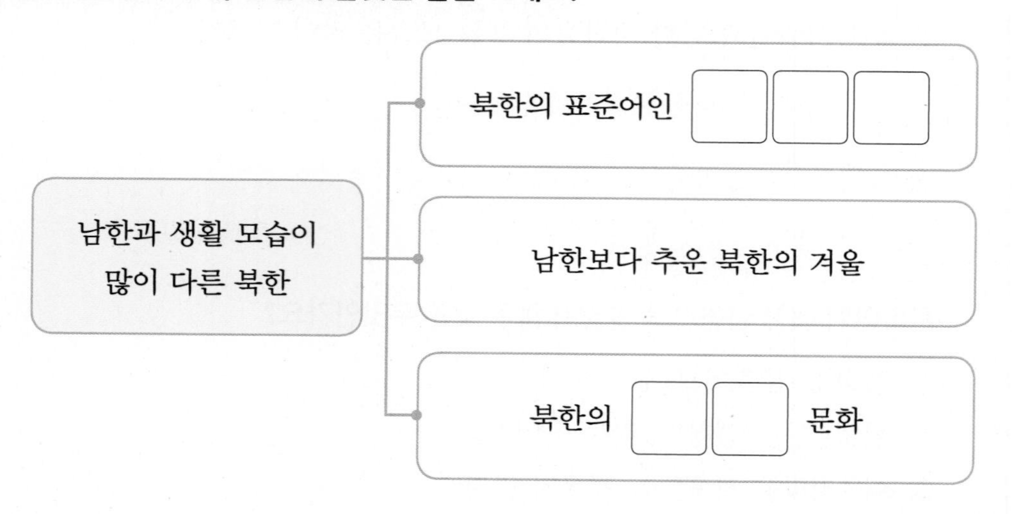

남한과 북한의 생활 모습이 서로 달라진 까닭은 무엇일까요?

어휘·어법 다지기

01 다음 낱말에 알맞은 뜻을 찾아 선으로 이으세요.

(1) 기후 •
(2) 순화 •
(3) 흔적 •

• ㉠ 복잡한 것을 걸러서 순수하게 함.
• ㉡ 기온, 비, 눈, 바람 등의 대기 상태.
• ㉢ 어떤 현상이나 실체가 없어졌거나 지나간 뒤에 남은 자국이나 자취.

02 다음 문장에 알맞은 낱말을 보기 에서 찾아 쓰세요.

보기
공유　　기후　　흔적

(1) 나는 친구와 책에 대한 생각을 (　　　　)하였다.
(2) 눈이 내린 길을 걸으면 걸어간 (　　　　)이/가 남는다.
(3) 지구 온난화로 인해 전 세계의 (　　　　)이/가 변하고 있다.

22회
▶ 정답과 해설 27쪽

03 보기 를 읽고 밑줄 친 낱말이 수식언이 아닌 것을 고르세요.

'수식언'은 '뒤에 오는 말을 꾸미거나 제한하여 정하기 위하여 덧붙이는 말'을 뜻합니다. 예를 들면, '나는 새 옷을 입었다.'에서 '새'는 옷을 꾸미는 수식언입니다. 또한 '두 명이 앉았다.'에서 '두'는 사람의 수를 두 명으로 제한하여 정하는 수식언입니다. '나는 친구가 아주 많다.'에서 '아주' 역시 '많다'를 꾸미는 수식언입니다.

① 꽃이 정말 예쁘다.
② 여러 사람들이 모여 있다.
③ 나는 달리기가 아주 빠르다.
④ 수영장의 물이 너무 차가웠다.
⑤ 우리들은 모두 조용히 앉아 있었다.

매일 학습 평가 맞은 문제에 표시해 주세요.

1 제목	2 세부 내용	3 세부 내용	4 세부 내용	5 적용	6 글의 구조	맞은 개수	
☐	☐	☐	☐	☐	☐	개	스티커를 붙여 주세요

설명문 | 과학

공부한 날 ( )월 ( )일

우리 눈에는 보이지 않지만 지구 어디에나 있으며, 우리가 살아가는 데 반드시 필요한 것은 무엇일까요? 바로 공기입니다. 공기가 없다면 우리는 숨을 쉬지 못해 살 수 없을 것입니다. 공기는 우리 생활 속에서 또 어떤 역할을 하고 있을까요?

지구 주위는 공기로 둘러싸여 있습니다. 지구의 °표면에서 멀어질수록 공기의 양은 점점 줄어들지요. 지구 밖으로 멀리 나가면 공기는 거의 존재하지 않습니다. 지구 주변에만 공기가 많은 것은 지구의 °중력이 공기를 잡아당기고 있기 때문입니다. 이렇게 지구 주위에 공기가 있는 공간을 ㉠'대기권'이라고 합니다. 대기권은 네 개의 층으로 나뉘는데, 그중 '오존층'은 태양으로부터 오는 °자외선을 막아 주는 역할을 합니다. 만약 오존층이 없다면 자외선이 그대로 지구에 닿게 될 것이고, 그렇게 되면 우리의 피부는 큰 병에 ㉡걸릴 것입니다. 또한, 대기권은 °운석이 지구에 그대로 떨어져 큰 피해가 생기는 것을 막아 주는 역할도 하지요.

공기는 지구에 생명체가 살 수 있게 만드는 역할도 합니다. 공기 안에는 산소가 포함되어 있습니다. 덕분에 지구의 많은 생명체들은 산소를 마시며 살아갈 수 있지요. 그리고 공기는 땅에서 나오는 열이 우주로 흩어져 나가는 것을 막아 줍니다. 공기가 없다면 지구의 열이 모두 우주로 나가고 지구는 차갑게 식어 생명체가 살 수 없는 곳이 될 것입니다.

하늘은 왜 파란색일까요? 이것 또한 공기 때문이지요. 태양에서 나온 빛은 우리 눈에 들어오기 전에 공기층을 통과합니다. 이때 태양빛을 °구성하고 있는 여러 가지 색 중에서 파란색과 보라색이 멀리까지 퍼지는데, 우리 눈은 보라색 빛에는 °민감하지 않기 때문에 파란색을 더 잘 °인식하는 것이지요. 그래서 하늘이 파랗게 보이는 것이랍니다. 하지만 달에서 찍은 사진을 보면 낮에도 하늘이 어둡게 보입니다. 그 까닭은 바로 달에 공기가 없기 때문입니다.

공기는 우리 눈에는 보이지 않지만 공간을 차지하고 있습니다. 고무풍선을 불고 물속에서 입구를 열면 거품이 일어나는 것을 볼 수 있습니다. 이 거품은 풍선에 있던 공기가 빠져 나가면서 생기는 것이랍니다. 풍선 안에 공기가 차 있는 것이지요. 만약 공기가 공간을 차지하지 않는다면 튜브나 구명조끼는 공기를 넣어도 부풀어 오르지 않을 것입니다.

낱말 뜻 풀이

- **표면**: 사물의 가장 바깥쪽.
- **중력**: 지구 위의 물체가 지구로부터 받는 힘.
- **자외선**: 햇빛을 여러 가지로 나눈 빛 중 사람의 눈에 보이지 않는 빛의 일종.
- **운석**: 지구상에 떨어진 별똥.
- **구성**: 몇 가지 부분이나 요소들을 모아서 일정한 전체를 짜 이룸.
- **민감**: 자극에 빠르게 반응을 보이거나 쉽게 영향을 받음.
- **인식**: 사물을 구별하여 가르고 판단하여 앎.

1

제목

이 글에 알맞은 제목을 쓰세요.

☐☐ 의 역할

2

세부 내용

이 글의 내용으로 알맞지 않은 것은 무엇인가요?

① 공기는 공간을 차지하고 있다.
② 공기 안에는 산소가 포함되어 있다.
③ 지구 주위는 공기로 둘러싸여 있다.
④ 하늘이 파랗게 보이는 것은 공기 때문이다.
⑤ 지구의 표면에서 멀어질수록 공기의 양은 늘어난다.

3

추론

이 글에 대한 생각으로 알맞은 것은 무엇인가요?

① 지구 밖으로 나가도 공기가 있을 거야.
② 공기가 없으면 지구는 점점 뜨거워질 거야.
③ 달에서는 자외선이 그대로 땅에 닿을 거야.
④ 대기권이 없으면 운석은 지구로 오지 않을 거야.
⑤ 지구의 생명체는 공기가 없어도 살 수 있을 거야.

4

㉠에 대한 설명으로 알맞지 않은 것은 무엇인가요?

① 네 개의 층으로 나뉜다.
② 지구의 주위에 존재한다.
③ 지구의 열을 우주로 보낸다.
④ 오존층이 있어서 자외선을 막아 준다.
⑤ 운석이 떨어져서 큰 피해가 생기는 것을 막아 준다.

23회 ▶ 정답과 해설 28쪽

5

다음 밑줄 친 낱말이 ㉡과 가장 비슷한 뜻으로 쓰인 것은 무엇인가요?

① 벽에 시계가 걸려 있다.
② 감기에 걸려 학교에 결석하였다.
③ 그에게 이번 시합의 모든 것이 걸려 있다.
④ 친구의 말을 무시한 것이 마음에 걸린다.
⑤ 대문에는 자물쇠가 걸려 있어 들어갈 수 없다.

6

글의 구조

이 글의 구조를 생각하며, 빈칸에 알맞은 말을 쓰세요.

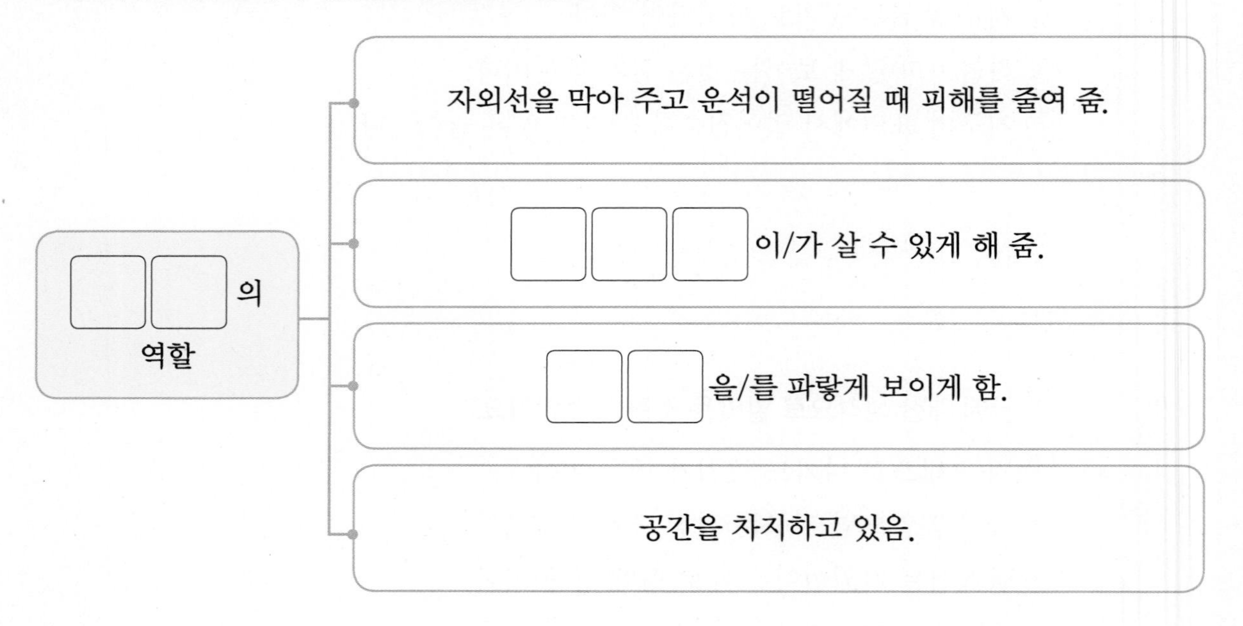

달에서 보는 하늘은 어떤 색이고, 그렇게 보이는 까닭은 무엇인지 쓰세요.

어휘·어법 다지기

01 **다음 낱말에 알맞은 뜻을 찾아 선으로 이으세요.**

(1) 구성 •
(2) 민감 •
(3) 중력 •
(4) 표면 •

• ㉠ 사물의 가장 바깥쪽.
• ㉡ 지구 위의 물체가 지구로부터 받는 힘.
• ㉢ 자극에 빠르게 반응을 보이거나 쉽게 영향을 받음.
• ㉣ 몇 가지 부분이나 요소들을 모아서 일정한 전체를 짜 이룸.

02 **다음 문장에 알맞은 낱말을 보기 에서 찾아 쓰세요.**

보기
민감　　자외선　　표면

(1) 내 동생은 유행에 (　　　　)하다.
(2) 벽돌은 (　　　　)이 거칠거칠하다.
(3) 여름에는 (　　　　)이 강하기 때문에 선크림을 바르는 것이 좋다.

03 **보기 를 읽고 다음 문장에 알맞은 낱말을 골라 ○표를 하세요.**

'비끼다'와 '비키다'
'비끼다'는 '비스듬히 놓이거나 늘어지다.', '비스듬히 비치다.', '얼굴에 어떤 표정이 잠깐 드러나다.'라는 뜻이에요. '남북으로 은하수가 비껴 있다.'와 같이 써요. '비키다'는 '무엇을 피하여 있던 곳에서 한쪽으로 자리를 조금 옮기다.', '방해가 되는 것을 한쪽으로 조금 옮겨 놓다.', '무엇을 피하여 방향을 조금 바꾸다.'라는 뜻이에요. '자리를 비켜 주다.'와 같이 쓰지요.

(1) 서쪽 하늘에 저녁노을이 (비껴 / 비켜) 있다.
(2) 자동차가 와서 길옆으로 몸을 (비꼈다 / 비켰다).

23회

▶ 정답과 해설 28쪽

매일 학습 평가 맞은 문제에 표시해 주세요.

1 제목	2 세부 내용	3 추론	4 세부 내용	5 어휘	6 글의 구조	맞은 개수
□	□	□	□	□	□	개

스티커를 붙여 주세요

강원도 홍천군 북방면 소매곡리는 사람이 100가구도 살지 않는 아주 작은 산골 마을입니다. 이곳에는 다른 마을과는 조금 다른 점이 하나 있습니다. 그것은 바로 친환경 에너지 타운으로 선정되어 친환경 에너지를 생산한다는 점입니다.

소매곡리에는 원래 하수 처리장, 가축 배설물 처리장 등의 기피 시설이 있었습니다. 이 시설들에서 심한 악취가 풍겼기 때문에 사람들은 근처에 오는 것을 꺼렸습니다. 냄새가 너무 심해서 소매곡리 근처의 고속도로까지도 냄새가 풍길 정도였지요. 게다가 소매곡리에는 도시가스도 공급되지 않아 주민들이 생활하기가 불편했습니다. 도시가스가 공급되지 않으니 주민들은 난방에 어려움을 겪었고, 농사짓는 데 필요한 전기료 또한 주민들에게는 큰 부담이었습니다. 결국 주민들은 마을을 떠나기 시작했습니다.

그러나 이제는 바이오 가스 시설이 소매곡리의 이러한 문제들을 해결해 주고 있습니다. 마을에 있는 하수 처리장과 쓰레기 매립장 터를 이용하여 바이오 가스 시설을 설치한 것입니다. 이 시설은 가축 배설물과 하수 찌꺼기, 음식물 쓰레기를 혼합하여 바이오 가스를 생산합니다. 여기서 만들어진 바이오 가스는 도시가스 회사에 공급되는데, 이를 정제하면 주민들은 저렴한 도시가스를 공급받아 난방 에너지 등으로 사용할 수 있습니다. 덕분에 주민들의 연료비는 절반 정도로 줄어들었습니다. 악취 문제 역시 하수 처리 시설의 용량을 키우고, 하수 처리 시설을 지하로 설치하여 해결하였습니다.

또한, 소매곡리는 하수 처리장 위에 태양광 패널을 설치하여 태양광 발전을 하고 있습니다. 여기서 만들어진 전기는 전력 거래소에 판매되어 전기가 필요한 곳에 쓰이고, 에너지를 판매하여 얻은 수익은 다시 마을을 위해 사용되면서 주민들의 삶을 바꾸어 주고 있습니다. 이와 같은 친환경 에너지 사업 덕분에 주민들의 생활 환경이 나아지고 소득도 높아졌습니다. 줄어들었던 마을의 주민 수도 기적처럼 다시 늘어나기 시작했습니다. ㉠ <u>친환경 에너지로 마을의 고민거리도 해결하고, 환경 문제도 해결하다니 그야말로 좋은 일이 아닐 수 없겠지요?</u>

낱말 뜻 풀이

- **선정**: 여럿 가운데서 어떤 것을 뽑아 정함.
- **기피**: 꺼리거나 싫어하여 피함.
- **공급**: 요구나 필요에 따라 물품 등을 제공함.
- **바이오 가스**: 미생물 등을 이용하여 생산한 연료용 가스를 한데 묶어 이르는 말.
- **쓰레기 매립장**: 쓰레기나 폐기물 등을 모아서 파묻도록 마련된 장소.
- **정제**: 물질에 섞인 불순물을 없애 그 물질을 더 순수하게 함.
- **수익**: 이익을 거두어들임.
- **소득**: 일한 결과로 얻은 정신적 · 물질적 이익.

1 이 글에 알맞은 제목을 쓰세요.

제목

소매곡리를 살린 □□□ 에너지

2 이 글의 내용으로 알맞지 않은 것은 무엇인가요?

세부 내용

① 소매곡리에는 기피 시설이 있었다.
② 소매곡리에는 도시가스가 공급되었지만 난방이 되지 않았다.
③ 소매곡리의 태양광 패널로 만든 전기는 전력 거래소에 판매된다.
④ 소매곡리의 기피 시설이 있던 장소에 바이오 가스 시설을 설치하였다.
⑤ 소매곡리의 기피 시설에서 나는 악취 때문에 주민들이 마을을 떠났다.

24회

▶ 정답과 해설 29쪽

3 소매곡리의 주민 수가 다시 늘어난 까닭이 아닌 것은 무엇인가요?

추론

① 생활 환경이 나아졌기 때문에
② 마을의 소득이 높아졌기 때문에
③ 마을에 고속도로가 연결되었기 때문에
④ 마을에서 나는 악취가 사라졌기 때문에
⑤ 저렴하게 도시가스를 공급받을 수 있기 때문에

4 이 글의 내용을 바탕으로 빈칸에 공통으로 들어갈 말을 찾아 쓰세요.

세부 내용

소매곡리의 □□□ □□ 시설은 가축 배설물과 하수 찌꺼기, 음식물 쓰레기를 혼합하여 □□□ □□ 을/를 생산한다.

㉠을 나타내는 한자 성어로 알맞은 것은 무엇인가요?

① 오매불망(寤寐不忘): 자나 깨나 잊지 못함.
② 일석이조(一石二鳥): 동시에 두 가지 이득을 봄.
③ 조삼모사(朝三暮四): 간사한 꾀로 남을 속여 놀림.
④ 수어지교(水魚之交): 아주 친밀하여 떨어질 수 없는 사이.
⑤ 설상가상(雪上加霜): 곤란한 일이나 불행한 일이 잇따라 일어남.

6

이 글의 구조를 생각하며, 빈칸에 알맞은 말을 쓰세요.

친환경 에너지를 생산하는 소매곡리

↓

□□ 시설 때문에 피해를 보던 소매곡리

↓

□□□ 가스 시설로 문제를 해결한 소매곡리

↓

친환경 에너지로 나아진 주민들의 삶

태양광 패널이 소매곡리에 준 도움은 무엇일까요?

어휘·어법 다지기

01 **다음 낱말에 알맞은 뜻을 찾아 선으로 이어 주세요.**

(1) 공급 •
(2) 기피 •
(3) 선정 •
(4) 정제 •

• ㉠ 꺼리거나 싫어하여 피함.
• ㉡ 여럿 가운데서 어떤 것을 뽑아 정함.
• ㉢ 요구나 필요에 따라 물품 등을 제공함.
• ㉣ 물질에 섞인 불순물을 없애 그 물질을 더 순수하게 함.

02 **다음 문장에 알맞은 낱말을 보기 에서 찾아 쓰세요.**

보기
공급 기피 선정 수익

(1) 수도관이 터져서 수돗물 (　　　　)이/가 중단되었다.
(2) 내가 좋아하는 작가의 책이 베스트셀러로 (　　　　)되었다.
(3) 벼룩시장에서 물건을 모두 팔아 높은 (　　　　)을/를 남겼다.
(4) 많은 학생들은 시험이 있는 날에 미역국 먹는 것을 (　　　　)한다.

03 **보기 를 읽고 다음 문장에 알맞은 낱말을 골라 ○표를 하세요.**

보기
'조리다'와 '졸이다'
'조리다'는 '재료에 양념이 푹 스며들도록 국물이 거의 없게 바짝 끓이다.'라는 뜻으로, 예를 들면 '생선을 조리다.'와 같이 씁니다. 반면 '졸이다'는 '찌개, 국, 한약 등의 물이 증발하여 양이 적어지게 하다.', '속을 태우다시피 초조해하다.'라는 뜻입니다. '찌개를 졸이다.', '가슴을 졸이다.'와 같이 쓰지요.

(1) 나는 우리 팀 경기를 보며 마음을 (조렸다 / 졸였다).
(2) 어머니께서는 멸치와 고추를 간장에 (조리셨다 / 졸이셨다).

24회 ▶ 정답과 해설 29쪽

매일 학습 평가	맞은 문제에 표시해 주세요.					맞은 개수
1 제목 □	2 세부 내용 □	3 추론 □	4 세부 내용 □	5 어휘 □	6 글의 구조 □	개

스티커를 붙여 주세요

논설문 | 사회

공부한 날 월 일

오늘날 학교 *폭력은 보이지 않는 곳에서 더욱 *은밀하게 행해지고 있으며, 그 방법도 *잔인해지고 있습니다. 우리는 학교 폭력을 중대한 사회 문제로 받아들이고, 예방하기 위해 노력해야 합니다. 학교 폭력을 예방할 방법을 알아보기에 앞서 학교 폭력이 왜 큰 문제가 되는지 알아볼 필요가 있습니다.

학교 폭력은 폭력을 당한 사람에게 신체적, 정신적으로 심각한 피해를 줍니다. 때리거나 꼬집는 등 신체에 직접 가해지는 폭력은 피해자의 몸에 크고 작은 상처를 남깁니다. 정신적인 피해는 더욱 심각하여, 학교 폭력을 당한 사람은 고통스러운 기억을 평생 안고 살게 됩니다. 폭력을 당하면서 느끼는 두려움과 공포, 불안감은 겪어 보지 않은 사람은 상상하기 힘들 정도로 무척 크다고 합니다. 그렇다면 이러한 학교 폭력을 예방할 수 있는 방법에는 무엇이 있을까요?

첫째, 상대방을 생각하는 마음을 가지도록 합니다. 누군가를 때리거나 꼬집는 등의 행동은 상대방이 어떻게 받아들이느냐에 따라 의미가 달라집니다. 장난으로 하는 행동이라도, 당하는 사람이 고통을 느끼고 불쾌하다고 생각한다면 그것은 괴롭힘이고 폭력입니다. 따라서 ㉠ <u>항상 상대방의 입장을 헤아려 보고, 나라면 어떨지 입장을 바꾸어 보며 상대방을 *존중해야 합니다.</u>

둘째, 학교 폭력의 *징후가 발견되면 바로 선생님이나 다른 어른들께 알립니다. 학교 폭력이 일어나는 것을 보고도 그냥 지나치는 행동은 또 다른 학교 폭력이 될 수 있습니다. 우리는 적극적인 신고를 통하여 학교 폭력이 계속되는 상황을 막을 수 있고, 피해자를 고통 속에서 더 빨리 구할 수 있습니다.

셋째, 분명하게 자신의 의사를 표현합니다. 친구들이 자신을 놀리거나 *조롱하여 부끄럽거나 창피한 기분을 느꼈다면 이러한 행동을 분명하게 거부하는 자세가 필요합니다. '싫다'는 의사를 확실하게 표현하여 자신의 기분과 감정을 전달하고, 괴롭힘과 놀림이 계속 이어질 경우에는 주변에 신고하여 문제를 빠르게 해결해야 합니다.

학교 폭력은 무엇보다 예방이 중요합니다. 학교 폭력을 예방하여 학생들이 건강하고 활기찬 학교 생활을 할 수 있도록 우리 모두 노력해야 합니다.

낱말 뜻 풀이

- **폭력**: 남을 거칠고 사납게 억누를 때 쓰는, 주먹이나 발 또는 몽둥이 등의 수단이나 힘.
- **은밀**: 숨어 있어서 겉으로 드러나지 아니함.
- **잔인**: 인정이 없고 마음씨가 날카롭고 독함.
- **존중**: 높이어 귀중하게 대함.
- **징후**: 겉으로 나타나는 것으로, 어떤 일을 알아차릴 수 있는 눈치.
- **조롱**: 마음대로 다루면서 데리고 놂.

1

핵심어

이 글에서 중요한 낱말이 아닌 것은 무엇인가요?

① 고통 ② 상상 ③ 상처
④ 예방 ⑤ 폭력

2

주제

글쓴이가 이 글을 통하여 말하려고 하는 것은 무엇인가요?

① 학교 폭력의 종류
② 학교 폭력을 신고하는 방법
③ 학교 폭력이 발생하는 까닭
④ 학교 폭력이 주로 발생하는 장소
⑤ 학교 폭력의 심각성과 이를 예방하는 방법

3

세부 내용

이 글의 내용으로 알맞지 않은 것은 무엇인가요?

① 학교 폭력은 예방이 중요하다.
② 분명한 의사 표현을 통해 학교 폭력을 예방할 수 있다.
③ 학교 폭력은 자신이 당한 것이 아니면 신고할 수 없다.
④ 오늘날 학교 폭력은 은밀하고 잔인하게 이루어지고 있다.
⑤ 학교 폭력은 피해자에게 신체적, 정신적으로 심각한 피해를 준다.

4

어휘

㉠과 같은 주장에 어울리는 한자 성어는 무엇인가요?

① 역지사지(易地思之): 처지를 바꾸어서 생각하여 봄.
② 사필귀정(事必歸正): 모든 일은 반드시 바른길로 돌아감.
③ 진퇴양난(進退兩難): 이러지도 저러지도 못하는 어려운 처지.
④ 오리무중(五里霧中): 무슨 일에 대하여 방향이나 갈피를 잡을 수 없음.
⑤ 산전수전(山戰水戰): 세상의 온갖 고생과 어려움을 다 겪었음을 이르는 말.

▶ 정답과 해설 30쪽

5 적용

이 글의 주장과 다르게 행동한 사람은 누구인지 쓰세요.

- 동진: 친한 친구인 민규가 유정이를 괴롭히는 것을 보고도 못 본 척하였다.
- 현우: 기분이 상할 정도로 장난을 치는 미정이에게 "하지 마!"라고 분명하게 말하였다.
- 진수: 친구인 민수가 또래 친구들에게 학교 폭력을 당하는 것을 보자마자 담임 선생님께 말씀드렸다.

6 글의 구조

이 글의 구조를 생각하며, 빈칸에 알맞은 말을 쓰세요.

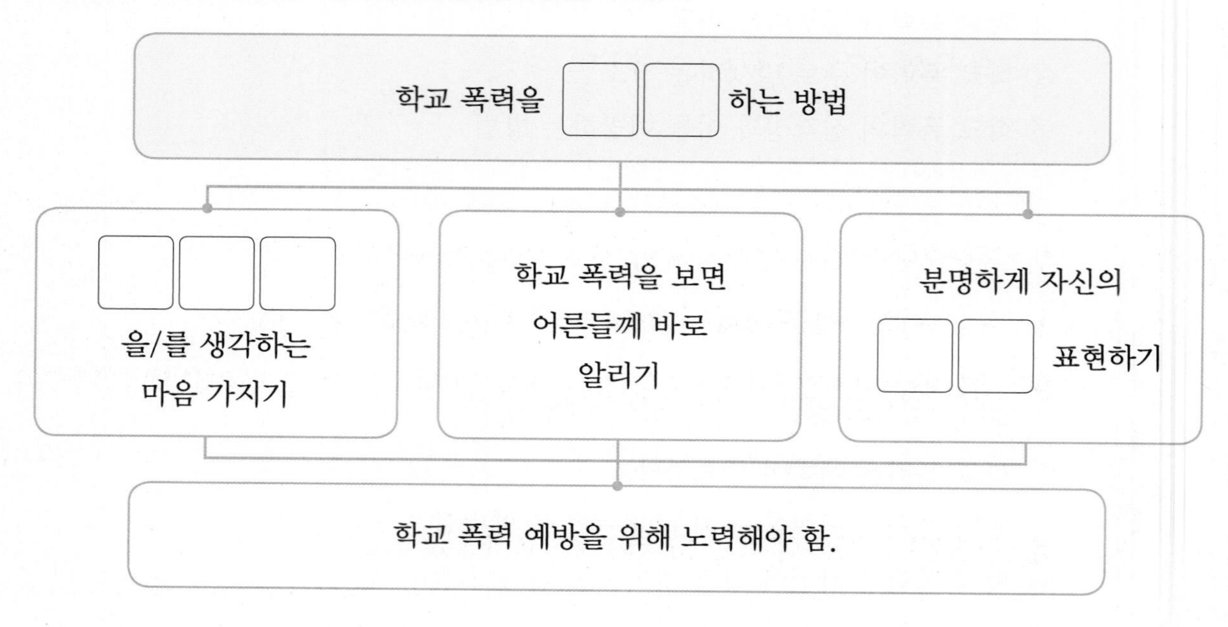

생각 글 쓰기

학교 폭력을 예방하는 방법 중 상대방의 마음을 생각하는 것이 중요한 까닭은 무엇일까요?

어휘·어법 다지기

01 다음 뜻에 알맞은 낱말을 찾아 선으로 이으세요.

(1) 인정이 없고 마음씨가 날카롭고 독함. • • ㉠ 은밀

(2) 숨어 있어서 겉으로 드러나지 아니함. • • ㉡ 잔인

(3) 겉으로 나타나는 것으로, 어떤 일을 알아차릴 수 있는 눈치. • • ㉢ 징후

02 다음 문장에 알맞은 낱말을 보기에서 찾아 쓰세요.

보기
잔인 조롱 징후

(1) 코가 막히는 것은 감기의 (   ) 중 하나다.

(2) 동물을 학대하고 버리는 것은 (   )한 행동이다.

(3) 신분 제도가 있던 시대에는 양반을 (   )하는 가면극이 있었다.

03 보기를 읽고 밑줄 친 부분이 문장의 주성분 중 어떤 것인지 각각 쓰세요.

보기

문장의 '주성분'은 문장의 뼈대를 이루는 성분을 말합니다. 문장의 주성분은 각자의 역할에 따라 다시 네 가지로 나누어집니다. 아래의 예를 통해 문장의 주성분에는 어떤 것이 있는지 확인해 봅시다.

- 주어: 문장에서 움직임, 성질, 상태의 주체가 되는 말. 예 사람이 살다.
- 목적어: 서술어의 움직임의 대상이 되는 말. 예 나는 동생을 기다린다.
- 보어: '되다', '아니다' 앞에 나타나는 말. 예 물이 얼음이 되었다.
- 서술어: 주어의 움직임, 성질, 상태를 설명하는 말. 예 꽃이 예쁘다.

• 동생이 / 단팥빵을 / 먹었다.
(1) (   ) (2) (   ) 서술어

매일 학습 평가	맞은 문제에 표시해 주세요.					맞은 개수	
1 핵심어 ☐	2 주제 ☐	3 세부 내용 ☐	4 어휘 ☐	5 적용 ☐	6 글의 구조 ☐	개	스티커를 붙여 주세요

25회 ▶ 정답과 해설 30쪽

레오나르도 다 빈치는 1452년 4월 15일 피렌체 근처의 빈치라는 마을에서 태어났습니다. 레오나르도는 어렸을 때부터 수학을 비롯한 여러 가지 학문을 배웠고, 그림 그리기를 좋아했으며, 음악에도 뛰어난 재주를 보였지요. 레오나르도는 이처럼 주변의 다양한 일에 흥미를 느꼈는데, 그중 어린 레오나르도의 호기심을 가장 자극한 것은 자연이었습니다. 레오나르도는 물이 흐르는 모습이나 식물이 성장하는 모습, 여러 동물들의 움직임, 새가 나는 모습을 보며 상상을 하곤 했습니다.

레오나르도가 열네 살이 되던 해, 아버지 피에로는 그를 피렌체로 데리고 갔습니다. 레오나르도는 신분이 높지 않았기 때문에 아버지는 레오나르도가 예술가가 되기를 원하였습니다. 당시 예술가는 신분이 낮은 사람도 할 수 있었고 사람들에게 인정받는 직업이었기 때문입니다. 레오나르도는 아버지 덕분에 당대 최고의 화가이자 조각가였던 베로키오의 문하생으로 들어갈 수 있었습니다. 레오나르도는 그곳에서 열심히 그림 그리는 법을 배웠습니다. 어느 정도 그림 공부를 한 레오나르도는 훌륭한 작품을 만드는 일에 도전해 보고 싶었습니다. 하지만 문하생의 신분으로 혼자 작품을 만드는 것은 쉬운 일이 아니었습니다.

레오나르도가 스무 살이 되던 해, 드디어 자신의 재능을 시험해 볼 기회가 찾아왔습니다. 그의 스승 베로키오가 「그리스도의 세례」라는 작품을 그리게 되었는데, 제자들에게 그림 그리는 것을 도와 달라고 부탁하였기 때문입니다. 베로키오가 중심인물을 그리면 제자들은 그 주변 인물을 그리는 방식으로 작업이 이루어졌습니다. 레오나르도에게는 그림의 왼쪽에 있는 천사를 그릴 수 있는 기회가 주어졌습니다. 레오나르도는 이 기회를 놓치지 않았지요.

얼마 후, 레오나르도의 그림을 본 베로키오는 깜짝 놀랐습니다. 당시 화가들은 모두 달걀을 원료로 한 '템페라'라는 물감을 사용하여 그림을 그렸는데, 레오나르도는 그러한 방식을 과감하게 버리고 물감에 기름을 섞어 그림을 그렸기 때문입니다. 게다가 베로키오가 자세히 살펴보니, 레오나르도의 그림은 자신의 수준을 이미 뛰어넘은 것이었습니다. 베로키오는 크게 감탄했고, 자신은 이제 그림을 그리지 않겠다고 말하며 그림 그리는 일을 모두 레오나르도에게 맡겼습니다.

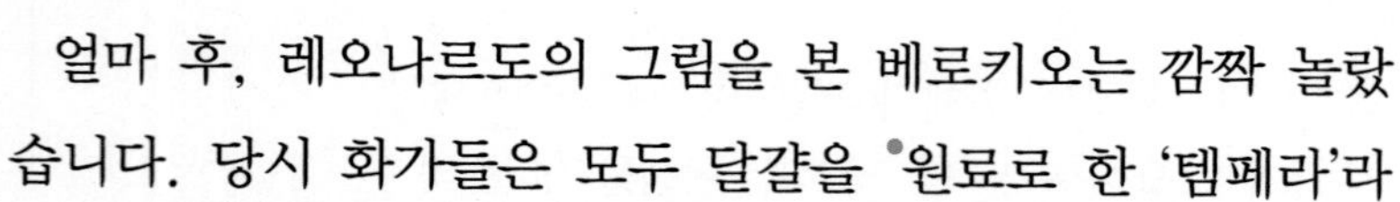

낱말 뜻풀이

- **인정**: 확실히 그렇다고 여김.
- **당대**: 일이 있는 바로 그 시대.
- **문하생**: 가르침을 받는 스승의 아래에서 배우는 제자.
- **재능**: 어떤 일을 하는 데 필요한 재주와 능력.
- **원료**: 어떤 물건을 만드는 데 들어가는 재료.
- **수준**: 사물의 가치나 질 등의 기준이 되는 일정한 표준이나 정도.

1 이 글은 누구에 대한 이야기인지 쓰세요.

핵심어

☐☐☐☐☐ 다 빈치

2 레오나르도의 호기심을 자극한 것으로 알맞지 않은 것은 무엇인가요?

세부 내용

① 새가 나는 모습
② 물이 흐르는 모습
③ 식물이 성장하는 모습
④ 화가가 그림을 그리는 모습
⑤ 여러 동물들이 움직이는 모습

26회

▶ 정답과 해설 31쪽

3 레오나르도의 아버지가 아들이 예술가가 되기를 원한 까닭은 무엇인지 기호를 쓰세요.

㉠ 사람들에게 인정받는 직업이었기 때문이다.
㉡ 돈을 많이 벌 수 있는 직업이었기 때문이다.
㉢ 신분이 높은 사람만 할 수 있는 직업이었기 때문이다.

4 이 글의 내용으로 알맞지 않은 것은 무엇인가요?

세부 내용

① 레오나르도는 베로키오의 스승이다.
② 레오나르도는 열네 살에 피렌체로 갔다.
③ 레오나르도는 빈치라는 마을에서 태어났다.
④ 레오나르도는 물감에 기름을 섞어 천사를 그렸다.
⑤ 레오나르도는 「그리스도의 세례」에서 주변 인물을 그렸다.

5 추론

이 글을 읽은 뒤의 반응으로 알맞은 것은 무엇인가요?

① 베로키오는 항상 자신이 최고라고 생각했구나.
② 어린 레오나르도의 상상력을 길러준 것은 자연이구나.
③ 「그리스도의 세례」는 레오나르도 혼자서 그린 작품이구나.
④ 레오나르도는 문하생이 된 후에 마음대로 작품을 만들 수 있었구나.
⑤ 베로키오가 가진 직업은 사람들에게 인정받지 못하는 직업이었구나.

6

이 글의 구조를 생각하며, 빈칸에 알맞은 말을 쓰세요.

레오나르도 다 빈치가 태어남.

↓

□□(이)라는 마을에서 어린 시절을 보냄.

↓

열네 살에 베로키오의 □□□이/가 됨.

↓

스무 살에 그림을 그릴 기회가 찾아옴.

↓

물감에 기름을 섞어 그려 베로키오를 놀라게 함.

생각 글 쓰기

스승인 베로키오는 제자인 레오나르도의 그림을 보고 든 생각은 무엇일까요?

어휘·어법 다지기

01 다음 뜻에 알맞은 낱말을 찾아 선으로 이으세요.

(1) 일이 있는 바로 그 시대. •

(2) 어떤 물건을 만드는 데 들어가는 재료. •

(3) 가르침을 받는 스승의 아래에서 배우는 제자. •

(4) 사물의 가치나 질 등의 기준이 되는 일정한 표준이나 정도. •

• ㉠ 당대

• ㉡ 문하생

• ㉢ 수준

• ㉣ 원료

02 다음 문장에 알맞은 낱말을 보기 에서 찾아 쓰세요.

보기

당대　　원료　　재능

(1) 두부의 (　　　　)은/는 콩이다.

(2) 그는 (　　　　) 최고의 화가로 소문나 있었다.

(3) 베토벤은 뛰어난 (　　　　)을/를 가진 사람이었다.

03 보기 를 읽고 다음 문장에 알맞은 낱말을 골라 ○표를 하세요.

보기

'부수다'와 '부시다'

'부수다'에는 '단단한 물체를 여러 조각이 나게 두드려 깨뜨리다.'라는 뜻과 '만들어진 물건을 두드리거나 깨뜨려 못 쓰게 만들다.'라는 뜻이 있어요. '문을 부수다.'와 같이 써요. 그리고 '부시다'에는 '그릇 등을 씻어 깨끗하게 하다.'라는 뜻이 있어요. '솥을 부시다.'와 같이 쓰지요.

(1) 나는 과자를 잘게 (부수어 / 부시어) 먹었다.

(2) 동생이 내가 만든 조각을 (부수었다 / 부시었다).

(3) 엄마께서 밥 먹은 그릇을 (부수어 / 부시어) 놓으라고 하셨다.

매일 학습 평가	맞은 문제에 표시해 주세요.					맞은 개수	스티커를 붙여 주세요
1 핵심어 □	2 세부 내용 □	3 세부 내용 □	4 세부 내용 □	5 추론 □	6 글의 구조 □	개	

26회 ▶ 정답과 해설 31쪽

설명문 | 과학

[과학 4-2] 1. 식물의 생활

공부한 날 ( )월 ( )일

세상에는 여러 가지 식물들이 있습니다. 산이나 들, 물속이나 심지어 사막에도 식물이 살고 있지요. 이러한 식물들은 *서식지는 물론이고, 생김새도 모두 다릅니다.

산과 들에는 나무와 풀이 많이 있습니다. 나무와 풀을 구분하는 기준은 확실하지 않지만, 줄기가 단단하고, 시간이 지나며 줄기의 길이가 길어지는 동시에 굵기까지 굵어지면서 *나이테가 생기면 대부분 나무라고 봅니다. 또한, 나무는 겨울에도 줄기가 시들지 않지요. 나무에는 소나무, 단풍나무, 떡갈나무, 밤나무 등이 있습니다. 반면, 풀은 나무보다 줄기, 잎, 뿌리가 부드러운 편입니다. 민들레, 명아주, 강아지풀, 토끼풀 등이 풀에 속하지요. 풀은 겨울에는 추위를 이기지 못하고 줄기가 시들게 됩니다. 다만 여러해살이풀의 경우에는 땅 아래에 있는 부분이 계속 살아 있기 때문에 봄이 되면 다시 자랍니다.

강이나 연못에도 식물이 자랍니다. 물속에 잠겨서 사는 식물에는 물수세미, 검정말, 나사말 등이 있는데, 잎이 가늘고 긴 모양이며 물이 흐르는 방향에 따라 줄기가 휘어지지요. 물 위에 떠서 사는 식물에는 부레옥잠이 있습니다. 부레옥잠은 마치 수염처럼 생긴 뿌리를 가지고 있고, 이 뿌리가 물속으로 길게 뻗어 있습니다. 부레옥잠의 잎자루는 풍선처럼 볼록하게 부풀어 있는데, 칼로 *잎자루를 자르면 많은 ㉠공기주머니가 있습니다. 부레옥잠과 달리 수련이나 가래, 마름 등은 잎과 꽃만 물에 떠 있습니다. 줄기가 물 위부터 물속의 땅까지 길게 이어지고, 물속의 땅 아래에 뿌리가 심어져 있지요. 연꽃은 잎이 물 위에서 자라는 식물입니다. 연꽃의 잎은 물 위로 높이 솟고, 뿌리는 물가의 땅이나 물속의 땅에서 옆으로 뻗으며 자랍니다.

*건조한 사막에도 식물이 자랍니다. 사막의 식물들은 물이 부족한 곳에서 살아남기 위해 *진화하였는데, 그 대표적인 예가 선인장입니다. 선인장의 잎은 날카로운 가시 모양으로 생겼지요. 게다가 선인장은 껍질이 두껍고 숨 구멍이 거의 없어 물을 효과적으로 *절약할 수 있습니다. 선인장은 가시가 많고 겉모습이 아름답지 않지만, 때가 되면 화려하고 예쁜 꽃을 피워 냅니다.

낱말 뜻 풀이

- **서식지**: 생물 등이 일정한 곳에 자리를 잡고 사는 곳.
- **나이테**: 나무의 줄기나 가지 등을 가로로 자른 면에 나타나는 둥근 테. 1년마다 하나씩 생김.
- **잎자루**: 잎몸을 줄기나 가지에 붙게 하는 꼭지.
- **건조**: 말라서 습기가 없음.
- **진화**: 생물이 생명의 기원 이후부터 점차 변해 가는 현상.
- **절약**: 함부로 쓰지 아니하고 꼭 필요한 데에만 써서 아낌.

1 제목

이 글에 알맞은 제목을 쓰세요.

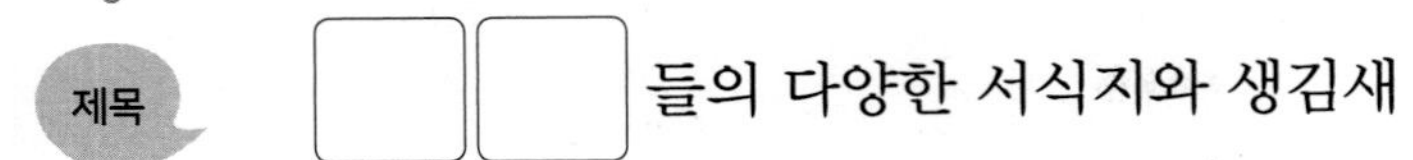

☐☐ 들의 다양한 서식지와 생김새

2

다음 중 풀의 특징으로 알맞지 않은 것의 기호를 쓰세요.

㉮ 겨울에도 줄기가 시들지 않는다.
㉯ 여러해살이풀은 봄이 되면 다시 자란다.
㉰ 나무보다 줄기, 잎, 뿌리가 부드러운 편이다.

27회 ▶ 정답과 해설 32쪽

3 추론

부레옥잠 속에 있는 ㉠의 역할로 알맞은 것은 무엇인가요?

① 물 위에 뜨게 한다.
② 추위를 이겨 내게 한다.
③ 동물들이 먹지 못하게 한다.
④ 뿌리가 물속으로 뻗게 한다.
⑤ 거센 물살에도 흔들리지 않게 한다.

4

보기의 식물과 사는 환경이 가장 비슷한 식물은 무엇인가요?

개구리밥은 잎이 넓어 물 위에 떠서 살며, 수염처럼 생긴 뿌리가 물속으로 뻗어 있습니다.

① 수련　② 연꽃　③ 선인장
④ 물수세미　⑤ 부레옥잠

이 글을 읽고 선인장에 대하여 잘못 이해한 사람은 누구인지 쓰세요.

- 도윤: 선인장의 가시는 잎이었구나.
- 미희: 선인장에도 나이테가 있겠구나.
- 재경: 선인장을 키우면 꽃을 볼 수 있겠구나.
- 문정: 선인장은 건조한 환경에 맞게 진화한 것이구나.

이 글의 구조를 생각하며, 빈칸에 알맞은 말을 쓰세요.

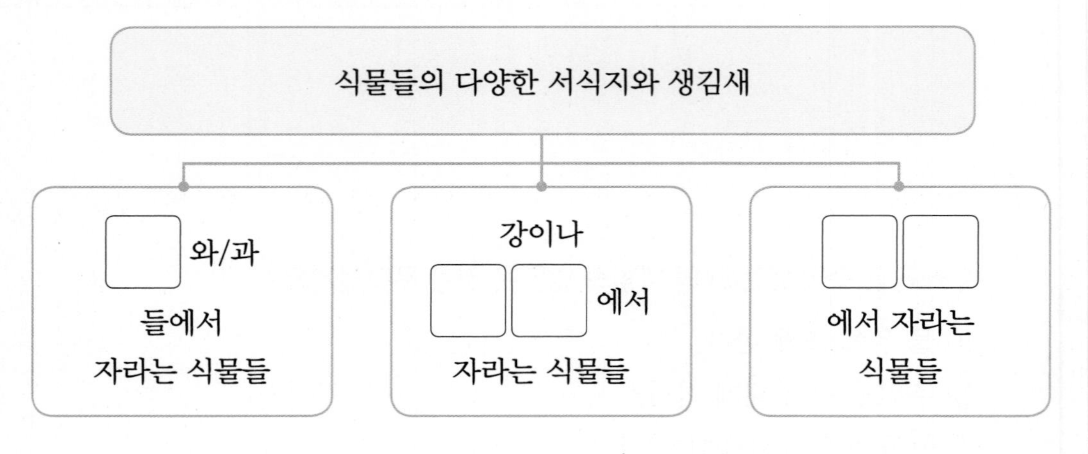

생각 글 쓰기

이 글의 내용을 볼 때 식물들의 생김새가 저마다 다른 까닭은 무엇일까요?

어휘·어법 다지기

01 **다음 낱말에 알맞은 뜻을 찾아 선으로 이으세요.**

(1) 건조 •　　　　　　• ㉠ 말라서 습기가 없음.

(2) 서식지 •　　　　　• ㉡ 생물 등이 일정한 곳에 자리를 잡고 사는 곳.

(3) 절약 •　　　　　　• ㉢ 생물이 생명의 기원 이후부터 점차 변해 가는 현상.

(4) 진화 •　　　　　　• ㉣ 함부로 쓰지 아니하고 꼭 필요한 데에만 써서 아낌.

02 **다음 문장에 알맞은 낱말을 보기 에서 찾아 쓰세요.**

보기　나이테　　서식지　　진화

(1) 생물들은 살기 위하여 환경에 따라 (　　　　)한다.

(2) 나무의 (　　　　)을/를 보면 몇 년 동안 살았는지 알 수 있다.

(3) 환경 오염으로 인하여 동물들의 (　　　　)이/가 사라지고 있다.

03 **보기 를 읽고 다음 문장에 알맞은 낱말을 골라 ○표를 하세요.**

보기

'짓다'와 '짖다'

'짓다'는 '재료를 들여 밥, 집 등을 만들다.', '여러 가지 재료로 약을 만들다.', '시, 소설 등과 같은 글을 쓰다.' 등의 뜻이 있습니다. '밥을 짓다.', '약을 짓다.', '시를 짓다.'와 같이 씁니다. 그리고 '짖다'는 '개가 목청으로 소리를 내다.', '까마귀나 까치가 시끄럽게 울어서 지저귀다.'라는 뜻입니다. '개가 짖다.'와 같이 씁니다.

(1) 까치가 깍깍 (짓는 / 짖는) 소리에 잠에서 깨었다.

(2) 나는 바닷가에 가서 모래로 성을 (지었다 / 짖었다).

27회 ▶ 정답과 해설 32쪽

매일 학습 평가	맞은 문제에 표시해 주세요.					맞은 개수
1 제목 □	2 세부 내용 □	3 추론 □	4 적용 □	5 추론 □	6 글의 구조 □	개

등 굽은 나무

텅 빈 운동장을
혼자 걸어 나오는데
운동장가에 있던 나무가
*등을 구부리며
*말타기놀이 하잔다
얼른 올라타라고
등을 내민다

내가 올라타자
따그닥따그닥
달린다
학교 앞 *문방구를 지나서
*네거리를 지나서
우리 집을 지나서
달린다

달리고 또 달린다
차보다 빠르다
어, 어, 어,
구름 위를 달린다
비행기보다 빠르다
저 밑의 집들이
점점 작게 보인다

㉠ “성민아, 뭐 해?”

은찬이가 부르는 소리에
말은 그만
걸음을 뚝, 멈춘다

아깝다,
*달나라까지도 갈 수 있었는데

– 김철순

낱말 뜻 풀이

- **등**: 사람이나 동물의 몸통에서 가슴과 배의 반대쪽 부분.
- **말타기놀이**: 어린아이들의 놀이로, 한 사람은 담에 기대어 서고 나머지는 양손으로 앞사람의 허리를 쥐고 허리를 구부린다. 가위바위보를 해서 이기면 다시 말을 타고 지면 말이 된다.
- **문방구**: 학용품과 사무용품 등을 파는 곳.
- **네거리**: 한 지점에서 길이 네 방향으로 갈라져 나간 곳.
- **달나라**: 달을 지구와 같은 하나의 세계로 여기어 이르는 말.

1

화자

이 시에서 말하는 이의 이름을 찾아 쓰세요.

□□

2

표현

이 시에 대한 설명으로 알맞지 않은 것은 무엇인가요?

① 6연으로 이루어져 있다.
② 교훈을 주기 위하여 쓴 시이다.
③ 말하는 이의 상상이 드러나 있다.
④ 소리를 흉내 내는 말을 사용하고 있다.
⑤ 말하는 이의 마음의 변화가 나타나 있다.

3

세부 내용

말하는 이가 상상 속에서 말을 타고 간 곳을 순서대로 쓴 것은 무엇인가요?

① 구름 위 – 네거리 – 문방구 – 우리 집
② 우리 집 – 구름 위 – 네거리 – 달나라
③ 네거리 – 우리 집 – 달나라 – 구름 위
④ 문방구 – 네거리 – 우리 집 – 구름 위
⑤ 네거리 – 문방구 – 우리 집 – 구름 위

4

시어의 의미

이 시에서 말하는 이가 탔던 '말'은 실제로 무엇일까요?

① 차　② 나무　③ 버스
④ 비행기　⑤ 지하철

5

화자

㉠을 들은 뒤 말하는 이의 마음으로 알맞은 것은 무엇인가요?

① 기쁨　② 흥겨움　③ 아쉬움
④ 즐거움　⑤ 안쓰러움

28회 ▶정답과 해설 33쪽

6

감상

이 시를 읽고 알맞지 않은 반응을 보인 사람은 누구인지 쓰세요.

- 기희: 말하는 이는 상상력이 정말 풍부하다고 생각해.
- 영우: 이 시의 장면들을 떠올리니 내가 말을 타는 것 같아서 신나.
- 다정: 상상 속에서 친구들과 달나라까지 가다니 정말 재미있었을 것 같아.

7

글의 구조

이 시의 구조를 생각하며, 빈칸에 알맞은 말을 쓰세요.

1연	□□□을/를 걸어 나오다 나무에 탐.
2연	말을 타고 여러 곳을 달림.
3연	구름 위를 달리며 집들이 점점 작게 보임.
4연	말하는 이를 부르는 소리를 들음.
5연	말이 걸음을 멈춤.
6연	□□□까지 가지 못해 아쉬움.

생각 글 쓰기

5연에서 은찬이가 부르는 소리에 말이 걸음을 멈추었다는 것이 뜻하는 것은 무엇일까요?

어휘·어법 다지기

01 **다음 뜻에 알맞은 낱말을 찾아 선으로 이으세요.**

(1) 학용품과 사무용품 등을 파는 곳. •
(2) 한 지점에서 길이 네 방향으로 갈라져 나간 곳. •
(3) 달을 지구와 같은 하나의 세계로 여기어 이르는 말. •
(4) 사람이나 동물의 몸통에서 가슴과 배의 반대쪽 부분. •

• ㉠ 네거리
• ㉡ 달나라
• ㉢ 등
• ㉣ 문방구

02 **다음 문장에 알맞은 낱말을 보기에서 찾아 쓰세요.**

보기

달나라 등 문방구

(1) 색종이를 사기 위하여 (   )에 갔다.

(2) (   )이/가 굽은 할머니가 고갯길을 오르신다.

(3) 나는 커서 우주선을 타고 (   ) 여행을 할 것이다.

03 **보기를 읽고 다음 문장에서 부속 성분을 찾아 ○표를 하세요.**

보기

문장의 '부속 성분'은 문장의 주성분을 꾸며 주는 역할을 하는 성분입니다. 부속 성분은 주성분과는 달리 말뜻을 전달하는 데 꼭 필요하지 않기 때문에 뺄 수 있습니다. 부속 성분에는 주로 사물, 사람을 나타내는 말 앞에서 꾸며 주는 '관형어'와 서술어를 꾸며 주는 '부사어'가 있지요. 아래 예를 확인해 봅시다.

예 나는 새 옷을 입었다. 그래서 기분이 아주 좋다.
(새: 관형어, 아주: 부사어)

(1) 배가 매우 고프다.

(2) 그는 예쁜 꽃을 보았다.

28회 ▶ 정답과 해설 33쪽

매일 학습 평가 맞은 문제에 표시해 주세요.

1 화자	2 표현	3 세부 내용	4 시어의 의미	5 화자	6 감상	7 글의 구조	맞은 개수
□	□	□	□	□	□	□	개

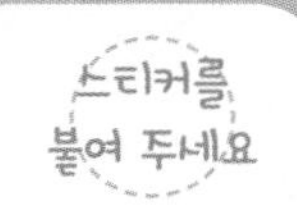

다산 정약용이 *유배 시절을 보냈을 때, 그에게는 여러 명의 제자가 있었습니다. 그중 황상이라는 제자는 열다섯 살에 정약용을 처음 만나 스승과 제자의 *연을 맺었습니다. 비록 황상이 양반이 아니었기 때문에 *과거 시험은 볼 수 없었지만, 황상을 눈여겨본 정약용은 황상이 훌륭한 시인이 될 수 있도록 도와주려고 했습니다.

황상은 정약용의 가르침을 받으며 열심히 공부하려고 했으나, 마음처럼 쉽게 되지 않았습니다. 어느 날 공부가 잘 되지 않아 고민하던 황상은 스승인 정약용을 찾아가 부끄러워하면서 말씀드렸습니다.

"스승님, 저는 공부를 못하는 것 같습니다. 첫째는 너무 둔하고, 둘째는 꽉 막혔으며, 셋째는 답답합니다. 어떻게 공부해야 할지 너무 막막합니다. 저 같은 사람도 과연 공부를 잘할 수 있겠습니까?"

제자의 말을 들은 정약용이 말했습니다.

"그렇게 생각하느냐? 오히려 그 반대이다. 공부는 꼭 ㉠ 너와 같은 사람이 해야 한다. 공부를 잘한다는 사람들이 흔히 저지르는 잘못이 여러 가지 있는데, 너는 그중에서 하나도 가지고 있지 않구나! 그러므로 너와 같은 사람이야말로 공부를 제대로 할 수가 있다."

정약용의 말을 듣자 황상은 *기운이 났습니다. 그러나 곰곰이 생각해 본 황상은 다시 *우울해졌습니다.

"스승님, 힘을 북돋아 주셔서 감사합니다. 덕분에 저도 할 수 있다는 마음이 생겼습니다. 그러나 저는 여전히 공부를 어떻게 해야 하는지 잘 모르겠습니다."

그러자 정약용이 웃으며 말했습니다.

"어떻게 하면 공부를 잘할 수 있겠느냐? *근면하면 된다. 어떻게 하면 모르는 것을 알 수 있겠느냐? 근면하면 된다. 어떻게 하면 *실력을 기를 수 있겠느냐? 근면하면 된다. 그렇다면 어떻게 해야 근면할 수 있겠느냐? 마음가짐을 굳건히 하고 끊임없이 노력하면 된다."

이 말을 들은 황상은 크게 깨우치고 부지런함을 마음 깊이 새기고 실천했습니다. 이후 황상은 정약용도 감탄할 만한 훌륭한 시를 많이 ㉡ 짓고 스승에게 가장 인정받는 제자가 되었습니다.

낱말 뜻풀이

- **유배**: 죄 지은 사람을 먼 시골이나 섬으로 보내어 일정한 기간 동안 제한된 곳에서만 살게 하던 벌.
- **연**: 서로 관계를 맺게 되는 인연.
- **과거 시험**: 예전에 관리를 뽑는 시험 제도로서 보는 시험을 이르던 말.
- **기운**: 생물이 살아 움직이는 힘.
- **우울**: 걱정스럽거나 답답하여 활기가 없음.
- **근면**: 부지런히 일하며 힘씀.
- **실력**: 실제로 갖추고 있는 힘이나 능력.

1 이 글의 주제는 무엇인지 쓰세요.

주제

공부를 할 때 [ ][ ] 함의 중요성

2 이 글에 대한 설명으로 알맞은 것은 무엇인가요?

전개 방식

① 정약용과 황상을 비교하고 있다.
② 자신의 주장을 글에 직접 드러내고 있다.
③ 자신이 겪은 일을 자세하게 설명하고 있다.
④ 정약용의 제자들을 차례대로 소개하고 있다.
⑤ 인물 간의 대화를 통하여 교훈을 전달하고 있다.

3 이 글의 내용으로 알맞지 않은 것은 무엇인가요?

세부 내용

① 황상은 과거 시험을 보기 위해 공부하였다.
② 황상은 열다섯 살에 정약용의 제자가 되었다.
③ 황상은 공부가 잘 되지 않아 정약용을 찾아갔다.
④ 정약용은 황상이야말로 공부해야 하는 사람이라고 하였다.
⑤ 황상은 정약용의 말을 듣고 기운이 났지만 다시 우울해졌다.

4 이 글에서 정약용에 대한 설명으로 알맞지 않은 것은 무엇인가요?

세부 내용

① 황상을 기운 나게 해 주었다.
② 유배 중에 황상을 만나게 되었다.
③ 잘못을 저지른 황상을 혼내 주었다.
④ 노력하는 자세를 중요하게 생각하였다.
⑤ 황상이 훌륭한 시인이 될 수 있도록 도와주었다.

29회 ▶ 정답과 해설 34쪽

5

추론

이 글의 내용으로 보아 ㉠은 어떤 사람을 뜻하는 것일까요?

① 정약용의 제자인 사람
② 모르는 것이 많은 사람
③ 양반 신분이 아닌 사람
④ 공부가 잘 되지 않는 사람
⑤ 끊임없이 노력할 수 있는 사람

6

어휘

다음 중 밑줄 친 낱말이 ㉡과 같은 뜻으로 쓰인 것은 무엇인가요?

① 내 이름은 할머니께서 지으셨다.
② 글을 짓는 것은 쉬운 일이 아니다.
③ 부모님은 시골에서 농사를 지으신다.
④ 이 일은 내가 직접 마무리를 짓고 싶다.
⑤ 죄를 지었다고 생각하니 하루 종일 기분이 좋지 않았다.

7

정약용의 말에 따른다면 다음 중 공부를 잘할 수 있는 사람은 누구인지 쓰세요.

- 동원: 나보다 어려운 사람들을 도와줘야겠어.
- 예서: 부모님께 효도하는 마음을 가져야겠어.
- 유진: 가끔씩은 새로운 기분으로 공부해야겠어.
- 현준: 힘든 일이 있어도 포기하지 않고 노력해야겠어.

생각 글 쓰기

정약용이 공부를 잘하기 위해서는 근면해야 한다고 강조한 까닭은 무엇일까요?

어휘·어법 다지기

01 **다음 뜻에 알맞은 낱말을 찾아 선으로 이으세요.**

(1) 부지런히 일하며 힘씀. • • ㉠ 근면

(2) 생물이 살아 움직이는 힘. • • ㉡ 기운

(3) 서로 관계를 맺게 되는 인연. • • ㉢ 실력

(4) 실제로 갖추고 있는 힘이나 능력. • • ㉣ 연

02 **다음 문장에 알맞은 낱말을 보기에서 찾아 쓰세요.**

보기
근면 기운 유배

(1) 재현이의 ( )한 모습은 다른 아이들에게 모범이 된다.

(2) 나는 열심히 달렸지만 우승을 하지 못하여 ( )이/가 빠졌다.

(3) 예전에 멀리 ( )을/를 간 신하들은 충성심을 드러내는 시를 많이 썼다.

03 **보기를 읽고 다음 문장에 알맞은 낱말을 골라 ○표를 하세요.**

보기

'닮다'와 '담다'

'닮다'는 '사람 또는 사물이 서로 비슷한 생김새나 성질을 지니다.'라는 뜻과 '어떠한 것을 본떠 그와 같아지다.'라는 뜻이 있습니다. '나는 아버지와 닮았다.', '친구의 성격을 닮고 싶다.'와 같이 쓰지요. 그리고 '담다'는 '어떤 물건을 그릇 등에 넣다.', '어떤 내용이나 생각을 그림, 글 등의 속에 포함하다.'라는 뜻이 있습니다. '바구니에 담다.', '생각을 담다.'와 같이 씁니다. 두 낱말의 발음은 비슷하지만 뜻이 다르므로 상황에 알맞게 써야 합니다.

(1) 나는 오빠와 웃는 모습이 (닮았다 / 담았다).

(2) 감귤 밭에 가서 바구니에 감귤을 가득 (닮았다 / 담았다).

매일 학습 평가 맞은 문제에 표시해 주세요.

1 주제	2 전개 방식	3 세부 내용	4 세부 내용	5 추론	6 어휘	7 적용	맞은 개수
☐	☐	☐	☐	☐	☐	☐	개

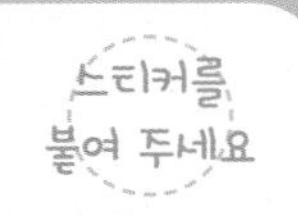

29회 ▶ 정답과 해설 34쪽

30회

문학 | 고전

공부한 날 ( )월 ( )일

조선 시대, 강원도 정선군의 한 마을에 글 읽기를 좋아하는 양반이 살고 있었습니다. 마을 사람들에게도 *신임이 매우 두터웠고, 고을의 우두머리인 군수가 새로 *부임할 때면 이 양반의 집을 찾아가 인사를 하는 것이 하나의 예의였습니다. 그러나 그 양반은 집이 너무 가난해서 관가에서 *양곡을 자주 빌려다 먹었습니다. 그렇게 여러 해를 지나, 어느덧 관가에서 빌려 먹은 양곡이 천 석이 넘게 되었습니다.

그러던 어느 날, 관찰사가 이 고을에 방문하여 *관곡을 조사하는 과정에서 양반이 천 석을 빌려다 먹은 사실을 알게 되었습니다. 관찰사는 화를 내며 양반을 잡으라고 명령했습니다.

양곡을 갚을 길이 없었던 양반은 밤낮으로 울기만 하고 해결책을 내놓지 못하였습니다. 이 모습을 본 아내가 혀를 끌끌 차며 말했습니다.

"평생 글 읽기만 좋아하고, 꾸어다 먹은 관곡 갚을 생각은 하지 않더니 딱합니다그려. 항상 '양반 양반' 거리더니 양반 값어치가 쌀 한 줌의 가치도 안 되는군요?"

그 마을에 있는 부자가 이 소식을 들었습니다. 재물은 많았으나 신분이 상민이라는 이유로 차별을 받던 그는 이 소식을 듣자마자 가족들을 불러 모았습니다.

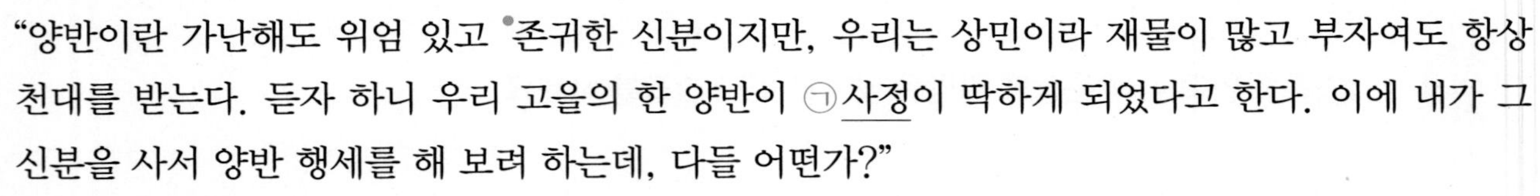

"양반이란 가난해도 위엄 있고 *존귀한 신분이지만, 우리는 상민이라 재물이 많고 부자여도 항상 천대를 받는다. 듣자 하니 우리 고을의 한 양반이 ㉠사정이 딱하게 되었다고 한다. 이에 내가 그 신분을 사서 양반 행세를 해 보려 하는데, 다들 어떤가?"

이 말에 집안사람들 모두가 찬성하며 좋아했습니다.

다음 날 그 부자는 양반에게 가서 양반 신분을 *양도 받고, 관가에 가서 양반이 빌린 천 석의 양곡을 모두 갚았습니다. 군수는 어찌 된 *영문인지 궁금하여 옛 양반을 방문하였습니다. 옛 양반은 허둥지둥 땅에 엎드려서 *자초지종을 설명하였습니다. 이 말을 들은 군수는 기뻐하며 말했습니다.

"그 부자 상민이야말로 군자이며 양반이로세. 허나 개인끼리 *사사로이 양반의 신분을 사고 팔았으니 훗날 소송 거리가 될 수 있소. 그러하니 고을 사람들 모두가 보는 앞에서 *증서를 만들기로 합시다. 군수인 나도 도장을 찍겠소."

〈중략〉

위 증서는 양반을 팔아서 관곡을 갚은 것으로 그 값은 천 석이다.

무릇 양반이라 함은, 새벽 다섯 시만 되면 일어나 책을 얼음 위에 박을 밀듯 외워야 하며, 배고픔을 참고 추위를 견뎌야 한다. 세수할 때 주먹을 비비면 안 되며, 양치질을 하여 입 냄새를 내지 말고, 종을 부를 때는 소리를 길게 뽑아야 하며, 성난다고 아내를 두들기지 말아야 한다. 아파도 중이나 무당을 부르지 말고, 추워도 화로에 불을 쬐지 말고, 돈을 가지고 놀음을 하면 안 될 것이다.

부자는 증서를 멍하니 듣다가 화를 내며 말했습니다.

"정말 양반이라는 게 이것뿐입니까? 제가 듣기로는 양반은 신선 같다고 들었는데 이러면 너무 재미가 없는걸요. 바라옵건대 제게 이익이 되도록 증서를 바꾸어 주십시오."

그리하여 증서를 새로 만들었으니 내용은 이랬습니다.

"하늘이 백성을 낳을 때 백성을 넷으로 구분했으니, 가장 높은 것이 선비이며 이것이 곧 양반이라. 양반의 이익은 막대하여 농사도 안 짓고 장사도 안 하고 글만 외우면 문과 급제를 할 수 있다. 과거에 급제하지 않아도 조상님 덕으로 벼슬을 할 수 있으니, 어찌 좋지 아니하랴. 강제로 이웃의 소를 끌어다 먼저 자기 땅을 갈고, 마을의 일꾼을 잡아다 일을 시켜도 누가 뭐라 하리오? 너희들 코에 잿물을 들어붓고 수염을 낚아채더라도 누구 감히 원망하지 못할 것이라."

부자는 증서를 중단시키고 혀를 내두르며 말했습니다.

㉡"그만두시오, 그만하오. 나를 장차 도둑놈으로 만들 작정인가?"

그러고는 머리를 흔들며 가 버렸습니다.

– 박지원, 「양반전」

낱말 뜻풀이

- **신임**: 믿고 일을 맡김. 또는 그 믿음.
- **부임**: 임명이나 명령을 받아 근무할 곳으로 감.
- **양곡**: 양식으로 쓰는 곡식.
- **관곡**: 국가나 관청에서 가지고 있는 곡식을 일컫는 말.
- **존귀**: 지위나 신분이 높고 귀함.
- **양도**: 재산이나 물건을 남에게 넘겨줌.
- **영문**: 일이 돌아가는 형편이나 그 까닭.
- **자초지종**: 처음부터 끝까지의 과정.
- **사사로이**: 공적(公的)이 아닌 개인적인 범위나 관계의 성질이 있게.
- **증서**: 권리나 의무, 사실 등을 증명하는 문서.
- **막대하다**: 더할 수 없을 만큼 많거나 크다.
- **급제**: 시험이나 검사 등에 합격함.

30회 ▶ 정답과 해설 35쪽

1 

이 글을 읽고 알 수 있는 사실로 알맞지 않은 것은 무엇인가요?

① 조선 시대에는 신분 제도가 있었다.
② 이 글은 양반 신분을 비판하는 글이다.
③ 조선 시대에는 신분에 따른 차별이 없었다.
④ 조선 시대에는 글만 읽고 가난한 양반도 있었다.
⑤ 양반은 과거에 급제하지 않아도 벼슬을 할 수 있었다.

2 

이 글에서 부자의 신분은 무엇인지 찾아 쓰세요.

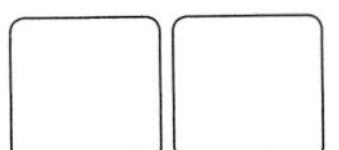

3

세부 내용

㉠이 뜻하는 일은 무엇인가요?

① 마을에 관찰사가 도착한 일
② 양반이 아내와 말다툼을 한 일
③ 양반이라는 이유로 차별을 받은 일
④ 마을에 군수가 새로 부임하게 된 일
⑤ 양반이 빌린 관곡을 갚지 못해 잡혀가게 된 일

4

추론

부자가 ㉡과 같이 말한 까닭으로 알맞은 것은 무엇인가요?

① 양반이 되면 매달 돈을 내야 했기 때문에
② 양반이 되려면 도둑질을 해야 했기 때문에
③ 양반이 되어도 지금과 달라지는 것이 없다고 느꼈기 때문에
④ 양반이 되기 위해 치러야 할 값이 생각보다 너무 비쌌기 때문에
⑤ 양반이 되어 얻는 이익과 양반의 횡포가 도둑놈 같다고 생각했기 때문에

5

이 글의 인물들에 대하여 잘못 말한 사람은 누구인지 쓰세요.

- 다경: 양반은 문과 급제를 해서 돈을 많이 벌었어.
- 서진: 부자는 자신의 신분에 만족하지 못하고 있어.
- 재준: 군수는 양반의 신분을 사고파는 증서를 만들었어.

생각 글 쓰기

군수가 만든 두 개의 증서를 통하여 양반의 어떠한 모습을 알 수 있는지 쓰세요.

어휘·어법 다지기

01 **다음 낱말에 알맞은 뜻을 찾아 선으로 이으세요.**

(1) 부임 •
(2) 신임 •
(3) 자초지종 •
(4) 증서 •

• ㉠ 처음부터 끝까지의 과정.
• ㉡ 믿고 일을 맡김. 또는 그 믿음.
• ㉢ 권리나 의무, 사실 등을 증명하는 문서.
• ㉣ 임명이나 명령을 받아 근무할 곳으로 감.

02 **다음 문장에 알맞은 낱말을 보기 에서 찾아 쓰세요.**

보기
급제 부임 자초지종

(1) 나는 일의 ( )을/를 자세히 말하였다.
(2) 우리 학교에 새로 ( )하신 선생님은 키가 크시다.
(3) 그 집안은 대대로 과거에 ( )하여 이름을 높였다고 하였다.

03 **보기 를 읽고 다음 문장이 홑문장과 겹문장 중 어떤 것인지 쓰세요.**

보기
주어와 서술어가 문장에 몇 번 나오는지에 따라 홑문장과 겹문장으로 구분할 수 있습니다. 한 문장에 주어와 서술어가 한 번만 나오면 홑문장, 두 번 이상 나오면 겹문장이라고 합니다. 아래의 예를 살펴봅시다.

• 홑문장: 예 나는(주어) 매일 저녁에 책을 읽는다(서술어).
• 겹문장: 예 나는(주어) 눈이(주어) 내리면(서술어) 밖으로 나간다(서술어).

(1) 내 동생은 배가 고프면 냉장고 문을 연다. ( )
(2) 현우는 언제나 자기 생각을 분명하게 말한다. ( )

매일 학습 평가	맞은 문제에 표시해 주세요.				맞은 개수
1 추론 ☐	2 세부 내용 ☐	3 세부 내용 ☐	4 추론 ☐	5 인물 ☐	개

스티커를 붙여 주세요

30회
▶ 정답과 해설 35쪽

독해력을 완성하는 긴 독해

❀ 자신의 학습 능력과 상황에 따라 꾸준하게 공부하는 것이 가장 중요합니다.

❀ 학습 계획을 먼저 세우고, 스스로 지킬 수 있도록 노력해 보세요.

회	제목	갈래	분야	학습할 날짜
31회	거울 속에 숨겨진 과학	설명문	과학	월 일
32회	기초 질서의 중요성	논설문	사회	월 일
33회	생명체를 모방하는 기술	설명문	기술	월 일
34회	팝 아트	설명문	예술	월 일
35회	인공 강우 기술의 원리와 장단점	설명문	과학	월 일
36회	다문화 가족은 우리의 이웃	논설문	사회	월 일
37회	하늘을 나는 꿈	설명문	과학	월 일
38회	지하 주차장	문학	동시	월 일
39회	가끔은 쓸 데가 있지	문학	동화	월 일
40회	오봉산의 불	문학	고전	월 일

31회

설명문 | 과학

[과학 4-2] 3. 그림자와 거울

공부한 날 ( )월 ( )일

거울은 우리 생활에서 빼놓을 수 없는 *발명품으로, 많은 사람들이 사용하고 있습니다. 사람들은 거울로 자신의 모습을 살펴보거나, 혼자서는 보기 힘든 곳을 볼 수 있습니다. 거울에는 쓰임새에 따라 각각 다른 과학적 원리가 숨어 있습니다. 어떤 원리인지 한번 살펴볼까요?

거울이 있는 대표적인 장소로는 승강기를 들 수 있습니다. 사람들은 승강기를 이용하는 동안 거울을 보면서 머리 모양이나 *옷맵시를 가다듬습니다. 그런데 이 거울은 사람들이 자신의 모습을 살펴보는 *용도 외에 다른 용도로도 사용됩니다. 승강기 안은 좁은 공간이기 때문에 승강기에 탄 사람들이 답답함을 느낄 수 있습니다. 이때 승강기 안의 거울은 사람들의 *시야를 확 트이게 하여 승강기 안이 넓어 보이게 하는 효과가 있지요.

자동차 앞좌석에는 뒷거울과 옆 거울이 달려 있습니다. 운전자는 이 거울들로 뒤를 돌아보지 않고도 뒤에서 다가오는 자동차들을 확인할 수 있습니다. *조수석 쪽에 있는 옆 거울을 자세히 살펴보면 ㉠'사물이 보이는 것보다 가까이 있음.'이라는 안내문이 쓰여 있습니다. 이는 운전자의 시야를 넓히기 위해서 거울을 볼록 거울로 만들었기 때문입니다. (㉮) 운전석 쪽에 있는 옆 거울은 평면거울로 만들었기 때문에 이러한 안내문이 적혀 있지 않지요.

백화점에서도 거울을 볼 수 있습니다. 백화점의 에스컬레이터 옆, 매장 벽면, 승강기 앞에는 거울이 많습니다. 손님들은 이 거울에 비친 자신의 모습을 계속해서 보면서 무의식적으로 걸음을 늦추고, 백화점에 더 오랫동안 머무르게 됩니다. 또한 백화점에서는 옷을 입고 나와서 살펴보는 전신 거울로 오목 거울을 사용합니다. 오목 거울을 비스듬하게 놓으면 새 옷을 입고 나온 자신의 모습이 더욱 날씬하게 보이지요. 그 까닭은 실제 다리와 거울 속에 비친 다리 사이의 거리는 가깝고, 실제 머리와 거울 속에 비친 머리 사이의 거리는 멀어서 거울에 비친 모습이 위로 갈수록 날씬하게 보이기 때문입니다. 덕분에 새 옷을 입은 손님들은 *만족감을 느끼고 더욱 많은 옷을 사게 됩니다. 이렇게 백화점에서도 거울이 중요한 역할을 하고 있다는 사실을 알 수 있겠죠?

낱말 뜻 풀이

- **발명품**: 아직까지 없었던 물건을 새로 생각하여 만들어 낸 것.
- **옷맵시**: 차려입은 옷이 어울리는 모양새.
- **용도**: 쓰이는 길이나 쓰이는 곳.
- **시야**: 시력이 미치는 범위.
- **조수석**: 자동차 운전석의 옆자리.
- **만족감**: 마음에 흡족한 느낌.

1

제목

이 글에 알맞은 제목을 쓰세요.

☐☐ 속에 숨겨진 과학

2

어휘

㉮에 들어갈 가장 알맞은 말은 무엇인가요?

① 그러나　② 따라서　③ 그럼에도
④ 왜냐하면　⑤ 그렇기 때문에

3

추론

보기 는 ㉠의 까닭입니다. 빈칸에 들어갈 알맞은 말로 짝지어진 것은 무엇인가요?

> **보기**
> (　　　　　　)을 이용하여 본 물체는 실제보다 더 (　　　　　　) 보이기 때문입니다.

① 평면거울 – 작게　② 평면거울 – 크게
③ 볼록 거울 – 작게　④ 볼록 거울 – 크게
⑤ 오목 거울 – 작게

31회

▶ 정답과 해설 36쪽

4

백화점에서 사용하는 거울에 대한 설명으로 알맞지 않은 것은 무엇인가요?

① 새 옷을 입어 보는 손님들에게 만족감을 준다.
② 손님들이 백화점에 더 오랫동안 머무르게 한다.
③ 손님들이 자신의 모습을 보게 하여 걸음을 늦추어 준다.
④ 옷을 입고 살펴보는 전신 거울로는 오목 거울을 사용한다.
⑤ 전신 거울을 똑바로 세워 놓아서 손님들이 날씬해 보이도록 한다.

5

추론

이 글을 읽고 알맞지 <u>않은</u> 반응을 보인 사람은 누구인지 쓰세요.

- 도영: 승강기가 많이 답답했던 게 거울 때문이었구나.
- 지윤: 백화점에 있는 거울들에도 과학적 원리가 숨어 있구나.
- 하진: 자동차에 달려 있는 거울은 사고를 줄이는 역할을 하는구나.

6

이 글의 구조를 생각하며, 빈칸에 알맞은 말을 쓰세요.

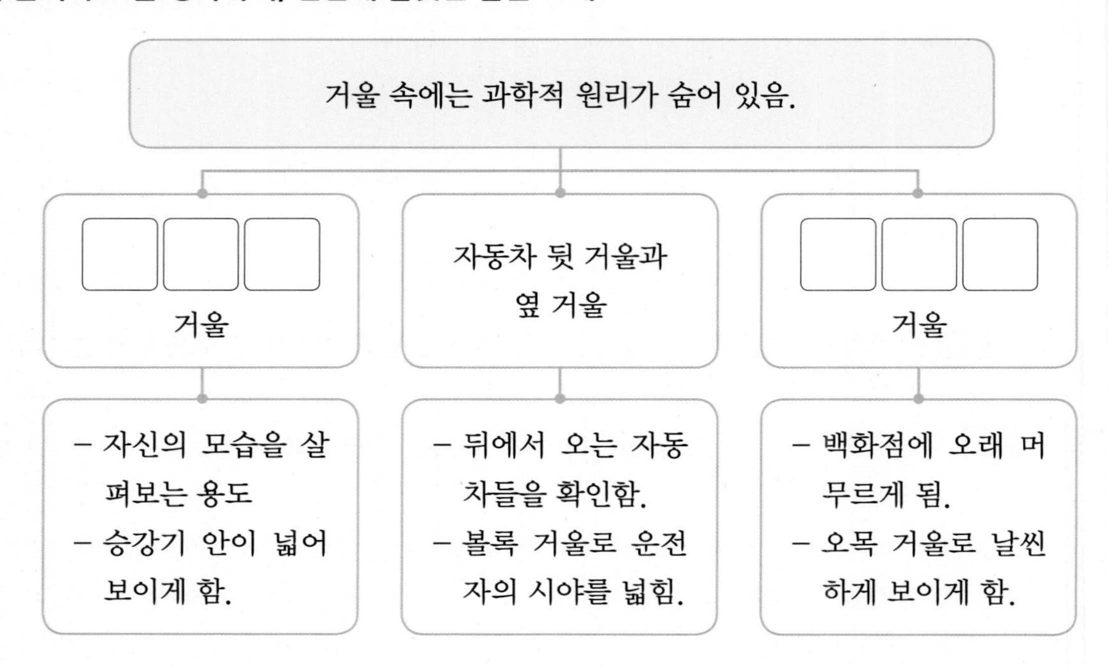

생각 글 쓰기

백화점에 설치된 거울 때문에 사람들이 걸음을 늦추어 오래 머무르게 되면, 백화점에 어떤 이익이 있을까요?

어휘·어법 다지기

01 **다음 뜻에 알맞은 낱말을 찾아 선으로 이으세요.**

(1) 시력이 미치는 범위. • • ㉠ 발명품

(2) 쓰이는 길이나 쓰이는 곳. • • ㉡ 시야

(3) 차려입은 옷이 어울리는 모양새. • • ㉢ 옷맵시

(4) 아직까지 없었던 물건을 새로 생각하여 만들어 낸 것. • • ㉣ 용도

02 **다음 문장에 알맞은 낱말을 보기에서 찾아 쓰세요.**

보기

발명품 시야 조수석

(1) 미세 먼지로 인해 ( )이/가 가로막혔다.

(2) 나는 ( )에 앉아 운전하는 어머니와 얘기하였다.

(3) 우리나라 사람이 세계 ( ) 전시 대회에서 우승하였다.

03 **보기를 읽고 다음 문장에 알맞은 낱말을 골라 ○표를 하세요.**

'굳다'와 '궂다'

'굳다'는 '무른 물질이 단단하게 되다.', '근육이나 뼈마디가 뻣뻣하게 되다.', '누르는 자국이 나지 아니할 만큼 단단하다.' 등의 뜻이 있고, '궂다'는 '비나 눈이 내려 날씨가 나쁘다.', '언짢고 나쁘다.'라는 뜻이 있습니다. 두 낱말은 발음은 비슷하지만 뜻이 다르므로 상황에 맞게 사용해야 합니다.

(1) 떡이 (굳어 / 궂어) 있었지만 모두 먹었다.

(2) 며칠째 날씨가 (굳어서 / 궂어서) 소풍 날짜가 바뀌었다.

(3) 아침에 비가 내리기 시작하여 하루 종일 날씨가 (굳었다 / 궂었다).

31회

▶정답과 해설 36쪽

매일 학습 평가	맞은 문제에 표시해 주세요.					맞은 개수
1 제목 ☐	2 어휘 ☐	3 추론 ☐	4 세부 내용 ☐	5 추론 ☐	6 글의 구조 ☐	개

논설문 | 사회

공부한 날 ( )월 ( )일

여러분에게 재미있는 ㉠실험을 하나 소개하려고 합니다. 구석진 골목길에 똑같은 자동차 두 대가 주차되어 있습니다. 그중 한 대는 자동차 앞의 엔진 뚜껑만을 열어 두었고, 다른 한 대는 거기에 더하여 앞 유리창도 깨진 상태로 내버려 두었습니다. 일주일 뒤, 이 두 자동차는 어떻게 되었을까요?

실험 결과는 정말 놀라웠습니다. 자동차 앞의 엔진 뚜껑만 열어 둔 차는 별다른 변화가 없었지만, 유리창까지 깨진 상태로 둔 자동차는 완전히 망가지고 말았습니다. 유리창은 모두 깨져 있었고, 자동차의 *배터리와 타이어는 누군가가 훔쳐 갔는지 없어진 상태였습니다. 두 자동차에는 유리창이 깨졌느냐, 안 깨졌느냐의 차이만 있었는데, 어떻게 이런 *상반된 결과가 나온 것일까요?

전문가들은 이러한 현상을 ㉡'깨진 유리창 이론'으로 설명합니다. '깨진 유리창 이론'이란 '유리창이 깨져 자동차가 *방치되었다는 인상을 주면 그 주변을 중심으로 범죄가 *확산되기 시작한다.'라는 이론입니다. 즉, 작은 무질서가 방치될 경우 큰 사회 문제로 이어질 가능성이 커진다는 것이지요.

'깨진 유리창 이론'이 우리에게 주는 깨달음은 무엇일까요? 바로 기초 질서를 지키는 것이 더 큰 범죄를 막는 첫걸음이라는 점입니다. 길거리에 쓰레기 버리지 않기, 껌 뱉지 않기, 벽에 낙서하지 않기 등의 간단한 질서만 지켜도 우리 주변에서 발생하는 수많은 범죄를 미리 예방할 수 있습니다. 쓰레기가 많이 버려진 길거리에서는 사람들이 아무렇지 않게 또 다른 쓰레기를 버리지만, 깨끗한 거리에서는 사람들이 쓰레기 버리기를 망설인다는 사실도 이러한 *견해를 뒷받침합니다.

이처럼 기초 질서를 지키는 일은 우리 주변을 바꾸는 힘이 있습니다. 기초 질서는 누구나 조금만 신경 쓰면 충분히 지킬 수 있지만, *방심하는 순간 쉽게 위반할 수 있습니다. '나 하나쯤이야'라는 생각을 버리고, '나 하나라도'라는 생각으로 기초 질서를 잘 지키는 사람이 됩시다. *솔선수범하는 여러분의 행동이 더 안전한 사회를 만드는 밑거름이 될 것입니다.

낱말 뜻 풀이

- **배터리**: 전기 에너지를 화학 에너지로 바꾸어 모아 두었다가 필요한 때에 전기로 재생하는 장치.
- **상반**: 서로 반대되거나 어긋남.
- **방치**: 내버려 둠.
- **확산**: 흩어져 널리 퍼짐.
- **견해**: 어떤 사물이나 현상에 대한 자기의 의견이나 생각.
- **방심**: 마음을 다잡지 아니하고 풀어 놓아 버림.
- **솔선수범**: 남보다 앞장서서 행동해서 몸소 다른 사람의 본보기가 됨.

1 이 글에 알맞은 제목을 쓰세요.

제목

□□ □□ 의 중요성

2 이 글에 대한 설명으로 알맞지 않은 것은 무엇인가요?

전개 방식

① 실험을 통해 하나의 이론을 소개하고 있다.
② 솔선수범하여 기초 질서를 지킬 것을 강조하고 있다.
③ 기초 질서와 범죄는 아무런 관련이 없음을 주장하고 있다.
④ 전문가의 이론을 소개함으로써 글의 신뢰도를 높이고 있다.
⑤ 재미있는 실험을 소개하며 읽는 사람의 흥미를 불러일으키고 있다.

3 ㉠에 대한 설명으로 알맞지 않은 것은 무엇인가요?

세부 내용

① 똑같은 두 대의 자동차로 실험하였다.
② '깨진 유리창 이론'을 증명할 수 있는 실험이다.
③ 실험 결과 유리창이 깨진 자동차가 더 많이 망가졌다.
④ 자동차 앞의 엔진 뚜껑만 열어 둔 자동차는 배터리와 타이어가 사라졌다.
⑤ 자동차 한 대는 유리창이 깨진 상태로, 다른 한 대는 깨지지 않은 상태로 두었다.

▶ 정답과 해설 37쪽

4 ㉡과 관련 있는 속담으로 알맞은 것은 무엇인가요?

어휘

① 낫 놓고 기역자도 모른다.
② 닭 쫓던 개 지붕 쳐다본다.
③ 아니 땐 굴뚝에 연기 나랴.
④ 아이 싸움이 어른 싸움 된다.
⑤ 말 한 마디로 천냥 빚을 갚는다.

5 이 글과  에 대한 생각으로 알맞지 않은 것의 기호를 쓰세요.

적용

보기 1980년대의 뉴욕 지하철은 하루에 수십 건의 강력 범죄가 발생하는 공포의 장소였다. 1994년, 뉴욕 시장 줄리아니는 뉴욕 지하철 벽면을 가득 메운 낙서를 지우는 한편, 무단으로 한 낙서를 단속하기 시작하였다. 사람들은 낙서와 범죄 발생이 무슨 상관이냐며 비웃었지만, 결과는 달랐다. 거짓말처럼 범죄율이 줄어들기 시작한 것이다. 낙서 지우기 프로젝트가 끝난 1999년, 뉴욕 지하철의 강력 범죄는 75퍼센트나 줄어들었다.

㉮ 공공장소에서 함부로 낙서를 하지 말아야겠다고 생각했어.
㉯ 뉴욕 지하철 이야기는 '깨진 유리창 이론'과는 관련이 없어.
㉰ 낙서하지 않는다는 기초 질서를 지키는 것이 범죄의 발생을 줄였어.

6 이 글의 구조를 생각하며, 빈칸에 알맞은 말을 쓰세요.

글의 구조

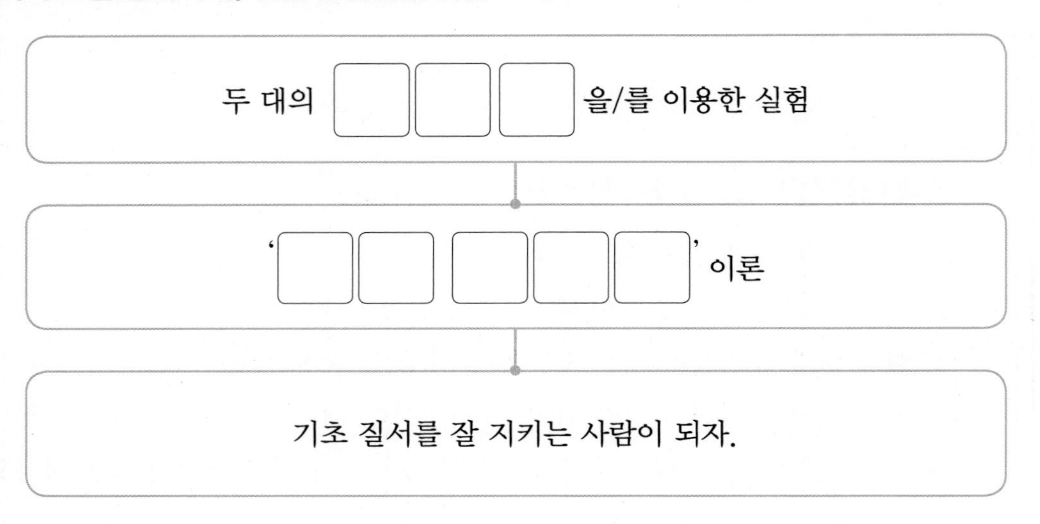

글쓴이가 '깨진 유리창 이론'을 통하여 말하려는 것은 무엇일까요?

어휘·어법 다지기

01 **다음 낱말에 알맞은 뜻을 찾아 선으로 이으세요.**

(1) 방심 • • ㉠ 흩어져 널리 퍼짐.

(2) 상반 • • ㉡ 서로 반대되거나 어긋남.

(3) 솔선수범 • • ㉢ 마음을 다잡지 아니하고 풀어 놓아 버림.

(4) 확산 • • ㉣ 남보다 앞장서서 행동해서 몸소 다른 사람의 본보기가 됨.

02 **다음 문장에 알맞은 낱말을 보기 에서 찾아 쓰세요.**

보기
방치 상반 확산

(1) 나와 동생은 (   )된 성격을 가졌다.

(2) 쓰레기를 (   )하여 동네가 지저분해졌다.

(3) 학교는 독감이 (   )되는 것을 막기 위해 휴교를 결정했다.

03 **보기 를 읽고 다음 문장에 알맞은 낱말을 골라 ○표를 하세요.**

보기
'무치다'와 '묻히다'
'무치다'는 '나물 등에 갖은양념을 넣고 골고루 한데 뒤섞다.'라는 뜻입니다. 예를 들면 '나물을 무치다.'와 같이 씁니다. 그리고 '묻히다'는 '가루, 풀, 물 등을 그보다 큰 다른 물체에 들러붙게 하거나 흔적을 남기다.'라는 뜻입니다. 예를 들면 '강아지가 온몸에 진흙을 묻혔다.'와 같이 씁니다. 두 낱말을 각 뜻에 알맞게 써야 합니다.

(1) 어머니께서 콩나물을 (무쳐 / 묻혀) 주셨다.

(2) 붓에 먹물을 (무쳐 / 묻혀) 한지에 글씨를 썼다.

32회
▶ 정답과 해설 37쪽

매일 학습 평가	맞은 문제에 표시해 주세요.					맞은 개수	
1 제목 ☐	2 전개 방식 ☐	3 세부 내용 ☐	4 어휘 ☐	5 적용 ☐	6 글의 구조 ☐	개	스티커를 붙여 주세요

33회

설명문 | 기술

공부한 날 ( )월 ( )일

우리가 사용하는 수많은 발명품은 어떻게 만들어진 것일까요? 발명품 중에는 동식물의 생김새를 °모방하여 만들어진 것들이 있습니다.

스위스의 기술자인 조르주 드 메스트랄(George de Mestral)은 어느 날 자신의 개와 함께 사냥에 다녀온 후 개의 털에 바늘처럼 뾰족하게 생긴 우엉 가시가 붙어 있는 것을 발견했습니다. 이에 관심을 가진 메스트랄은 현미경을 통해 우엉 가시를 자세히 관찰하였고, 그 결과 우엉 가시의 끝부분에 작고 튼튼한 갈고리가 있어 사람이나 동물의 털에 잘 달라붙고 쉽게 떨어지지 않는다는 것을 알아냈습니다. 메스트랄은 이러한 생김새를 모방하여 한쪽 면에는 강력한 갈고리가 빽빽하게 나 있고 다른 쪽 면에는 갈고리를 걸 수 있는 둥근 고리가 달려 있어 두 면을 붙일 수 있는 벨크로 테이프를 발명하였습니다.

연꽃잎의 생김새를 모방하여 만든 발명품도 있습니다. 연꽃잎은 둥글고 넓적하게 생겼습니다. 이 연꽃잎을 현미경으로 관찰해 보면 표면에 작고 둥근 °돌기가 많이 나 있는 것을 볼 수 있지요. 이 돌기에는 미끄러운 성분의 막이 씌워져 있어 연꽃잎은 비를 맞아도 젖지 않고 비를 흘려보낼 수 있습니다. 사람들은 이러한 원리를 °응용하여 물에 젖지 않는 방수복이나 방수 페인트, °이물질이 붙어도 쉽게 씻어낼 수 있는 옷감, 자동차 코팅제 등의 제품을 개발하였습니다.

게코 도마뱀의 생김새를 모방한 경우도 있습니다. 게코 도마뱀은 벽과 천장에서 떨어지지 않고 자유롭게 기어 다닙니다. 어떻게 떨어지지 않는 것일까요? 게코 도마뱀의 발바닥에는 빨판이 있는데, 이 빨판은 매우 강한 °결합력을 지니고 있지요. 빨판 하나로 견뎌낼 수 있는 힘은 매우 작지만, 발바닥에는 수백 개의 빨판과 50만 개의 작은 솜털이 나 있어 발바닥으로 수 킬로그램이나 되는 무거운 몸을 지탱할 수 있습니다. 미국의 스탠퍼드 대학에서는 이를 모방하여 미끄러운 벽을 빠르게 올라가는 스티키 봇(sticky bot)을 개발하였고, 미국 °국방성은 이 기술을 이용한 신발이나 장갑에 큰 관심을 보이고 있다고 합니다. 이처럼 자연 속의 동식물을 모방하여 만든 물건들은 우리 생활에 많은 도움을 주고 있습니다.

낱말 뜻 풀이

- **모방**: 다른 것을 본뜨거나 본받음.
- **돌기**: 뾰족하게 내밀거나 도드라짐.
- **응용**: 어떤 이론이나 이미 얻은 지식을 구체적인 일이나 다른 분야의 일에 적용하여 이용함.
- **이물질**: 정상적이 아닌 물질.
- **결합력**: 서로 결합하는 힘. 또는 그런 능력.
- **국방성**: 미국, 영국, 프랑스에서 국방에 관한 일을 맡아보는 행정 부서.

1 제목

이 글에 알맞은 제목을 쓰세요.

생명체를 ☐☐ 하는 기술

2 세부 내용

'우엉 가시'에 대한 설명으로 알맞지 않은 것은 무엇인가요?

① 쉽게 떨어지지 않는다.
② 바늘처럼 뾰족하게 생겼다.
③ 끝부분에 작고 튼튼한 갈고리가 있다.
④ 우엉 가시를 모방하여 만든 발명품이 있다.
⑤ 사람의 털에는 잘 달라붙지만 동물의 털에는 달라붙지 않는다.

3 세부 내용

'우엉 가시'의 생김새를 모방하여 만든 물건은 무엇인지 이 글에서 찾아 쓰세요.

☐☐☐ 테이프

4

연꽃잎이 비에 젖지 않는 까닭으로 알맞은 것의 기호를 쓰세요.

㉮ 물속에 계속 잠겨 있어 젖지 않는다.
㉯ 표면에서 비를 막는 물질을 계속 흘려보내 젖지 않는다.
㉰ 표면에 있는 작고 둥글며 미끄러운 돌기가 비를 흘려보내 젖지 않는다.

5 추론

이 글을 읽고 이끌어 낸 생각으로 알맞지 않은 것은 무엇인가요?

① 강한 결합력을 가진 빨판이 많으면 물에 젖지 않겠군.
② 물에 젖지 않는 페인트로 칠한 지붕은 연꽃잎의 원리를 이용했겠군.
③ 방수복을 자세히 보면 미끄러운 성분이 있는 돌기가 많이 나 있겠군.
④ 게코 도마뱀이 유리에 붙어 있다면 유리를 뒤집어도 떨어지지 않겠군.
⑤ 스티키 봇은 게코 도마뱀의 빨판과 같은 결합력으로 벽을 올라가겠군.

33회 ▶ 정답과 해설 38쪽

6

적용

보기 는 이 글을 읽고 쓴 감상문입니다. 빈칸에 알맞은 낱말을 이 글에서 찾아 쓰세요.

보기

많은 발명품들은 자연 속의 동식물을 모방하여 만들어졌다. 과학자들이 우엉 가시나 연꽃잎, 게코 도마뱀의 발바닥에 관심을 가지지 않았다면 이러한 발명품은 없었을 것이다. 나도 주변을 자세히 ☐☐ 하는 태도를 가져야겠다.

7

글의 구조

이 글의 구조를 생각하며, 빈칸에 알맞은 말을 쓰세요.

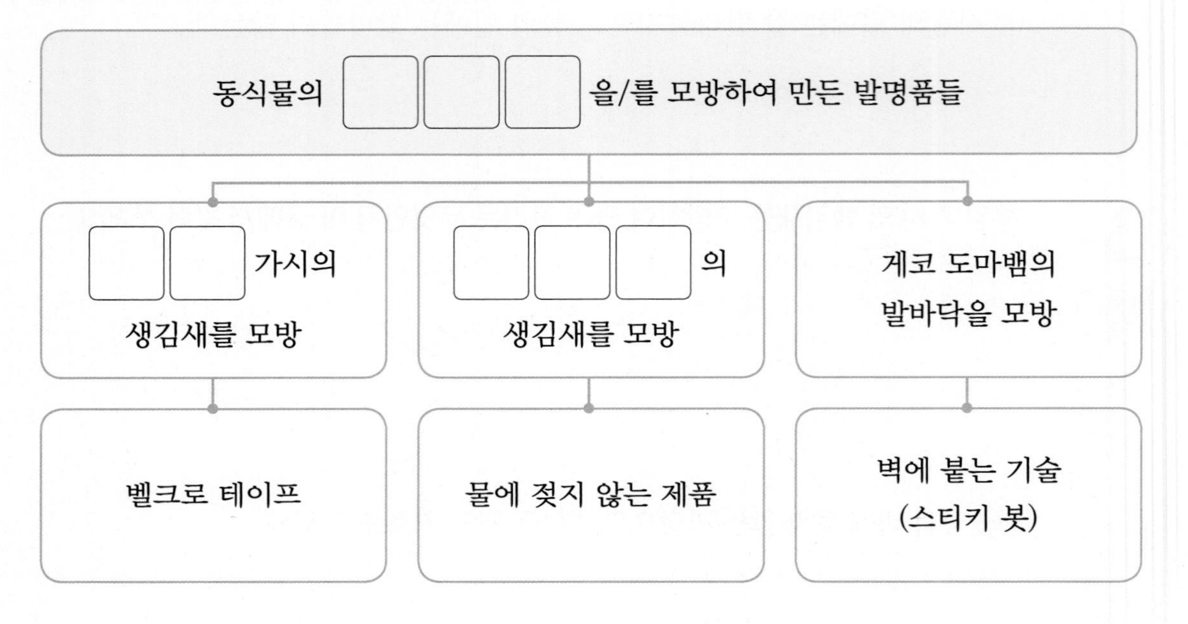

우엉 가시가 사람이나 동물의 털에 잘 달라붙고 쉽게 떨어지지 않는 까닭은 무엇일까요?

어휘·어법 다지기

01 **다음 뜻에 알맞은 낱말을 찾아 선으로 이으세요.**

(1) 다른 것을 본뜨거나 본받음. • • ㉠ 결합력

(2) 뾰족하게 내밀거나 도드라짐. • • ㉡ 돌기

(3) 서로 결합하는 힘. 또는 그런 능력. • • ㉢ 모방

02 **다음 문장에 알맞은 낱말을 보기에서 찾아 쓰세요.**

보기

결합력 돌기 모방

(1) 두꺼비의 등에는 둥근 ( )이/가 나 있다.

(2) 잘 떨어지지 않는 물체들은 ( )이/가 강하다고 할 수 있다.

(3) 외국 문화를 ( )하기보다는 우리만의 문화를 만들어 내야 한다.

03 **보기를 읽고 밑줄 친 부분의 종결 표현이 알맞지 않은 것을 고르세요.**

보기

'종결 표현'은 문장을 끝맺을 때 쓰는 표현을 말합니다. 그 종류에는 모두 다섯 가지가 있습니다. 말하는 이는 종결 표현을 통해 자신의 생각을 전달합니다. 아래의 예를 살펴봅시다.

- 평서문: 사실을 전달 예 숙제를 했다.
- 의문문: 상대방에게 대답하라고 요구 예 숙제를 했니?
- 명령문: 상대방에게 어떤 행동을 하라고 요구 예 숙제를 해라.
- 청유문: 상대방에게 무언가를 함께 하자고 권유 예 숙제를 하자.
- 감탄문: 자신의 느낌을 표현 예 숙제를 했구나!

① 평서문: 밥을 먹었다.
② 의문문: 물을 마셨니?
③ 명령문: 손을 씻어라.
④ 청유문: 책을 읽자.
⑤ 감탄문: 심부름을 했니?

33회

▶ 정답과 해설 38쪽

매일 학습 평가	맞은 문제에 표시해 주세요.						맞은 개수
1 제목 ☐	2 세부 내용 ☐	3 세부 내용 ☐	4 세부 내용 ☐	5 추론 ☐	6 적용 ☐	7 글의 구조 ☐	개

미술관에 가 보니 신기한 작품들이 보입니다. ㉠통조림 깡통만 잔뜩 그려 놓은 그림, ㉡만화의 한 장면을 크게 그려 놓은 그림이 보입니다. 또 ㉢사람의 키보다 더 크게 만든 숟가락이 있는가 하면, 천으로 만든 흐물흐물한 삽도 있습니다. 이러한 작품들은 과연 어떤 예술 작품일까요?

이 작품들은 바로 팝 아트(Pop Art)에 속하는 예술 작품입니다. 팝 아트란 대중 예술(Popular Art)을 줄인 말로, 1960년대 미국 뉴욕을 중심으로 일어난 미술의 갈래를 가리킵니다. 여러분들에게 팝 아트라는 •용어가 낯설게 느껴질 수도 있습니다. 하지만 팝 아트는 현대 미술 분야에서 가장 눈에 띄는 장르로, 최근에는 생활 속에서도 팝 아트 작가들의 작품을 쉽게 찾아볼 수 있습니다.

팝 아트의 가장 큰 특징은 작품의 •소재를 일상적인 것에서 찾는다는 것입니다. 팝 아트 작가들은 대중 매체 광고, 만화, 연예인의 사진, 슈퍼마켓의 제품 등 생활 속에서 흔히 눈에 띄는 것들을 작품의 소재로 사용합니다. 덕분에 미술에 •일가견이 있는 전문가가 아닌 일반인들도 어렵지 않게 작품을 감상할 수 있지요.

팝 아트 작품들은 신선한 느낌을 주는 표현 기법으로 사람들의 관심을 끌었습니다. 이러한 팝 아트 작품의 대표적인 작가로는 앤디 워홀이 있지요. 앤디 워홀은 배우 마릴린 먼로의 사진이나 수프 깡통 등 사람들이 생활 속에서 자주 접하는 이미지들을 '실크 스크린'이라는 판화 기법을 사용하여 표현했습니다. 또한 이전의 미술 작품들과는 달리 자신의 작품을 •대량으로 생산했는데, 광고처럼 이미지를 계속해서 반복하기도 했습니다.

또 다른 유명한 팝 아트 작가로는 로이 리히텐슈타인이 있습니다. 리히텐슈타인은 만화의 한 장면을 그대로 확대하여 작품으로 만들었지요. 이는 당시 사람들이 낮은 수준의 문화로 생각하던 만화를 미술 속으로 끌어들여 예술의 •경계를 더욱 넓혔다는 평가를 받고 있습니다. 클래스 올덴버그 역시 빼놓을 수 없는 팝 아트의 •거장입니다. 그는 숟가락, 야구 방망이, 립스틱 등의 물건들을 크게 만들어 사람들이 자주 다니는 공원이나 거리에 설치했지요. 또한, 청소기나 선풍기 등 딱딱한 물건을 부드러운 천으로 만들어 전시하기도 했습니다.

낱말 뜻 풀이

- **용어**: 일정한 분야에서 주로 사용하는 말.
- **소재**: 예술 작품에서 지은이가 말하고자 하는 바를 나타내기 위해 선택하는 재료.
- **일가견**: 어떤 문제에 대하여 독자적인 경지나 체계를 이룬 자기의 의견이나 생각.
- **대량**: 아주 많은 분량이나 수량.
- **경계**: 사물이 어떠한 기준에 의하여 구별하거나 가리는 범위를 나타내는 선.
- **거장**: 예술, 과학 등의 어느 일정 분야에서 특히 뛰어난 사람.

1 이 글에 알맞은 제목을 쓰세요.

제목

[ ] 아트

2 이 글에 대한 설명으로 알맞지 않은 것은 무엇인가요?

전개 방식

① 팝 아트의 특징을 설명하였다.
② 팝 아트 작가들을 설명하였다.
③ 팝 아트라는 용어를 설명하였다.
④ 팝 아트 작품의 가격을 설명하였다.
⑤ 팝 아트 작품의 소재를 설명하였다.

3 이 글의 내용을 바탕으로 ㉠~㉢이 각각 어떤 작가의 작품인지 선으로 이으세요.

적용

(1) 앤디 워홀 • • ㉠
(2) 클래스 올덴버그 • • ㉡
(3) 로이 리히텐슈타인 • • ㉢

4 일반인들도 팝 아트 작품을 어렵지 않게 감상할 수 있는 까닭은 무엇인지 기호를 쓰세요.

세부 내용

㉮ 작품의 크기가 커서 쉽게 볼 수 있기 때문이다.
㉯ 팝 아트 작품에 설명이 자세하게 쓰여 있기 때문이다.
㉰ 평소에 생활 속에서 자주 접하는 것들을 소재로 사용하기 때문이다.

5 이 글을 읽고 팝 아트에 대해 알맞게 반응한 사람은 누구인지 쓰세요.

추론

- 경준: 팝 아트를 미술이라고 할 수는 없겠어.
- 두영: 팝 아트는 작품의 크기가 정해져 있구나.
- 형석: 팝 아트 작가들은 자신들만의 특징을 가지고 있어.

34회 ▶ 정답과 해설 39쪽

6 적용

다음 중 팝 아트 작품이라고 할 수 없는 것은 무엇인가요?

① 「캠벨 수프」: 토마토 수프 깡통을 확대한 그림
② 「톱질하는 톱」: 부드러운 천으로 만든 커다란 톱
③ 「넘버 20」: 물감을 아무렇게나 뿌려 만든 이미지
④ 「무, 물론」: 만화의 한 장면을 그대로 확대한 그림
⑤ 「셔틀콕」: 크게 확대한 배드민턴 공 모양의 조형물

7 글의 구조

이 글의 구조를 생각하며, 빈칸에 알맞은 말을 쓰세요.

미술관의 신기한 작품들

현대 미술에서 가장 눈에 띄는 팝 아트

☐☐ 속에서 소재를 가져오는 팝 아트

팝 아트의 대표적인 ☐☐ 들

생각 글 쓰기

팝 아트의 대표적인 작가 '앤디 워홀'이 작품을 표현할 때 사용한 기법은 무엇인가요?

어휘·어법 다지기

01 **다음 낱말에 알맞은 뜻을 찾아 선으로 이으세요.**

(1) 거장 •
(2) 대량 •
(3) 소재 •

• ㉠ 아주 많은 분량이나 수량.
• ㉡ 예술, 과학 등의 어느 일정 분야에서 특히 뛰어난 사람.
• ㉢ 예술 작품에서 지은이가 말하고자 하는 바를 나타내기 위해 선택하는 재료.

02 **다음 문장에 알맞은 낱말을 보기 에서 찾아 쓰세요.**

보기
거장 소재 일가견

(1) 미술 시간에 다양한 (　　　　)(으)로 작품을 만들었다.
(2) 아버지께서는 요리에 대해서 (　　　　)이/가 있으시다.
(3) 나는 미술 전시회에서 세계적인 (　　　　)의 작품들을 감상하였다.

03 **보기 를 읽고 다음 문장에 알맞은 낱말을 골라 ○표를 하세요.**

보기
'여위다'와 '여의다'
'여위다'는 '몸의 살이 빠져 마르고 핏기가 전혀 없게 되다.', '살림살이가 매우 가난하다.', '빛이나 소리 등이 점점 작아지다.' 등의 뜻이 있습니다. '힘들어서 홀쭉하게 여위다.'와 같이 씁니다. 그리고 '여의다'는 '부모나 사랑하는 사람이 죽어서 이별하다.', '딸을 시집보내다.', '멀리 떠나보내다.' 등의 뜻이 있습니다. '어린 나이에 부모를 여의다.'와 같이 씁니다.

(1) 감기를 앓고 나니 얼굴이 많이 (여위었다 / 여의었다).
(2) 옆집 할아버지는 딸 네 명을 모두 (여위셨다 / 여의셨다).

34회 ▶ 정답과 해설 39쪽

매일 학습 평가	맞은 문제에 표시해 주세요.						맞은 개수
1 제목 ☐	2 전개 방식 ☐	3 적용 ☐	4 세부 내용 ☐	5 추론 ☐	6 적용 ☐	7 글의 구조 ☐	개

스티커를 붙여 주세요

날씨는 예로부터 인간이 *통제할 수 없고 자연에 맡겨야 하는 일로 생각되어 왔습니다. 하지만 이제 이 이야기는 옛말이 될지 모릅니다. 과학 기술의 발달로 이제는 원하는 시기, 원하는 지역에 비를 내리게 할 수 있는 기술인 '*인공 강우' 기술이 개발되었기 때문입니다. 어떻게 이러한 일이 가능해진 것일까요?

이 기술을 알기 위해서는 먼저 구름이 만들어지는 원리를 이해해야 합니다. 햇빛을 받아 뜨거워진 수증기는 *부피가 *팽창하여 가벼워지면서 하늘로 올라가지요. 상승한 수증기는 부피 팽창으로 인해 온도가 낮아져 하늘에서 *응결되고, 이렇게 응결된 수증기들이 모여 물방울이나 얼음 알갱이 상태가 됩니다. 구름은 이렇게 응결된 물방울이나 얼음 알갱이들이 모여 만들어지는 것입니다.

하지만 구름이 만들어진다고 하여 무조건 비가 내리는 것은 아닙니다. 비를 내리는 구름이 되려면 충분한 양의 수증기가 응결되어 빗방울이 될 만큼 모여야 하지요. 비가 내리지 않는 까닭은 이렇게 충분한 양의 물방울이 응결되지 않았기 때문입니다. 그래서 사람들은 충분한 양의 수증기가 응결되도록 '구름씨'라는 것을 만들었습니다.

인공 강우 기술의 핵심은 바로 이 구름씨입니다. 하늘에 비행기를 띄워 사람이 직접 구름씨가 될 수 있는 물질을 뿌리면, 이러한 구름씨를 중심으로 수증기가 인공적으로 모여 비를 내릴 만큼의 충분한 물방울이 응결되지요. 구름씨로 사용되는 물질에는 드라이아이스, 요오드화 은 등이 있습니다.

이러한 인공 강우 기술은 가뭄 등의 물 부족 문제를 해결할 수 있다는 장점이 있습니다. 또한 인공 강우 기술은 미세 먼지가 심한 날에 비를 내리게 하여 대기를 깨끗하게 할 수 있다는 점에서도 *주목받고 있습니다.

그러나 아직 해결해야 할 문제도 많습니다. 인공 강우 기술은 인공적으로 주변의 수증기를 끌어모아 응결시키는 것이므로 한 지역에 비를 내리게 할 수는 있어도 다른 지역에는 심각한 가뭄을 불러일으킬 수 있기 때문입니다. 또한, 현재 기술로는 구름씨를 뿌린다고 해도 인공 강우의 성공률이 매우 낮은 것으로 알려져 있습니다. 따라서 인공 강우 기술이 완전히 *상용화되기 위해서는 앞으로 더 많은 연구가 이루어져야 합니다.

낱말 뜻 풀이

- **통제**: 일정한 방침이나 목적에 따라 행위를 제한하거나 제약함.
- **인공 강우**: 인공적으로 비가 내리게 하는 일.
- **부피**: 넓이와 높이를 가진 물건이 공간에서 차지하는 크기.
- **팽창**: 부풀어서 부피가 커짐.
- **응결**: 온도가 낮아지거나 압축에 의하여 증기의 일부가 액체로 변하는 현상.
- **주목**: 관심을 가지고 주의 깊게 살핌.
- **상용화**: 물품 등이 일상적으로 쓰이게 됨.

1
주제

이 글의 주제는 무엇인가요?

☐☐ ☐☐ 기술의 원리와 장단점

2
세부 내용

이 글의 내용으로 알맞지 <u>않은</u> 것은 무엇인가요?

① 인공 강우 기술은 성공률이 매우 높은 기술이다.
② 뜨거워진 수증기는 부피가 팽창하면서 가벼워진다.
③ 인공 강우 기술이 상용화되기 위해서는 더 많은 연구를 해야 한다.
④ 구름씨로 사용되는 물질에는 드라이아이스, 요오드화 은 등이 있다.
⑤ 구름은 수증기가 물방울이나 얼음 알갱이로 응결되어 만들어진 것이다.

3
요약

구름이 만들어지는 과정의 순서에 맞게 기호를 쓰세요.

㉠ 부피 팽창으로 인하여 수증기의 온도가 낮아진다.
㉡ 물방울이나 얼음 알갱이가 모여 구름이 만들어진다.
㉢ 응결된 수증기가 모여 물방울이나 얼음 알갱이가 된다.
㉣ 수증기가 햇빛을 받아 부피가 팽창하면서 하늘 위로 올라간다.

(　　　) → (　　　) → (　　　) → (　　　)

4
세부 내용

구름이 만들어져도 비가 내리지 않는 까닭은 무엇인지 빈칸에 알맞은 말을 쓰세요.

충분한 양의 수증기가 ☐☐ 되지 않았기 때문이다.

5
세부 내용

인공 강우 기술의 핵심은 무엇인가요?

① 비　② 햇빛　③ 구름씨
④ 수증기　⑤ 얼음 알갱이

35회 ▶ 정답과 해설 41쪽

6

인공 강우 기술에 대한 의견으로 알맞지 않은 것은 무엇인가요?

① 물 부족 문제를 해결하는 데 큰 도움이 되겠어.

② 구름씨를 뿌리면 무조건 비를 내리게 할 수 있어.

③ 미세 먼지가 많은 날 사용하면 하늘이 맑아질 수 있겠어.

④ 비를 내리게 하고 싶은 지역에만 비를 내리게 할 수 있겠어.

⑤ 다른 지역에 가뭄이 들 수 있으니 사용하는 데 주의해야겠어.

7

글의 구조

이 글의 구조를 생각하며, 빈칸에 알맞은 말을 쓰세요.

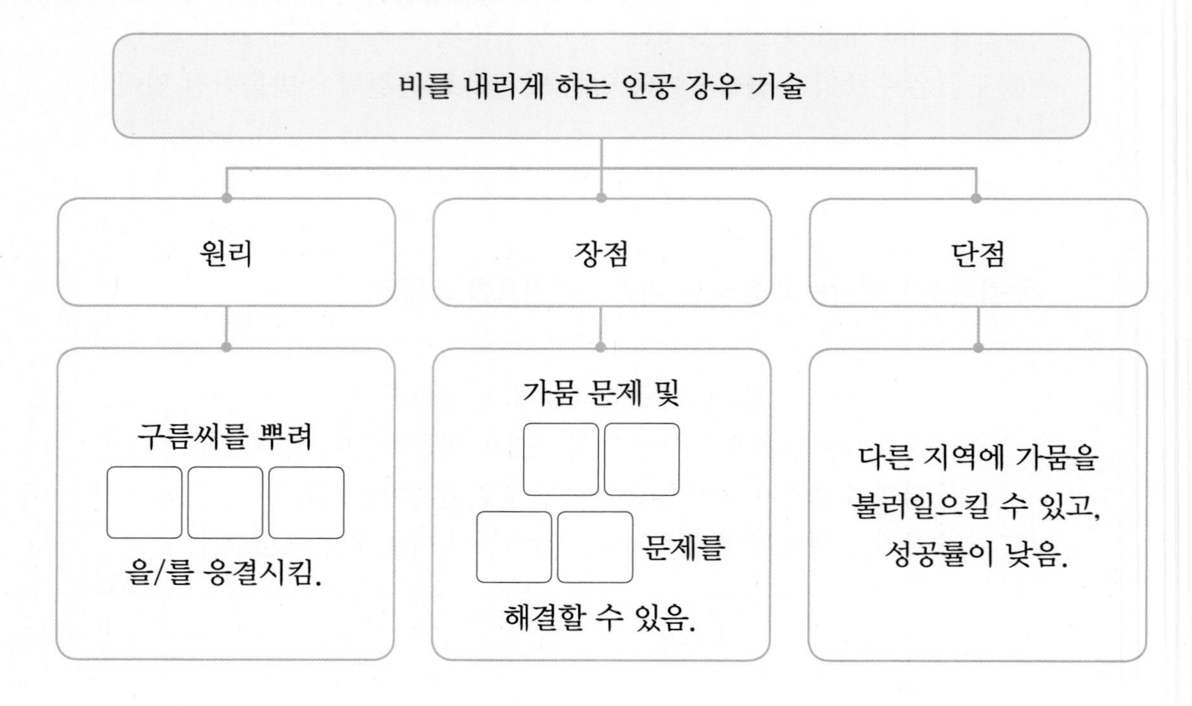

인공 강우 기술이 다른 지역에 가뭄을 불러일으킬 수 있는 까닭은 무엇일까요?

어휘·어법 다지기

01 **다음 낱말에 알맞은 뜻을 찾아 선으로 이으세요.**

(1) 상용화 •　　　　• ㉠ 부풀어서 부피가 커짐.

(2) 주목 •　　　　• ㉡ 관심을 가지고 주의 깊게 살핌.

(3) 팽창 •　　　　• ㉢ 물품 등이 일상적으로 쓰이게 됨.

02 **다음 문장에 알맞은 낱말을 보기에서 찾아 쓰세요.**

보기
주목　　통제　　팽창

(1) 시내에 행사가 있어 교통이 (　　　　)되었다.

(2) 내가 그린 그림이 반에서 (　　　　)을/를 받았다.

(3) 발효된 밀가루 반죽을 그대로 두었더니 크게 (　　　　)하였다.

03 **보기를 읽고 다음 중 올바른 문장에 ○표, 중의적 표현이 쓰여 틀린 문장에 ×표를 하세요.**

보기
'중의적 표현'은 하나의 문장이 둘 이상의 뜻으로 읽히는 것을 말합니다. 중의적 표현은 뜻을 정확하게 전달하지 못할 수 있기 때문에 문장을 끊어 읽을 곳에 반점(,)을 찍거나 문장을 고쳐 쓰는 것이 좋지요. '친구들이 다 오지 않았다.'라는 문장은 친구들이 아무도 오지 않은 것인지 친구들 중 몇 명만 오지 않은 것인지 뜻이 정확하지 않습니다. 따라서 '친구들 중 아무도 오지 않았다.'나 '친구들 중 몇 명이 오지 않았다.'라는 문장으로 고치는 것이 좋습니다.

(1) 나는 과자와 아이스크림을 샀다.　(　　　)

(2) 현우와 보라는 인영이를 좋아한다.　(　　　)

(3) 지영이는 다빈이와 민우에게 줄 선물을 샀다.　(　　　)

35회 ▶ 정답과 해설 41쪽

매일 학습 평가　맞은 문제에 표시해 주세요.

1 주제	2 세부 내용	3 요약	4 세부 내용	5 세부 내용	6 추론	7 글의 구조	맞은 개수
□	□	□	□	□	□	□	개

36회

논설문 | 사회

공부한 날 ( )월 ( )일

우리나라 사람들은 오랫동안 생김새가 서로 비슷하고, 같은 말을 쓰며, 같은 음식을 먹는 사람들끼리 모여 살아왔습니다. 그래서 우리는 옛날부터 '한민족', '우리 민족'과 같은 표현을 자주 사용하였습니다. 하지만 이제는 상황이 조금 달라졌습니다. 다른 나라와의 *왕래가 많아지면서 그만큼 우리 사회의 모습도 달라졌기 때문입니다. 오늘날에는 우리 사회를 구성하는 사람들의 모습이 점점 다양해지고 있습니다. 한국인과 외국인이 결혼한 가정도 늘어나고 있고, 한국에서 생활하며 가정을 꾸린 외국인도 생겼습니다. 이제는 한국에서도 다문화 가정을 흔하게 볼 수 있는 시대가 된 것입니다.

그러나 아직 다문화 가정에 대한 *편견이나 *선입견을 가지고 있는 사람들이 있습니다. 그래서 다문화 가정에 속한 다문화 가족들을 우리나라 사람이 아니라 외국인으로 대하는 일이 *비일비재한데, 이것은 큰 *실례가 될 수 있습니다. 피부색이나 생김새가 다르다고 해서 이미 한국인이 된 사람들을 외국인으로 생각하는 것은 변화한 오늘날의 사회에 어울리지 않는 모습입니다.

우리는 우리의 이웃과 친구를 존중하고 사랑해야 한다고 배웁니다. 우리나라에 살고 있는 다문화 가족들도 모두 우리의 이웃이고 친구입니다. 따라서 우리는 겉모습과 생활 방식이 다르다는 까닭으로 이들에게 편견을 가지면 안 됩니다.

다문화 가족들을 편견 없이 대한다면 이들은 우리의 선생님이 될 수 있습니다. 이들은 우리말뿐 아니라 부모님 나라의 언어도 잘하고, 서로 다른 두 문화를 동시에 이해하고 받아들입니다. 그러므로 우리는 이들에게 새로운 문화와 다른 나라의 언어를 배울 수 있습니다. 이들이 가르쳐 준 문화를 이해하고 존중하는 자세와 언어 능력은 여러 나라와 교류하며 살아가는 오늘날의 사회에서 큰 역할을 할 것입니다.

우리는 다문화 가족들을 *색안경을 끼고 보거나 차별하지 말고 우리의 이웃과 친구로 여겨야 합니다. 우리가 서로의 다양성을 이해하고 서로를 인정하며 힘을 합칠 때 더욱 행복한 사회를 만들 수 있습니다.

낱말 뜻 풀이

- **왕래:** 가고 오고 함.
- **편견:** 공평하고 올바르지 못하고 한쪽으로 치우친 생각.
- **선입견:** 어떤 대상에 대하여 이미 마음속에 가지고 있는 고정적인 관념이나 관점.
- **비일비재:** 같은 현상이나 일이 한두 번이나 한둘이 아니고 많음.
- **실례:** 말이나 행동이 예의에 벗어남.
- **색안경:** 주관이나 선입견에 얽매여 좋지 아니하게 보는 태도를 비유적으로 이르는 말.

1 제목

이 글에 알맞은 제목을 쓰세요.

☐☐☐ 가족은 우리의 이웃

2 세부 내용

이 글의 내용으로 알맞지 않은 것은 무엇인가요?

① 한국에서 다문화 가정을 흔하게 볼 수 있다.
② 다문화 가족들은 우리의 선생님이 될 수 있다.
③ 우리나라와 다른 나라의 교류는 점점 줄어들고 있다.
④ 우리는 서로의 다양성을 인정하고 서로를 이해해야 한다.
⑤ 다문화 가정에 속한 사람들을 외국인으로 생각하는 사람들이 있다.

3 주제

이 글에서 글쓴이가 말하고자 하는 것은 무엇인지 기호를 쓰세요.

㉠ 우리나라는 한민족이다.
㉡ 다문화 가족들은 외국인이다.
㉢ 다문화 가족들은 우리의 이웃이고 친구이다.
㉣ 다문화 가족들에게 새로운 언어를 배워야 한다.

4 추론

글쓴이가 이 글을 읽어야 한다고 생각하는 사람은 누구입니까?

① 외국에서 살고 있는 외국인
② 다문화 가족이 아닌 한국인
③ 한국에서 생활하며 가정을 꾸린 외국인 가정
④ 다문화 가정에 대한 오해와 편견이 없는 외국인
⑤ 한국인과 외국인 사이에서 태어난 다문화 가족들

36회 ▶ 정답과 해설 42쪽

5 이 글의 내용으로 볼 때 보기의 빈칸에 알맞은 말은 무엇인가요?

적용

보기

지훈이의 어머니는 필리핀 사람이고, 아버지는 한국 사람입니다. 어머니에게 필리핀어를 배우면서 한국에서 자란 지훈이는 필리핀어와 한국어를 모두 자유롭게 쓸 수 있습니다. 지훈이는 필리핀 사람과 한국 사람이 만났을 때 의사소통을 도와주는 (   )를 꿈꾸며 열심히 공부하고 있습니다.

① 기술자 ② 통역사 ③ 번역가
④ 요리사 ⑤ 운동 선수

6 이 글의 구조를 생각하며, 빈칸에 알맞은 말을 쓰세요.

글의 구조

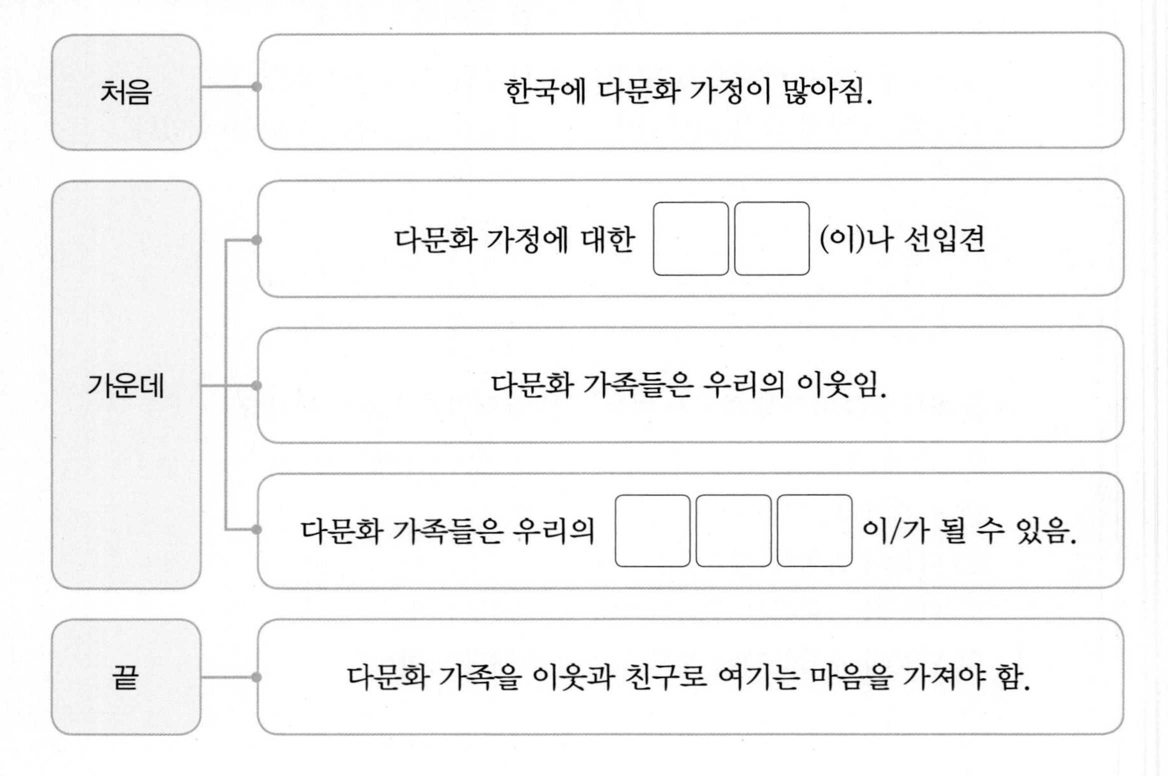

다문화 가족들은 다른 사람들이 자신들을 외국인으로 대할 때 어떤 기분이 들까요?

어휘·어법 다지기

01 **다음 뜻에 알맞은 낱말을 찾아 선으로 이으세요.**

(1) 말이나 행동이 예의에 벗어남. •

(2) 공평하고 올바르지 못하고 한쪽으로 치우친 생각. •

(3) 같은 현상이나 일이 한두 번이나 한둘이 아니고 많음. •

(4) 주관이나 선입견에 얽매여 좋지 아니하게 보는 태도를 비유적으로 이르는 말. •

• ㉠ 비일비재

• ㉡ 색안경

• ㉢ 실례

• ㉣ 편견

02 **다음 문장에 알맞은 낱말을 보기에서 찾아 쓰세요.**

보기

선입견 실례 왕래

(1) 공공장소에서 큰 소리로 통화하는 것은 ( )이다.

(2) 이곳은 교통수단이 잘 되어 있어서 사람들의 ( )이/가 잦다.

(3) 처음 만나는 사람에게 ( )을/를 가지면 진짜 모습을 보기 어렵다.

03 **보기를 읽고 다음 문장에 알맞은 낱말을 골라 ○표를 하세요.**

'노름'과 '놀음'

- **노름**: 돈이나 재물 등을 걸고 주사위, 골패, 마작, 화투, 트럼프 따위를 써서 서로 내기를 하는 일. 예 화투 노름
- **놀음**: ① 여러 사람이 모여서 노는 일. ② 굿, 풍물, 인형극 따위의 우리나라 전통적인 연희를 통틀어 이르는 말. 예 즐거운 놀음 / 꼭두각시 놀음

(1) 그는 (노름 / 놀음)에 빠져서 재산을 다 날렸다.

(2) 친구들과 모여서 오랜만에 딱지 (노름 / 놀음)을 하였다.

매일 학습 평가 맞은 문제에 표시해 주세요.

1 제목	2 세부 내용	3 주제	4 추론	5 적용	6 글의 구조	맞은 개수
□	□	□	□	□	□	개

스티커를 붙여 주세요

36회 ▶ 정답과 해설 42쪽

설명문 | 과학

공부한 날 월 일

옛날부터 사람들은 하늘을 자유롭게 나는 꿈을 꾸었습니다. 그리스 신화에는 팔에 깃털을 붙여 날개를 만들어서 하늘을 나는 다이달로스와 이카로스의 이야기가 나옵니다. 이 이야기에는 새처럼 하늘을 날고 싶은 사람들의 꿈이 *반영된 것이라고 볼 수 있습니다. 어떤 사람들은 이카로스처럼 직접 날개를 만들어 팔에 붙인 뒤 높은 곳에서 뛰어내리기도 했지만, 하늘을 나는 일에 성공한 사람은 없었습니다. 레오나르도 다 빈치는 이러한 방법으로는 하늘을 날 수 없다고 생각했습니다. 그는 최초로 하늘을 나는 일에 과학적으로 접근하였고, 오늘날의 헬리콥터와 비슷하게 생긴 기계도 *설계했습니다. 하지만 결국 하늘을 날지는 못하였습니다.

하늘을 나는 일에 실패한 사람들은 다시 여러 가지 방법으로 하늘을 나는 꿈에 *도전했습니다. 독일의 오토 릴리엔탈을 포함한 많은 사람들은 바람의 힘을 이용하는 글라이더를 만들었습니다. 또한 더운 공기가 차가운 공기보다 가벼운 원리를 이용하여 열기구와 비행선도 만들었습니다. 하지만 이러한 *시도는 사람이 하늘에 잠시 머물 수 있게만 할 뿐, 하늘을 자유롭게 날고 싶어 하는 사람들을 만족시키기에는 부족했습니다. 이 기구들은 오랫동안 날 수 없었고, 속도가 느렸으며, *자유자재로 방향을 바꾸기도 힘들고 무엇보다 위험했기 때문입니다.

1903년 12월 17일, 마침내 미국의 라이트 형제가 비행에 성공했습니다. 그들은 플라이어 1호라는 비행기를 만들고, 엔진의 힘을 통해 하늘을 날았습니다. 이 비행기가 기존의 비행선과 다른 점은 *양력을 이용해 날아올랐다는 것입니다. 비록 3미터 높이로 떠서 12초 동안 36미터를 날아간 것에 불과하지만, 라이트 형제의 비행은 하늘을 나는 꿈을 이루기 위한 역사적인 첫걸음이 되었습니다.

라이트 형제의 시도 이후로 비행기의 발전 속도는 몰라보게 빨라졌습니다. 과학자들은 비행 거리와 속도를 높이기 위해 비행기의 엔진과 날개를 계속해서 *개선했습니다. 두 번의 세계 대전은 비록 슬픈 일이었지만, 각 국가들은 전쟁에서 승리하기 위해 더 좋은 비행기를 계속해서 연구하였기 때문에 비행기가 발전하게 되었습니다. 또한 제트 기관이 발명되면서 비행기의 성능은 한층 더 높아졌습니다. 이렇게 비행기는 점점 발전하며 자유롭게 하늘을 날고 싶어 하던 사람들의 오랜 꿈을 이루어 주었습니다.

낱말 뜻풀이

- **반영**: 다른 것에 영향을 받아 현상이 나타남.
- **설계**: 계획을 세움.
- **도전**: 이미 있던 기록을 고쳐 새롭게 하는 등 맞섬을 비유적으로 이르는 말.
- **시도**: 어떤 것을 이루어 보려고 계획하거나 행동함.
- **자유자재**: 거침없이 자기 마음대로 할 수 있음.
- **양력**: 비행기 날개에 작용하는 힘으로, 비행기가 하늘에 뜰 수 있게 해 주는 힘.
- **개선**: 잘못된 것이나 부족한 것, 나쁜 것 등을 고쳐 더 좋게 만듦.

1

이 글에서 가장 중심이 되는 낱말은 무엇인가요?

① 새　② 깃털　③ 날개
④ 엔진　⑤ 비행기

2

열기구와 비행선으로 하늘을 자유롭게 날 수 없었던 까닭이 아닌 것은 무엇인가요?

① 속도가 느렸다.
② 오랫동안 날 수 없었다.
③ 하늘을 날기에 위험했다.
④ 하늘 높이 올라가지 못했다.
⑤ 자유자재로 방향을 바꾸기가 힘들었다.

3

'플라이어 1호'에 대한 설명으로 알맞지 않은 것은 무엇인가요?

① 한 시간 동안 비행했다.
② 양력을 이용해 날아올랐다.
③ 라이트 형제에 의해 만들어졌다.
④ 엔진의 힘을 통해 하늘을 날았다.
⑤ 하늘을 나는 꿈을 이루기 위한 역사적인 첫걸음이 되었다.

▶ 정답과 해설 43쪽

4

이 글을 읽은 뒤의 생각으로 알맞지 않은 것은 무엇인가요?

① 이카로스를 따라하는 사람도 있었구나.
② 열기구와 비행선을 타는 게 안전하겠구나.
③ 세계 대전 이후로 비행기 기술은 더 발전했겠구나.
④ 라이트 형제가 비행에 성공하여 비행기의 발전 속도가 빨라졌구나.
⑤ 레오나르도 다 빈치는 사람의 팔에 날개를 붙이는 방법으로는 하늘을 날 수 없다는 것을 알았구나.

5 이 글의 내용을 바탕으로 보기 의 빈칸에 알맞은 말을 쓰세요.

적용

보기

풍등은 과거에는 밤에 하늘로 띄워 군사용 신호를 보내는 데 쓰였지만, 현재는 특별한 날 소원을 적어 띄울 때 쓰입니다. 풍등은 더운 공기가 차가운 공기보다 가볍다는 원리를 이용한 것인데, 이와 같은 원리는 이 글에서 설명한 □□□, □□□을/를 띄우는 원리와 같습니다.

6 이 글의 구조를 생각하며, 빈칸에 알맞은 말을 쓰세요.

글의 구조

□□을/를 날고 싶은 사람들의 여러 가지 시도

↓

다양한 방법으로 비행에 도전하였으나 실패한 사람들

↓

비행기를 만들어 비행에 성공한 □□□ □□

↓

점점 발전하는 비행기

그리스 신화에 나오는 다이달로스와 이카로스에 반영된 것은 무엇일까요?

어휘·어법 다지기

01 **다음 뜻에 알맞은 낱말을 찾아 선으로 이으세요.**

(1) 거침없이 자기 마음대로 할 수 있음. •
(2) 다른 것에 영향을 받아 현상이 나타남. •
(3) 어떤 것을 이루어 보려고 계획하거나 행동함. •
(4) 잘못된 것이나 부족한 것, 나쁜 것 등을 고쳐 더 좋게 만듦. •

• ㉠ 개선
• ㉡ 반영
• ㉢ 시도
• ㉣ 자유자재

02 **다음 문장에 알맞은 낱말을 보기 에서 찾아 쓰세요.**

보기
개선 반영 설계

(1) 나는 체질을 (　　　　)하기 위하여 한의원에 갔다.
(2) 이 건물은 지진을 견딜 수 있도록 (　　　　)되었다.
(3) 선생님께서는 태도 점수를 성적에 (　　　　)한다고 하셨다.

03 **보기 를 읽고 다음 문단에서 중심 문장을 고르세요.**

보기
여러 개의 문장이 모여 하나의 생각을 나타내는 것을 문단이라고 합니다. '중심 문장'은 문단 전체 내용을 대표하는 문장이고, '뒷받침 문장'은 중심 문장의 내용을 풀어서 설명하거나 예를 드는 방법 등으로 중심 문장을 도와주는 문장이지요. 아래의 예를 봅시다.

예 **[중심 문장]** 봄에는 여러 가지 꽃이 핍니다. **[뒷받침 문장]** 노오란 개나리가 핍니다. 그리고 분홍색 진달래도 핍니다.

• ① 장승은 나무나 돌에 사람의 얼굴을 조각한 푯말입니다. ② 장승 중에는 우스꽝스러운 얼굴을 한 장승이 있습니다. ③ 그리고 할아버지처럼 친근한 얼굴을 한 것도 있고, 도깨비처럼 무서운 얼굴을 한 것도 있습니다.

37회

▶ 정답과 해설 43쪽

매일 학습 평가	맞은 문제에 표시해 주세요.					맞은 개수	
1 핵심어 ☐	2 세부 내용 ☐	3 세부 내용 ☐	4 추론 ☐	5 적용 ☐	6 글의 구조 ☐	개	스티커를 붙여 주세요

지하 주차장

지하 주차장으로
차 가지러 내려간 아빠
*한참 만에
차 몰고 나와 한다는 말이

내려가고 내려가고 또 내려갔는데 글쎄, 계속 지하로 계단이 있는 거야! 그러다 아이쿠, 발을 헛디뎠는데 아아아…… 이상한 나라의 앨리스처럼 깊은 동굴 속으로 끝없이 떨어지지 않겠니? 정신을 차려 보니까 *호빗이 사는 마을이었어. 호박처럼 생긴 집들이 *미로처럼 뒤엉켜 있는데 갑자기 흰머리 간달프가 나타나 말하더구나. 이 새 자동차가 네 자동차냐? 내가 말했지. 아닙니다, 제 자동차는 10년 다 된 *고물 자동차입니다. 오호, *정직한 사람이구나. 이 새 자동차를…….

에이, 아빠!
차 어디에 세워 놨는지 몰라서 그랬죠?
차 찾느라
온 지하 주차장 *헤매고 다닌 거
다 알아요.
㉠ 피이!

– 김현욱

낱말 뜻 풀이

- **한참**: 시간이 상당히 지나는 동안.
- **호빗**: 소설과 영화인 '반지의 제왕'에 나오는 난쟁이 종족.
- **미로**: 어지럽게 갈래가 져서 한번 들어가면 다시 빠져나오기 어려운 길.
- **고물**: 오래되거나 많이 써서 낡은 물건.
- **정직**: 마음에 거짓이나 꾸밈이 없이 바르고 곧음.
- **헤매고**: 갈 바를 몰라 이리저리 돌아다니고.

1

소재

이 시에 사용된 글감이 아닌 것은 무엇인가요?

① 계단　　② 아빠　　③ 열쇠
④ 자동차　　⑤ 지하 주차장

2

표현

이 시에 대한 설명으로 알맞지 않은 것은 무엇인가요?

① 각 연의 길이가 모두 같다.
② 말하는 이의 생각이 나타나 있다.
③ 말하는 이 외에 다른 인물이 등장한다.
④ 2, 3연은 인물이 하는 말로 이루어져 있다.
⑤ 서로 대화하는 형식으로 사건을 이야기하고 있다.

3

아빠가 말한 내용과 다른 것은 무엇인가요?

① 동굴 속으로 떨어졌다.
② 간달프가 자동차를 찾아 주었다.
③ 계단을 내려가다가 발을 헛디뎠다.
④ 아무리 내려가도 계단이 계속해서 있었다.
⑤ 호박처럼 생긴 집들이 있는 마을에서 정신을 차렸다.

4

인물

2연에서 알 수 있는 아빠의 성격으로 알맞은 것은 무엇인가요?

① 솔직하다　　② 엄격하다　　③ 유쾌하다
④ 진지하다　　⑤ 친절하다

38회 ▶정답과 해설 45쪽

5

감상

이 시를 읽고 떠올린 생각으로 알맞은 것은 무엇인지 기호를 쓰세요.

㉮ 아빠는 결국 차를 찾았구나.
㉯ 아빠는 새 차를 가지고 나왔겠구나.
㉰ 말하는 이는 아빠의 말을 모두 믿고 있구나.
㉱ 말하는 이와 아빠가 대화하는 장소는 지하 주차장이구나.

6

추론

보기는 말하는 이가 ㉠과 같이 말한 까닭을 상상하여 쓴 것입니다. 빈칸에 들어갈 말로 알맞은 것은 무엇인가요?

아빠는 지하 주차장에 차를 가지러 갔다 올테니 조금만 기다리라고 말했다. 하지만 한참 만에 차를 가지고 왔다. 오랫동안 기다렸더니 아빠가 하는 말은 호빗이 사는 마을에 다녀왔다는 거짓말이었다. 나는 ______________________

① 아빠를 사랑한다.
② 아빠의 말에 슬퍼졌다.
③ 아빠의 말을 믿기로 했다.
④ 아빠의 말이 어이가 없었다.
⑤ 아빠의 말에 정말 많이 화났다.

아빠가 지하 주차장에서 길을 헤맸다고 하지 않고 2연과 같이 말한 까닭은 무엇일까요?

어휘·어법 다지기

01 **다음 낱말에 알맞은 뜻을 찾아 선으로 이으세요.**

(1) 고물 •　　　　• ㉠ 시간이 상당히 지나는 동안.

(2) 미로 •　　　　• ㉡ 오래되거나 많이 써서 낡은 물건.

(3) 정직 •　　　　• ㉢ 마음에 거짓이나 꾸밈이 없이 바르고 곧음.

(4) 한참 •　　　　• ㉣ 어지럽게 갈래가 져서 한번 들어가면 다시 빠져나오기 어려운 길.

02 **다음 문장에 알맞은 낱말을 보기에서 찾아 쓰세요.**

보기: 고물　　미로　　한참

(1) 내 차례가 올 때까지 (　　　　) 동안 기다렸다.

(2) 그 골목은 (　　　　) 같아서 빠져나오기 어려웠다.

(3) 친구가 오래된 컴퓨터를 보고 (　　　　)(이)라고 하였다.

03 **보기를 읽고 다음 중 밑줄 친 부분의 맞춤법이 잘못된 문장을 고르세요.**

보기

'-ㄹ게'와 '-ㄹ께'

'학교로 갈게.'와 '학교로 갈께.' 중에서 맞는 것은 무엇일까요? 바로 '학교로 갈게.' 입니다. 어떤 행동을 할 것을 약속하는 뜻으로 쓰이는 말은 '-ㄹ게'이기 때문입니다. '-ㄹ게'는 이외에도 '내가 전달해 줄게.', '내가 다시 연락할게.'처럼 쓰입니다. 이 표현은 말하는 사람이 나 자신일 때만 쓸 수 있답니다.

① 내가 도와줄게.
② 진희와 같이 할께요.
③ 할머니께 가져다 드릴게요.
④ 조금 이따가 먹을게요.
⑤ 이것만 다 끝내고 자러 갈게요.

매일 학습 평가	맞은 문제에 표시해 주세요.					맞은 개수
1 소재 ☐	2 표현 ☐	3 세부 내용 ☐	4 인물 ☐	5 감상 ☐	6 추론 ☐	개

스티커를 붙여 주세요

38회 ▶ 정답과 해설 45쪽

39회

문학 | 동화

공부한 날 (　　)월 (　　)일

까만 비단에 노오란 금단추를 총총히 박아 놓은 것 같은 하늘이 참 아름다워.

•초저녁잠이 많은 할머니는 꿈나라로 여행 가신 지 오래되었지. 밤이 깊은데 귀뚜라미 녀석은 피곤하지도 않은지 '귀뚜르르 귀뚜르' 쉬지 않고 노래를 하네.

난 잠이 오지 않았어. 으슬으슬 추위가 다가오니 괜스레 •허전한 마음이 들어 그런가 봐. 나이를 먹으면 뼛속까지 스미는 추위가 호랑이보다 무섭거든.

내가 '아함' 하품을 하며 턱을 괴고 엎드릴 때였어. 무언가가 마당에서 얼핏 움직이는 것 같은 느낌이 들지 뭐야. 순간 머릿속에 '번쩍' 하고 번갯불처럼 지나가는 느낌 같은 것이 있었어.

'기분이 별로군. 좋지 않은 일 같아.'

아니나 다를까? 또렷하진 않았지만 검은 물체 같은 것이 할머니의 방 쪽으로 움직이고 있는 것 같았어. 나는 •밤손님이 분명하다 싶어 총알처럼 뛰어나가 "누구얏! 게 섰거라."라고 소리쳤지.

그런데 몇 발자국 못 가서 멈추고 말았어. 어제 할머니가 •텃밭에 벌레약을 치느라 내 목줄을 매어 놓았기 때문이야. 내가 독한 약 묻은 것에 입을 댈까 봐 가끔 그러시거든.

검은 그림자는 도둑고양이처럼 살금살금 방으로 들어갔어. 나는 제자리에서 길길이 뛰며 악을 썼어.

㉠ "도둑이유! 할매, 도, 도둑놈이 들어간당께유."

내 소리를 들었으면 할머니가 깨었겠지? 그런데 할머니는 못 듣고 콜콜 주무시고 계셨어. 할머니 귀가 어둡냐고? 아니야. 얼마 전부터 내 목소리에 이상이 생겼거든. 아무리 폼나게 짖으려고 해도 '끄응' 하고 똥 눌 때 힘쓰는 소리밖에 안 나오는 거야. 개가 하는 일은 도둑을 잡는 것인데 난 도둑을 못 잡으니 있으나 마나 한 게지 뭐.

이튿날 이른 아침, 할머니가 방문을 왈칵 열어젖히고 나왔어.

"수, 순돌아, 밤에 도둑이 왔다 갔다. 너도 몰랐냐? 시상에……. •촌구석에 혼자 사는 노인네 집에서 가져갈 게 뭐가 있다고 여길 오는 거여. 쯧쯧."

난 꼬리를 내리고 엎드리며 말했어.

"할머니 죄송해유. 그놈을 보고 •호통을 쳤는데 내 말을 안 듣잖아유."

– 강용숙, 「가끔은 쓸 데가 있지」

낱말 뜻 풀이

- **초저녁잠:** 날이 어두워진 지 얼마 되지 않은 때 일찍이 드는 잠.
- **허전한:** 주위에 아무것도 없어서 공허한 느낌이 있는 .
- **밤손님:** '밤도둑'을 이르는 말.
- **텃밭:** 집터에 딸리거나 집 가까이 있는 밭.
- **촌구석:** 도시에서 멀리 떨어진 시골의 구석진 곳.
- **호통:** 몹시 화가 나서 크게 소리 지르거나 꾸짖음. 또는 그 소리.

1 배경

이 글의 배경으로 알맞은 곳은 어디인가요?

① 도시　② 병원　③ 하늘
④ 시골 마을　⑤ 학교 운동장

2 세부 내용

이 글의 내용으로 알맞지 않은 것은 무엇인가요?

① 할머니는 일찍 잠들었다.
② '나'는 잠을 자고 있지 않았다.
③ '나'의 목소리에는 문제가 있다.
④ 할머니는 '나'의 소리를 듣고 잠에서 깨었다.
⑤ 할머니는 도둑이 왔다 간 것을 아침에 알았다.

3 인물

㉠에서 알 수 있는 '나'의 마음으로 가장 알맞은 것은 무엇인가요?

① 설렘　② 귀찮음　③ 다급함
④ 즐거움　⑤ 행복함

4 추론

이 글의 내용을 바탕으로 빈칸에 알맞은 말을 쓰세요.

이 글에 등장하는 '나'는 사람이라고 볼 수 없다. 이 글에서 '나'가 마당을 지키고 목줄이 매어져 있으며 꼬리를 내리는 장면을 통해 생각해 볼 때, '나'는 사람이 아니라 ☐ (이)라는 것을 알 수 있다.

39회 ▶ 정답과 해설 46쪽

5 이 글의 '나'에 대한 설명으로 알맞지 않은 것의 기호를 쓰세요.

㉮ '나'는 이야기의 주인공으로 등장한다.
㉯ '나'는 꿈에서 본 것을 이야기하고 있다.
㉰ '나'는 어떤 사건이 일어날 것이라는 느낌을 받았다.
㉱ '나'는 일어난 사건을 시간 순서대로 이야기하고 있다.

6 이 글의 흐름을 생각하며, 빈칸에 알맞은 말을 쓰세요.

깊은 밤 마당에서 무언가가 얼핏 움직이는 것 같은 느낌이 듦.

검은 물체 같은 것이 할머니 방 쪽으로 움직이는 것을 봄.

☐☐☐에 이상이 생겨 할머니를 깨우지 못함.

할머니가 ☐☐이/가 왔다 갔다고 이야기함.

할머니에게 죄송함.

생각 글 쓰기

할머니가 순돌이에게 도둑이 든 것을 몰랐냐고 물었을 때 순돌이의 기분은 어땠을까요?

어휘·어법 다지기

01 다음 낱말에 알맞은 뜻을 찾아 선으로 이으세요.

(1) 초저녁잠 • • ㉠ 집터에 딸리거나 집 가까이 있는 밭.

(2) 촌구석 • • ㉡ 도시에서 멀리 떨어진 시골의 구석진 곳.

(3) 텃밭 • • ㉢ 날이 어두워진 지 얼마 되지 않은 때 일찍이 드는 잠.

02 다음 문장에 알맞은 낱말을 보기에서 찾아 쓰세요.

보기
텃밭 호통 허전

(1) 옷에 주머니가 없으니 ( )하다.

(2) 할아버지의 ( )에 동생이 울었다.

(3) 아버지께서는 ( )에 고구마를 심으셨다.

03 보기를 읽고 다음 문장을 알맞게 이어 주는 말에 ○표를 하세요.

우리말에는 두 문장을 '이어 주는 말'이 있습니다. 이어 주는 말 중에서 '-고, -(으)나, -어서'는 다른 낱말에 붙어서 문장의 내용을 연결합니다. 아래의 예에서 이어 주는 말의 쓰임새를 확인해 봅시다.

예 밭을 먹고 학교에 갔다. = 밥을 먹은 다음 학교에 갔다.
목이 말랐으나 물이 없었다. = 목이 말랐다. 그러나 물이 없었다.
힘이 들어서 의자에 앉아 쉬었다. = 힘이 들었기 때문에 의자에 앉아 쉬었다.

(1) 오래 (뛰고 / 뛰었으나 / 뛰어서) 다리가 아팠다.

(2) 숙제를 (하고 / 하였으나 / 하여서) 친구와 놀았다.

(3) 바다에 (갔고 / 갔으나 / 가서) 물에는 들어가지 않았다.

39회 ▶ 정답과 해설 46쪽

매일 학습 평가	맞은 문제에 표시해 주세요.					맞은 개수
1 배경 ☐	2 세부 내용 ☐	3 인물 ☐	4 추론 ☐	5 화자 ☐	6 글의 구조 ☐	개

스티커를 붙여 두세요

옛날에 *문둥병이라면 지금보다 더 무서웠단다. 병이 옮는다고 병든 사람을 저 깊은 산 속에다가 두고 한 달에 한 번 정도 먹을 것을, 중간에 정한 곳에다가 가져다 두면 *병자가 찾아가서 먹고 외롭게 혼자 살았대.

옛날에 옛날에 어떤 사람이 시집을 가서 재미있게 살았어. 깨가 쏟아지게 잘 살다가 그만 덜컥 남편이 문둥병에 걸려 버렸네. 같이 살 수가 있어야지. 안 떨어질래도 안 돼. 약이란 약은 다 써 봐도 안 돼. 그래서 부인은

"우리 남편 병 낫게 해 줍소사."

하고 매일 빌었어.

한없이 빌던 어느 날, 중 하나가 찾아왔어.

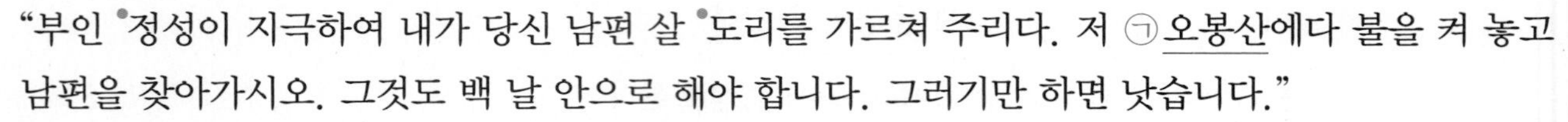

"부인 *정성이 지극하여 내가 당신 남편 살 *도리를 가르쳐 주리다. 저 ㉠ 오봉산에다 불을 켜 놓고 남편을 찾아가시오. 그것도 백 날 안으로 해야 합니다. 그러기만 하면 낫습니다."

그러니 부인의 귀가 번쩍 뜨일 것 아니겠는가?

"스님 스님, 오봉산은 어디 있는가요?"

"멀다면 멀고 가깝다면 가까운 데 있소이다. 그것은 부인이 찾아야 합니다."

그래서 찾아 나섰는데, 아무리 찾아다녀도 오봉산이란 곳은 없어. 조선 팔도 다 다녀도 삼봉산은 있는데 오봉산은 없어. 백 날은 빠작빠작 다가오고, 그러다가 내일이면 백 날이 되는 날에,

"그래 이왕 죽을 바에는 남편 옆에 가서 죽어 버리자." / 하고 찾아갔어.

가다 보니 백 날째가 되었는데 아직 해가 있어서 어서어서 갔지. 그러다가 *해질녘이 되었어. 해가 넘어가기 전에 남편 옆을 가야 되는데, 남편이 있는 *암자 근처에 가서 그만 쓰러졌어. 조금 남았는데, 조금만 더 가면 죽어도 같이 죽을 수 있는데, 인제 더 못 가겠어. 해는 사정없이 넘어가려고 그래. 그래 하도 안타까워서 그 해 보고 제발 넘어가지 마라고 손을 내젓고, 해를 잡아당기려고 손가락을 쫙 폈어. 해 넘어가려면 서쪽 하늘도 붉고 해도 붉지 않아? 그런데 자기 손가락 다섯 개가, 이제 보니까 오봉산이여.

"아! 내 손가락이 오봉산이구나!"

그래 당장 기름하고 성냥하고 불을 켜서, 손가락 다섯에다가 불을 댕겨 가지고 기운을 내서 암자를 찾아갔어. 오봉산에 불붙이려고 항상 불씨는 가지고 다녔지. 그래 남편 있는 암자를 찾아가니까 남편이 목욕을 하다가 나오는데, 그 순간에 병이 싹 나았대. 그냥 좋아 죽겠지.

그래서 동네 내려와서 아들딸 낳고 잘 살았대.

–「오봉산의 불」

낱말 뜻 풀이

- **문둥병**: 나병균에 의하여 감염되는 만성 전염병을 낮게 이르는 말.
- **병자**: 병을 앓고 있는 사람.
- **정성**: 온갖 힘을 다하려는 참되고 성실한 마음.
- **도리**: 어떤 일을 해 나갈 방법과 길.
- **해질녘**: 해가 질 무렵.
- **암자**: 도를 닦기 위하여 만든 자그마한 집.

1

이 글의 중심이 되는 글감이 무엇인지 쓰세요.

2

이 글에 대한 설명으로 알맞은 것은 무엇인가요?

① 높임말을 사용하여 이야기하고 있다.
② 간단하게 중요한 낱말만 이야기하고 있다.
③ 친한 친구에게 말하듯이 이야기하고 있다.
④ 글쓴이가 직접 겪은 일을 이야기하고 있다.
⑤ 긴장감을 높이기 위해 잠시 멈추었다가 이야기하고 있다.

3

이 글의 내용으로 알맞지 않은 것은 무엇인가요?

① 부인의 남편은 문둥병에 걸렸다.
② 부인은 남편을 만나서 슬퍼하다가 쓰러졌다.
③ 부인은 스님이 말한 산을 찾기 위해 돌아다녔다.
④ 부인은 백 날이 되기 전에 남편에게 가려고 하였다.
⑤ 부인은 해가 넘어가는 것을 보다가 오봉산이 무엇인지 깨달았다.

4

㉠에 대한 설명으로 알맞지 않은 것은 무엇인가요?

① 부인이 마침내 찾게 된다.
② 부인이 직접 찾아야 한다.
③ 너무 높아서 절대 오를 수 없다.
④ 불을 붙여야 남편의 병을 고칠 수 있다.
⑤ 멀다면 멀고, 가깝다면 가까운 곳에 있다.

40회 ▶ 정답과 해설 47쪽

5 이 글을 읽고 알맞지 않은 말을 한 사람은 누구인지 쓰세요.

- 나희: 남편을 사랑하는 부인의 마음이 많이 느껴져.
- 도진: 부인은 처음부터 오봉산이 어디 있는지 알고 있었을 거야.
- 주영: 시작 부분을 보면 아주 오래 전의 이야기라는 것을 알 수 있어.

6 이 글의 흐름을 생각하며, 빈칸에 알맞은 말을 쓰세요.

글의 구조

남편이 □□□에 걸려 부인이 병이 낫기를 빌었음.

□이/가 병이 낫는 방법을 알려 줌.

오봉산을 찾지 못하고 남편이 있는 암자 근처에 가서 쓰러짐.

오봉산의 정체를 알고 손에 □을/를 붙여 남편에게 감.

남편의 병이 낫고 둘은 아들딸을 낳고 잘 살았음.

생각 글 쓰기

부인이 백 날 동안 오봉산을 찾아다닐 수 있었던 까닭은 무엇일까요?

어휘·어법 다지기

01 **다음 뜻에 알맞은 낱말을 찾아 선으로 이으세요.**

(1) 해가 질 무렵. • 　　　　• ㉠ 도리

(2) 어떤 일을 해 나갈 방법과 길. • 　　　　• ㉡ 암자

(3) 도를 닦기 위하여 만든 자그마한 집. • 　　　　• ㉢ 정성

(4) 온갖 힘을 다하려는 참되고 성실한 마음. • 　　　　• ㉣ 해질녘

02 **다음 문장에 알맞은 낱말을 보기 에서 찾아 쓰세요.**

보기

도리　　병자　　암자　　해질녘

(1) 깊은 산속에 작은 (　　　　)이/가 있다.

(2) 바다에서 보는 (　　　　)의 노을은 정말 멋있다.

(3) 선생님의 도움을 받지 않을 (　　　　)이/가 없었다.

(4) 그 의사 선생님은 가난한 (　　　　)을/를 무료로 치료해 주신다.

03 **보기 를 읽고 다음 문장에 알맞은 낱말을 골라 ○표를 하세요.**

보기

'현상'과 '형상'

'현상'은 '인간이 지각할 수 있는, 사물의 모양과 상태.'를 뜻합니다. 예를 들면, '열대야 현상', '이상 기후 현상'과 같이 씁니다. '형상'은 '사물의 생긴 모양이나 상태.', '마음과 감각에 의하여 떠오르는 대상의 모습을 떠올리거나 표현함.'을 뜻합니다. 예를 들면 '바위의 형상이 손가락 같다.', '거울에 비친 형상'과 같이 씁니다.

(1) 도시로 인구 집중 (현상 / 형상)이 일어나고 있다.

(2) 피부 노화 (현상 / 형상)을 막기 위해 노력하고 있다.

(3) 전시회에서 호랑이 (현상 / 형상)을 한 조각을 보았다.

40회 ▶ 정답과 해설 47쪽

매일 학습 평가	맞은 문제에 표시해 주세요.					맞은 개수
1 소재 ☐	2 전개 방식 ☐	3 세부 내용 ☐	4 세부 내용 ☐	5 추론 ☐	6 글의 구조 ☐	개

memo

2022 수능 개편 → 비문학 독서 강화 → 독해력 훈련 필수

초등 국어

4

[정답과 해설]

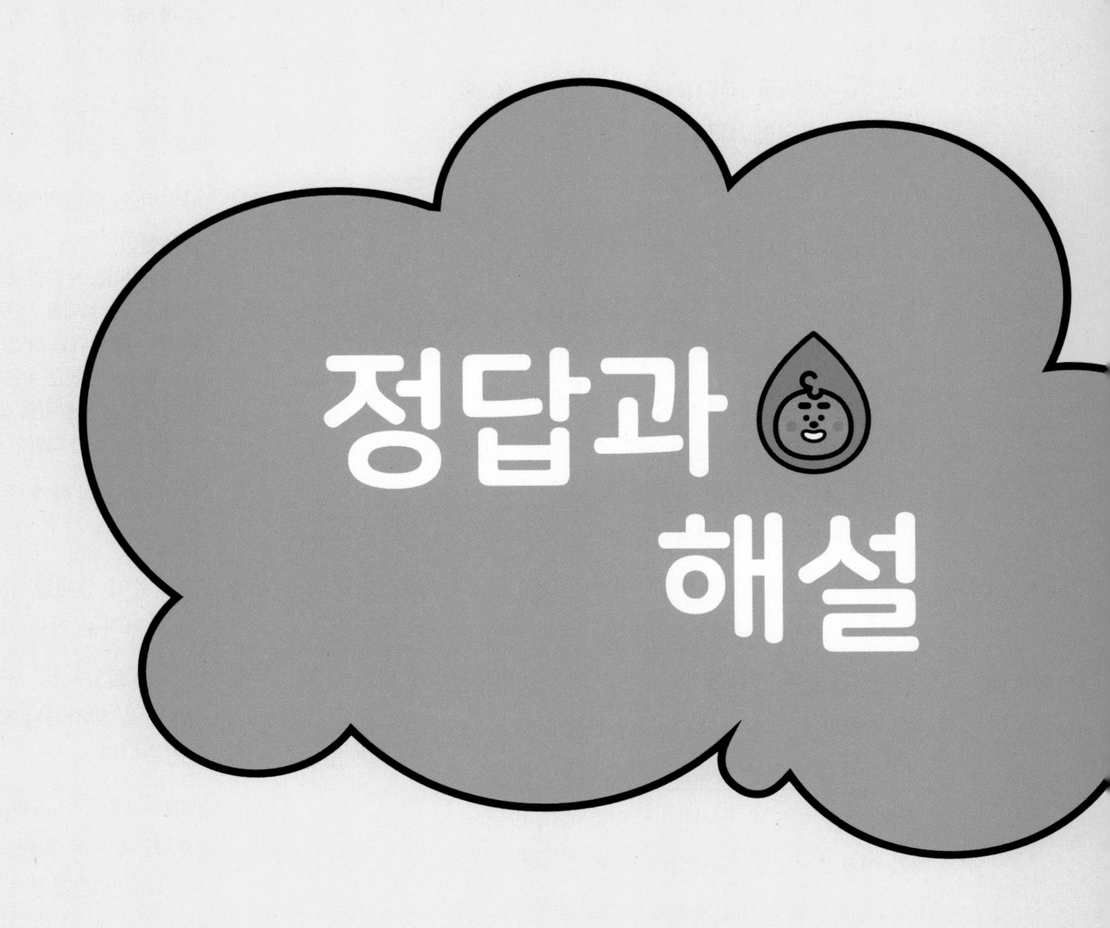
정답과 해설

동물들이 내는 다양한 소리

▶ 본문 10~13쪽

1① 2② 3③ 4① 5초음파 6③ 7소리, 성대, 초음파, 의사소통

어휘·어법 다지기 01 (1)-㉠ (2)-㉣ (3)-㉡ (4)-㉢ 02 (1) 한정 (2) 성대 (3) 위협 03 (1) 바 (2) 데

지구에는 사람을 비롯하여 수많은 동물들이 살고 있습니다. 놀라운 사실은 그 동물들이 내는 소리가 전부 다르다는 것입니다. 어떻게 동물들은 저마다 다른 소리를 낼 수 있을까요?

▶동물마다 서로 다른 소리 내는 방법

㉠우리에게 친숙한 개나 닭은 사람처럼 성대를 울려서 소리를 냅니다.(3번의 근거) ㉡하지만 이들은 사람과 달리 다양한 소리를 낼 수는 없습니다. 한정된 소리만 낼 수 있지요. ㉢그 까닭은 성대와 입, 혀의 생김새가 사람의 것과 구조적으로 다르기 때문입니다.(2번, 3번의 근거) ㉣성대로 여러 가지 소리를 낼 수 있는 사람은 다른 사람과 대화하기, 노래 부르기를 비롯한 다양한 목적으로 소리를 냅니다. ㉤하지만 개와 닭들은 서로를 부르거나 상대방을 위협할 목적으로만 소리를 냅니다.

▶성대를 울려서 소리를 내는 개와 닭

곤충들은 어떻게 소리를 낼까요? 귀뚜라미는 한 쌍의 날개를 이용하여 소리를 냅니다.(3번의 근거) 귀뚜라미의 한쪽 날개에는 참빗처럼 생긴 줄들이 촘촘히 나 있는데, 그 줄을 반대쪽 날개로 비벼서 소리를 낸다고 합니다. 바이올린을 켜는 원리와 같다고 볼 수 있지요. 신기한 사실은 귀뚜라미는 수컷만 울음소리를 낼 수 있고, 암컷은 소리를 내지 못한다는 점입니다.(2번, 6번의 근거) 밤마다 듣는 귀뚜라미 소리는 모두 수컷의 울음소리인 것이지요.

▶날개를 비벼서 소리를 내는 귀뚜라미

사람이 들을 수 없는 소리를 내는 동물들도 있습니다. 바로 박쥐와 돌고래입니다. 박쥐와 돌고래는 사람이 들을 수 없는 소리인 초음파를 사용하는데,(2번, 5번의 근거) 이러한 초음파가 물체에 부딪혔다가 돌아오는 것을 이용하여 장애물을 피하거나 먹잇감의 위치를 파악하고 사냥을 합니다. 특히 박쥐는 반사되어 돌아오는 소리를 잘 듣고자 귀가 크게 발달했답니다.(3번의 근거)

▶사람이 들을 수 없는 초음파를 사용하여 소리를 내는 박쥐와 돌고래

이와 같이 동물들은 성대나 날개 등으로 소리를 내기도 하고, 사람이 듣지 못하는 소리를 내기도 합니다. 그 밖에도 고릴라처럼 물체를 두드려서 소리를 내거나,(2번의 근거) 비버처럼 꼬리로 물을 내리쳐서 소리를 내는 동물도 있습다. 이처럼 동물들은 다양한 방법으로 소리를 내면서 의사소통을 하고 있습니다.

▶동물들은 다양한 방법으로 소리를 내면서 의사소통함.

이렇게 지도해 주세요! 이 글은 다양한 동물들이 내는 서로 다른 소리에 대해서 설명한 글입니다. 서로 다른 동물들이 저마다 어떤 소리를 내는지, 소리의 특징은 무엇인지 이해하면서 읽도록 지도해 주세요.

• **주제** 동물들이 내는 다양한 소리와 그 특징

1 이 글은 다양한 동물들이 내는 서로 다른 소리와 그 특징을 설명한 글입니다.

2 고릴라는 주변의 물체를 두드려서 소리를 낸다고 하였습니다.

오답 **풀이**
① 귀뚜라미는 수컷만 소리를 낼 수 있다고 하였습니다.
③ 돌고래는 성대를 사용하여 소리를 내지 않으며, 사람이 듣지 못하는 초음파를 사용한다고 하였습니다.
④ 박쥐가 사용하는 초음파는 사람이 들을 수 없는 소리입니다.
⑤ 개와 닭은 사람처럼 성대를 가지고 있지만, 사람의 것과 구조가 다르기 때문에 사람처럼 다양한 소리를 내지는 못한다고 하였습니다.

3 이 글에서 박쥐가 초음파를 발생시키는 방법은 설명하지 않았습니다.

4 개와 닭이 성대를 이용해서 소리를 낸다는 것이 중심 문장이며, 나머지는 이를 보충하는 뒷받침 문장입니다.

5 박쥐와 돌고래는 사람이 들을 수 없는 '초음파'를 사용하여 장애물을 피하거나 먹잇감의 위치를 파악하고 사냥을 한다고 하였습니다.

6 **보기**는 매미가 소리 내는 과정을 설명하면서 수컷만 공기주머니를 가지고 있어 소리를 낼 수 있다고 하였습니다. 그러므로 이 글과 **보기**를 통해 귀뚜라미와 매미는 수컷만 소리를 낸다는 사실을 알 수 있습니다.

7 이 글은 동물마다 서로 다른 '소리' 내는 방법을 설명하고 있습니다. 개와 닭은 '성대'를 울려서 소리를 내고, 박쥐와 돌고래는 '초음파'를 사용하여 소리를 낸다고 하였습니다. 이처럼 동물들은 다양한 방법으로 소리를 내면서 '의사소통'한다고 하였습니다.

생각 글 쓰기

◆예시 **답안** 개와 닭의 성대와 입, 혀의 생김새가 사람의 것과 구조적으로 다르기 때문이다.

이렇게 지도해 주세요! 개와 닭의 성대와 입, 혀의 생김새는 사람의 것과 구조적으로 다르기 때문에 다양한 소리를 내지 못한다고 하였습니다. 개나 닭과 사람이 소리를 낼 때의 공통점과 차이점을 이해할 수 있도록 지도해 주세요.

어법 다지기

03 (1) '바'는 '앞에서 말한 내용 그 자체나 일 등.'을 나타내는 의존 명사로, '느낀'의 꾸밈을 받습니다.
(2) '데'는 '일'이나 '것'의 뜻을 나타내는 의존 명사로, '읽는'의 꾸밈을 받습니다.

늙어 가는 우리나라

▶ 본문 14~17쪽

1 저출산, 고령화 2 ③ 3 ④ 4 ④ 5 실버 6 희철 7 저출산, 노인, 함께

어휘·어법 다지기 01 (1)-㉢ (2)-㉠ (3)-㉣ (4)-㉡ 02 (1) 시행 (2) 부양 (3) 폐교 03 (1) 로서 (2) 로써

오늘날 우리 사회의 가장 큰 문제점은 저출산과 인구의 고령화입니다. 저출산은 태어나는 아이의 수가 점점 줄어드는 현상을 말하고, 고령화는 전체 인구에서 노인 인구가 차지하는 비율이 높아지는 현상을 말합니다. (2번의 근거)
▶오늘날 우리 사회의 가장 큰 문제점인 저출산과 고령화

저출산으로 인해 학교에서는 예전보다 한 학급당 학생 수가 크게 줄었습니다. (3번의 근거) 또한 학생이 모이지 않아 폐교하는 학교가 늘고 있습니다. (4번의 근거) 산부인과 등 출산을 도와주는 병원 수도 줄어들고 있습니다. 어린이를 위한 책, 옷, 학원을 만드는 어린이 관련 산업 역시 점차 그 규모가 축소되고 있습니다. (2번, 4번의 근거) 하지만 출산은 국가가 국민에게 강요할 수 없는 일이기 때문에 (6번의 근거) 저출산 문제는 해결하기가 쉽지 않은 상황입니다.
▶저출산으로 인한 사회 변화

반면 고령화로 인해 노인 관련 산업은 그 규모가 커지고 있습니다. 몸이 아픈 노인이 많아지면서 노인 전문 병원, 요양원 등의 수가 크게 늘어났고, (2번, 5번의 근거) 노인을 대상으로 하는 실버 산업이 발달하고 있습니다. 또한 경제적으로 어려운 노인이 증가함에 따라 국가에서는 노인을 위한 각종 복지 제도를 마련하여 시행하고 있지요. (4번의 근거)
▶고령화로 인한 사회 변화

저출산과 고령화는 장기적으로 국가의 경제에 큰 부담을 줍니다. (2번의 근거) 저출산으로 인해 일할 사람은 계속해서 줄어드는 반면, 국가에서 부양해야 할 노인의 수는 점차 늘어나기 때문입니다. (3번의 근거) 일할 사람이 없기에 시장에서 물건을 사거나 세금을 낼 사람은 줄어드는데 국가가 써야 할 노인 복지 비용은 갈수록 많아지는 것입니다.
▶저출산과 고령화로 인한 문제점

정부는 이러한 문제를 해결하기 위한 다양한 정책을 펼치고 있습니다.「저출산을 해결하기 위해 자녀를 많이 낳는 가정에 경제적인 도움을 주고 있고, (「」: 3번의 근거) 자녀를 출산했을 때 받을 수 있는 육아 휴직 제도도 크게 개선하였습니다. (4번의 근거) 또한, 고령화를 해결할 방안으로 노인들의 노후를 보장하는 제도를 마련하는 한편, 노인들이 참여할 수 있는 일자리와 학습 기회를 늘리고자 노력하고 있습니다.」 (4번의 근거)
▶저출산과 고령화로 인한 문제점을 해결하려는 정부의 노력

저출산과 고령화는 국가의 존립을 위협할 수 있는 심각한 문제입니다. (2번의 근거) 정부와 국민은 문제의 심각성을 깨닫고, 장기적인 관점에서 문제를 해결할 수 있도록 함께 노력해야 할 것입니다.
▶정부와 국민이 저출산과 고령화 문제를 함께 해결하도록 노력 촉구

이렇게 지도해 주세요! 이 글은 저출산과 고령화로 인해 나타난 우리 사회의 문제점을 설명한 글입니다. 저출산과 고령화로 나타난 변화와 문제점이 무엇인지 이해하면서 읽을 수 있도록 지도해 주세요.
- **주제** 저출산과 고령화로 인한 우리 사회의 변화와 문제점

1 이 글은 저출산과 고령화로 인해 늙어 가는 우리 사회의 모습을 설명한 글로 '저출산, 고령화'가 이 글의 중심 낱말입니다.

2 저출산의 영향으로 어린이 관련 산업의 규모가 줄어들고 있다고 하였습니다.

3 고령화로 인해 우리나라에서 노인이 차지하는 인구 비율이 늘고 있다고 하였지만, 정확한 비율에 대해서는 설명하지 않았습니다.

4 저출산으로 인해 어린이 관련 산업은 규모가 축소되고 있다고 하였습니다.

5 고령화가 진행됨에 따라 노인과 관련된 산업인 '실버'산업이 발달하고 있다고 하였습니다.

6 출산은 국가가 국민에게 강요할 수 없는 것이므로 희철의 해결 방법은 알맞지 않습니다.

7 이 글은 오늘날 우리 사회의 문제점인 '저출산'과 고령화를 설명하고 있습니다. 고령화의 경우 '노인'을 대상으로 한 정책과 산업이 발달하고 있다고 하였습니다. 저출산과 고령화 문제를 해결하기 위해서는 정부와 국민이 '함께' 노력해야 한다고 하였습니다.

생각 글 쓰기

◆예시 **답안** 저출산으로 인해 일할 사람이 줄어들어 경제 성장이 느려지고, 고령화로 인해 복지 비용이 증가하기 때문이다.

이렇게 지도해 주세요! 저출산과 고령화는 국가의 존립을 위협하는 심각한 문제 중 하나입니다. 저출산과 고령화로 인한 문제점이 무엇인지 정확하게 파악할 수 있도록 설명해 주세요.

어법 다지기

03 (1) '학생'이라는 신분을 나타내므로 '그것은 학생으로서 할 일이 아니다.'가 바른 문장입니다.
(2) '글'이 사랑을 표현하는 수단이므로 '부모님에 대한 사랑을 글로써 다 적지 못하였다.'가 바른 문장입니다.

03회 착한 종이가 된 코끼리 똥

▶ 본문 18~21쪽

1 코끼리 똥 2 ② 3 ④ 4 ⑤ 5 ② 6 ⑤ 7 체, 코끼리 똥, 종이, 자원

어휘·어법 다지기 01 (1)-㉢ (2)-㉡ (3)-㉠ (4)-㉣ 02 (1) 지상 (2) 색소 (3) 체 (4) 자원 03 ③

크기가 다른 여러 가지 물질이 섞여 있을 때 어떻게 분리하면 좋을까요? 가장 쉬운 방법은 체를 이용하는 것입니다. 체를 이용하면 서로 다른 물질이 섞여 있어도 체에 걸러지는 작은 물질과 걸러지지 않는 큰 물질로 쉽게 분리할 수 있습니다.(2번의 근거) 이러한 방법을 통해 만들어진 물건은 우리 생활의 곳곳에서 찾아볼 수 있습니다. 여러분들이 자주 사용하는 종이도 그중 하나입니다. 그런데 이 방법을 활용하면 다름 아닌 코끼리 똥으로 종이를 만들 수 있다는 사실, 알고 있었나요?(2번의 근거)
▶체를 이용하여 코리끼 똥으로 종이를 만들 수 있음.

코끼리는 지상에서 가장 큰 동물입니다. 커다란 몸집에 맞게, 코끼리 한 마리는 하루에 약 250킬로그램의 풀을 먹고(2번의 근거) 50킬로그램 정도의 똥을 눕니다.(2번의 근거) 똥이라고 하니 아무도 관심을 가지지 않을 것 같지만, 코끼리의 똥 안에는 종이의 원료가 되는 물질이 10킬로그램 정도 들어 있습니다. 이는 우리가 사용하는 A4용지 약 660장을 만들 수 있는 양이지요.
▶종이의 원료가 되는 물질이 들어 있는 코끼리 똥

그렇다면 ㉠코끼리 똥을 어떻게 ㉡종이로 만들 수 있을까요?「코끼리 똥이 종이가 되려면 먼저 코끼리 똥을 모아서 깨끗하게 씻는 작업이 필요합니다. 그리고 ㉮이 과정이 끝나면 똥을 충분히 끓여야 합니다. 코끼리 똥에 있는 세균들을 없애기 위한 것이지요.(4번의 근거) 이렇게 약 다섯 시간 동안 코끼리 똥을 끓이면 똥에 있던 해로운 세균이 없어집니다. 그 후에는 체를 이용하여 끓인 코끼리 똥에서 종이의 원료가 되는 물질을 분리합니다. 여기에 종이를 원하는 색깔로 바꾸기 위해 색소를 섞은 다음, 물기를 빼고 여러 날 동안 말리면 우리가 사용하는 종이가 완성되는 것입니다.」(「」: 3번의 근거)
▶코끼리 똥을 이용하여 종이를 만드는 과정

더럽다고만 생각했던 코끼리 똥이 새하얀 종이가 된다는 사실, 정말 신기하지 않나요? 이처럼 사람들이 관심을 갖지 않아 버려졌던 것들도 우리에게 도움이 되는 소중한 자원이 될 수 있답니다.
▶코끼리 똥처럼 버려졌던 것도 소중한 자원이 될 수 있음.

이렇게 지도해 주세요! 이 글은 코끼리 똥이 종이가 되는 과정을 설명한 글입니다. 코끼리 똥이 어떤 단계를 거쳐 종이로 완성되는지 이해할 수 있도록 설명해 주세요.

• **주제** 버려졌던 코끼리 똥이 종이가 되는 과정

1 이 글은 '코끼리 똥'을 이용하여 종이를 만드는 과정을 설명한 글입니다.

2 코끼리는 하루에 약 50킬로그램의 똥을 누는데 그중에서 종이의 원료가 될 수 있는 물질이 10킬로그램 정도라고 하였습니다.

3 코끼리 똥을 종이로 만들기 위해서는 '깨끗하게 씻기 → 끓이기 → 체를 이용하여 거르기 → 말리기'의 과정을 거쳐야 합니다.

4 약 다섯 시간 동안 코끼리 똥을 끓이면 똥에 있던 해로운 세균이 없어지게 된다고 하였습니다.

5 코끼리 똥을 이용해서 종이를 만들 수 있다고 하였으므로 자신이 사용하고 있는 종이도 코끼리 똥으로 만들어졌을지 모른다는 반응은 알맞습니다.

오답 **풀이**
① 코끼리 똥은 종이를 만드는 데 이용되므로 쓸모가 있습니다.
③ 세균을 없애기 위해 코끼리 똥을 끓인다고 하였습니다.
④ 코끼리 똥을 이용하여 종이를 만드는 것은 버려지는 것을 활용하는 것이기 때문에 환경에 좋다고 할 수 있습니다.
⑤ 종이의 색깔을 바꾸기 위해 색소를 섞는다고 하였습니다.

6 돌멩이는 평소에 관심을 받지 못했지만 소중하게 쓰였다는 점에서 코끼리 똥과 비슷한 역할을 한 것입니다.

7 이 글은 '체'를 이용하여 코끼리 똥을 종이로 만들 수 있는데 그 까닭은 '코끼리 똥' 안에는 종이의 원료가 되는 물질이 들어 있기 때문이라고 하였습니다. 또한 이 글은 코끼리 똥을 이용하여 '종이'를 만드는 과정을 소개하였고 코끼리 똥처럼 버려졌던 것도 소중한 '자원'이 될 수 있다고 설명하였습니다.

생각 글 쓰기

✦예시 **답안** 버려지는 코끼리 똥을 활용하여 종이를 만드는 것이므로 자원을 절약하여 환경을 보호할 수 있다.

이렇게 지도해 주세요! 코끼리 똥으로 종이를 만들면 종이를 만들기 위해 베어지는 나무의 양이 줄어들기 때문에 자원을 절약하고 환경을 보호할 수 있습니다. 이처럼 환경을 위하여 또 어떤 일을 할 수 있는지 생각해 볼 수 있도록 지도해 주세요.

어법 다지기

03 '낳다'는 '배 속의 아이, 새끼, 알을 몸 밖으로 내놓다.'라는 뜻입니다. ③은 오래 앓고 있던 감기가 다 고쳐졌다는 뜻이므로, '낳다'를 '낫다' 혹은 '나았다'로 고쳐 써야 합니다.

04회 소중한 우리 땅, 독도

▶ 본문 22~25쪽

1 독도 2 ④ 3 ① 4 ④ 5 ③ 6 독도, 관심, 애정

어휘·어법 다지기 01 (1)-㉣ (2)-㉡ (3)-㉢ (4)-㉠ 02 (1) 보존 (2) 다짐 (3) 근거 (4) 인지 03 (1) 밤만 (2) 잉는

여러분들은 독도에 대해 얼마나 알고 있나요? 독도는 아주 조그마한 섬이지만 엄연한 우리나라 땅입니다. 그러나 일본은 독도가 자신의 땅이라고 주장하고 있습니다. 여러분들은 독도가 우리 땅이라는 사실을 잘 인지하고 있을 것입니다. 그런데 독도가 일본 땅이라고 배운 일본 친구들을 만났을 때 독도가 왜 우리나라의 땅인지 자세히 설명할 수 있나요? (5번의 근거) 독도가 우리나라 땅이라는 사실을 확실하게 하기 위해서는 그저 독도가 우리나라 땅이라고 주장하는 것만으로는 부족합니다. 독도를 지키려는 자세와 노력이 필요하지요.

▶독도에 대해 잘 모르는 사람이 많음.

그렇다면 우리는 학생으로서 독도를 보존하기 위해서 어떤 일을 해야 할까요? 독도에 관심과 애정을 쏟아야 합니다. 사람들이 독도에 관심을 가지지 않는다면 (3번의 근거) 독도는 아무도 모르게 다른 나라의 땅이 되어 버릴지도 모릅니다. 우리는 우리나라 정부와 단체가 독도를 지키기 위해 어떤 노력을 하고 있는지, (3번의 근거) 정부의 제도나 정책에서 부족한 점은 없는지, 우리가 직접 참여할 수 있는 일은 없는지 등을 살펴보아야 합니다. 또한 우리는 독도에 대한 지식과 이해를 넓혀야 합니다. (4번의 근거) 독도가 우리 땅이라고 주장할 수 있는 근거에는 어떤 것이 있는지 생각해 보아야 합니다. 독도가 위치적으로나 역사적으로 왜 중요한지 알아보거나, 역사 속에서 독도가 어떻게 등장하고 있는지 찾아볼 수도 있습니다. (3번의 근거)

▶독도를 보존하기 위해 학생으로서 할 일

독도에 직접 다녀오는 것도 좋은 경험이 될 것입니다. 울릉도에 가서 다시 독도까지 가는 배를 타면 90분 정도 후에 독도에 도착할 수 있습니다. 배에서 내리면 독도의 아름다운 자연환경과 독도에 서식하는 많은 동식물을 볼 수 있지요. 이렇게 독도를 직접 체험하면 책이나 사진으로만 독도를 봤을 때보다 독도를 더 잘 알 수 있을 것입니다. (3번, 5번의 근거) 또한 아름다운 독도를 더 아끼고 사랑해야겠다고 다짐하게 될 것입니다.

▶독도에 직접 다녀오는 것도 좋음.

우리는 소중한 우리 땅인 독도에 많은 관심과 애정을 쏟아야 합니다. 여러분들도 우리 땅 독도의 중요성과 가치를 이해하고 독도와 관련된 지식을 얻기 위해 노력하며, 독도에 관심과 애정을 갖기를 바랍니다. ▶독도에 대한 관심과 애정 촉구

이렇게 지도해 주세요! 이 글은 독도에 관심과 애정을 가져야 한다고 주장하는 글입니다. 글쓴이가 독도를 보존하기 위해 학생으로서 할 일로 제시한 것을 실천할 수 있도록 지도해 주세요.

• **주제** 독도에 대한 관심과 애정을 갖자.

1 이 글은 소중한 우리 땅인 '독도'에 관심과 애정을 가져야 한다고 주장하는 글입니다.

2 글쓴이는 독도에 많은 관심과 애정을 가져 줄 것을 주장하였고, 그 방법을 설명하였습니다.

3 이 글에서 독도에 지하자원이 묻혀 있다는 내용은 찾을 수 없습니다.

4 독도에 대해서 자세하게 알아보는 것은 독도를 보존하는 방법 중 하나라고 하였습니다.

5 글쓴이는 독도를 직접 체험하면 책이나 사진으로만 독도를 봤을 때보다 독도를 더 잘 알 수 있을 것이라고 하였습니다.

6 이 글은 먼저 '독도'에 대해 잘 모르는 사람이 많다고 지적하고, 독도를 보존하기 위해서는 학생으로서 독도에 관심과 애정을 가져야 한다고 주장하였습니다. 또한 독도에 관심과 애정을 쏟는 방법을 제시하였고 마지막으로 독도에 '관심과 애정'을 갖기를 바란다고 하였습니다.

생각 글 쓰기

◆예시 **답안** 독도에 대하여 자세하게 알아볼 수 있는 동아리에 가입하여 활동한다.

이렇게 지도해 주세요! 학생으로서 독도를 지키기 위하여 할 수 있는 일은 제한되어 있지만 독도에 관심을 가지고 현실적으로 어떤 일을 할 수 있을지 생각해 보도록 지도해 주세요.

어법 다지기

03 '비음화'는 파열음 'ㄱ, ㄲ, ㅋ, ㄷ, ㄸ, ㅌ, ㅂ, ㅃ, ㅍ'이 비음 'ㄴ, ㅁ, ㅇ'의 영향을 받아 비음으로 바뀌는 것을 말합니다.
(1) '밥'의 받침 'ㅂ'이 뒤에 오는 '만'의 'ㅁ'에 영향을 받아 비음인 'ㅁ'으로 바뀝니다. 따라서 [밤만]으로 발음됩니다.
(2) '읽-'의 받침 'ㄺ'에서 먼저 'ㄹ'이 떨어져 'ㄱ'만 남습니다. 이 'ㄱ'이 뒤에 오는 '는'의 'ㄴ'에 영향을 받아 비음인 'ㅇ'으로 바뀝니다. 따라서 [잉는]으로 발음됩니다.

우리나라에 살았던 공룡

▶ 본문 26~29쪽

1 공룡 2 ② 3 ⑤ 4 ④ 5 ③ 6 공룡, 화석, 고생물학자, 화성시

어휘·어법 다지기 01 (1)-ⓔ (2)-ⓛ (3)-ⓖ 02 (1) 추측 (2) 화석 (3) 멸종 (4) 분포 03 ②

인간이 지구에 나타나기 전, 지구를 오랫동안 지배했던 동물은 무엇일까요? 바로 공룡입니다. 공룡은 땅 위뿐만 아니라 바다, 하늘 등 지구 전체에 넓게 분포했습니다. 그렇다면 과연 우리나라에도 공룡이 살았을까요?

▶우리나라에도 공룡이 있었는지에 대한 의문

2008년 경기도 화성시 전곡항에서 공룡 화석이 발견되었습니다.(3번, 4번의 근거) 화석을 발견할 당시에는 대부분의 뼈들이 묻혀 있는 상태였지요. 한국지질자원연구원은 발견된 화석을 2년 동안 연구하였고, 이 공룡이 지금까지 알려지지 않은 새로운 뿔 공룡임을 밝혀냈습니다. 이융남 박사는 새로 발견한 이 공룡의 이름을 '코리아케라톱스 화성엔시스'로 명명하였는데 이는 '대한민국 화성시에서 발견되었고 얼굴에 뿔이 달린 공룡'이라는 뜻입니다.(3번, 4번의 근거)

▶우리나라에서 발견된 새로운 뿔 공룡 화석

물과 식물이 많은 곳에 살았던 코리아케라톱스 화성엔시스는 몸길이가 2.3미터 정도였습니다. 꼬리뼈가 두껍고, 발목이 튼튼하며 발은 비교적 작은 편이었지요. 또한 물속과 땅 위를 자유롭게 오가며 생활하였습니다.(3번의 근거)

▶코리아케라톱스 화성엔시스의 생김새와 생활 모습

그런데 어떻게 화석만 가지고 아주 오래전에 살았고 지금은 멸종한 공룡의 생김새와 ㉠생활 모습까지 알 수 있는 것일까요? 바로 고생물학자들의 연구를 통해서 알 수 있습니다. 고생물학자들은 화석을 관찰하고 연구하여 옛날에 살았던 동물과 식물의 모습, 생활 환경뿐만 아니라 그 당시에 어떤 일이 있었는지까지도 밝혀냅니다.(3번, 4번의 근거) 고생물학자들은 코리아케라톱스 화성엔시스 화석의 여러 부위 중 특히 독특한 꼬리 구조에 관심을 보였습니다. 꼬리 구조 때문에 코리아케라톱스 화성엔시스가 땅 위와 물속을 오가며 살았다고 추측했던 것이지요.(5번의 근거)

▶화석을 관찰하고 연구하는 고생물학자

고생물학자들의 이러한 노력 덕분에 코리아케라톱스 화성엔시스는 땅속에 묻혀 있던 화석이었지만, 이제는 화성시의 자랑으로 자리 잡을 수 있었습니다. 지금도 화성시에 가면 코리아케라톱스 화성엔시스를 주제로 한 멋진 동상을 볼 수 있습니다.

▶화성시를 대표하는 코리아케라톱스 화성엔시스

이렇게 지도해 주세요! 이 글은 우리나라에 살았던 공룡인 '코리아케라톱스 화성엔시스'와 화석을 연구하는 고생물학자에 대해 설명한 글입니다. 이 공룡을 어떻게 발견하였고 현재는 어떻게 연구하고 있는지 이해할 수 있도록 설명해 주세요.

• **주제** 우리나라에 살았던 공룡의 생김새와 생활 모습

1 이 글은 우리나라에 살았던 '공룡'인 코리아케라톱스 화성엔시스를 설명하는 글입니다.

2 이 글은 우리나라에서 발견된 공룡 화석을 통해 그 공룡의 생김새와 생활 모습을 설명한 뒤 화석을 연구하는 고생물학자에 대해 소개한 글입니다. 따라서 '동상'은 중요한 낱말이 아닙니다.

3 이 글에 공룡이 멸종한 까닭은 나타나 있지 않습니다.

오답 **풀이**

① 2008년 경기도 화성시 전곡항에서 발견된 공룡 화석을 통해 우리나라에도 공룡이 살았음을 알 수 있습니다.

② '코리아케라톱스 화성엔시스'는 우리나라에서 처음 발견되어 '대한민국 화성시에서 발견되었고 얼굴에 뿔이 달린 공룡'이라는 뜻의 이름이 붙었다고 하였습니다.

③ 코리아케라톱스 화성엔시스는 물속과 땅 위를 자유롭게 오가며 생활했다고 하였습니다.

④ 고생물학자들은 화석을 관찰하고 연구하며 옛날에 살았던 동물과 식물의 모습, 생활 환경 등을 밝혀낸다고 하였습니다.

4 고생물학자들이 화석을 관찰하고 연구하면 옛날에 살았던 동물과 식물의 모습, 생활 환경뿐만 아니라 그 당시에 어떤 일이 있었는지까지도 밝힐 수 있다고 하였습니다.

5 코리아케라톱스 화성엔시스의 독특한 꼬리 구조 때문에 이 공룡이 땅 위와 물속을 오가며 사는 생활 모습을 보였다고 추측할 수 있다고 하였습니다.

6 이 글은 우리나라에도 '공룡'이 있었는지에 대한 의문을 제기한 뒤 새로운 뿔 공룡 '화석'이 발견되었다고 답하였습니다. 또한 화석을 관찰하고 연구하는 '고생물학자'를 소개하였고, 코리아케라톱스 화성엔시스가 '화성시'를 대표하게 되었다고 설명하였습니다.

생각 글 쓰기

◆예시 **답안** 공룡이 발견된 지역을 전 세계 사람들에게 널리 알리기 위해서일 것이다.

이렇게 지도해 주세요! 대한민국 화성시에서 발견되었다는 뜻으로 '코리아케라톱스 화성엔시스'라는 이름을 붙인 것처럼 처음 발견된 공룡의 이름으로 발견된 지역의 이름을 사용하면 그 지역을 전 세계 사람들에게 널리 알릴 수 있다고 설명해 주세요.

어법 다지기

03 ②는 스피드 퀴즈에서 겨우 한 문제만 틀리지 않았다는 뜻이므로 '마쳤다'를 '맞혔다'로 고쳐 써야 바른 문장이 됩니다.

도시와 촌락, 어떻게 다를까?

▶ 본문 30~33쪽

1 도시 2 ④ 3 ⑤ 4 ③ 5 인구 6 철수 7 도시, 촌락, 편의

어휘·어법 다지기 01 (1)-㉢ (2)-㉡ (3)-㉣ (4)-㉠ 02 (1) 체증 (2) 도입 (3) 유입 03 (1) 반듯이 (2) 반드시

도시는 오늘날 사람들의 대표적인 생활 공간 중 하나입니다. 현재 우리나라 인구의 90퍼센트가 넘는 사람들이 도시에 살고 있습니다.(4번의 근거) 도시가 촌락과 다른 점은 바로 인구 밀도가 높다는 점입니다. 도시는 좁은 지역에 많은 사람들이 모여 살고 있기 때문에 여러 사람이 함께 생활하는 높은 건물이 많이 세워져 있습니다. 또한 도시는 자연환경을 이용하는 1차 산업보다는 제조업, 서비스업 등을 중심으로 하는 2 · 3차 산업의 비율이 높게 나타난답니다. ▶도시의 특징

촌락은 도시와는 다른 모습을 보입니다. 도시에 비해 촌락에 거주하는 사람은 매우 적지요. 따라서 사람들은 높은 건물이나 주택 단지보다는 소규모 마을에 흩어져서 살고 있습니다. 촌락은 농경지, 산림 등의 자연환경이 비교적 잘 보존되어 있기(4번의 근거) 때문에 이러한 자연환경을 이용한 농업이나 수산업 등의 1차 산업이 발달하였습니다. 촌락은 위치하고 있는 장소에 따라 다시 농촌, 어촌, 산지촌으로 분류할 수 있지요.(4번의 근거) ▶촌락의 특징

도시와 촌락은 서로 해결해야 할 문제점도 다릅니다.「도시의 가장 큰 문제는 바로 높은 인구 밀도입니다.(「」: 3번의 근거, 5번의 근거) 좁은 곳에 많은 사람들이 살고 있다 보니 교통 체증이 심각하고,(4번의 근거) 많은 사람들이 배출하는 쓰레기는 환경을 오염시키고 있습니다. 이 밖에도 인구 밀도가 높은 데 반해 일자리가 부족하여 수많은 실업자가 발생하고, 밤늦게까지 이어지는 도시의 시끄러운 소음과 꺼지지 않는 불빛은 사람들의 삶의 질을 떨어뜨리고 있습니다. ▶도시의 문제점

촌락 역시 가장 큰 문제는 인구수에 있습니다.(5번의 근거) 촌락은 젊은 사람들이 대부분 도시로 떠나 버리는 바람에 인구수가 많이 줄었고 일할 사람도 매우 부족해졌습니다. 또한, 각종 편의 시설 및 사회 기반 시설이 부족하여 생활하기 어렵기 때문에 남아 있는 사람들도 촌락에서의 삶을 망설이고 있습니다.」 이러한 문제를 해결하기 위해 국가에서는 농기계를 도입하여 농사를 짓게 하는 한편, 도시의 많은 인구를 농촌으로 유입시키기 위해 귀농을 장려하고 있습니다.(4번의 근거) 하지만 다양한 문제점들을 해결하기에는 아직 더 많은 노력이 필요해 보입니다.
▶촌락의 문제점과 그 문제를 해결하기 위한 국가의 노력

이렇게 지도해 주세요! 이 글은 도시와 촌락의 생활 모습과 각 생활 공간의 문제점을 설명한 글입니다. 도시와 촌락의 특징 및 문제점이 무엇인지 잘 이해하면서 읽도록 지도해 주세요.
• **주제** 도시와 촌락의 서로 다른 생활 모습과 문제점

1 이 글은 '도시'와 촌락의 생활 모습을 대조하여 설명한 글입니다.

2 이 글은 도시와 촌락의 생활 모습과 문제점을 다룬 글입니다.

3 사회 기반 시설의 부족은 촌락이 가진 문제점입니다.

오답 **풀이**
① 도시에서는 밤늦게까지 시끄러운 소리가 이어진다고 하였습니다.
② 많은 사람들이 배출하는 쓰레기는 환경을 오염시킨다고 하였습니다.
③ 높은 인구 밀도에 비해 일자리가 부족하여 실업자가 발생한다고 하였습니다.
④ 도시는 인구 밀도가 높다는 점이 가장 큰 문제라고 하였습니다.

4 촌락에서는 자연환경을 이용하는 농업이나 수산업 등의 1차 산업이 발달하였다고 하였습니다.

5 도시와 촌락에서 나타나는 문제는 공통적으로 '인구'수와 관련됩니다. 도시는 인구 밀도가 높고, 촌락은 인구수가 매우 적다는 문제가 있습니다.

6 도시에 사는 사람을 강제로 귀농시키는 것은 문제를 올바르게 해결하는 방법이 아닙니다. 그보다 사람들이 촌락에서의 삶을 망설이지 않도록 각종 편의 시설 및 사회 기반 시설 등을 늘려서 촌락의 인구수를 늘리는 것이 바람직합니다.

7 이 글은 도시와 촌락의 생활 모습을 비교하고 있습니다. '도시'는 인구수가 많고 2 · 3차 산업이 발달한 반면, '촌락'은 인구수가 적고 1차 산업이 발달하였습니다. 또한, 도시는 환경 오염과 교통 체증 등의 문제점이 있는 반면, 촌락은 '편의' 시설 및 사회 기반 시설이 부족한 문제점이 있습니다.

생각 글 쓰기

◆예시 **답안** 촌락은 도시에 비해 편의 시설과 사회 기반 시설이 부족하기 때문이다.

이렇게 지도해 주세요! 도시는 각종 편의 시설과 사회 기반 시설이 많아서 사람들이 생활하기 편리하지만, 촌락은 그렇지 못해 사람들이 생활하기 어렵다고 하였습니다. 이 글에 나타난 촌락의 문제점을 파악할 수 있도록 지도해 주세요.

어법 다지기

03 (1) 의자에 바르게 앉아 책을 읽었다는 뜻이므로 '반듯이'가 알맞습니다.
(2) 진우가 틀림없이 꼭 달리기 시합에서 우승할 것이라는 뜻이므로 '반드시'가 알맞습니다.

웃음의 긍정적인 효과

▶ 본문 34~37쪽

1 웃음 2 ⑤ 3 ② 4 ③ 5 ④ 6 효과, 인간, 학습
어휘·어법 다지기 01 (1)-㉡ (2)-㉠ (3)-㉣ (4)-㉢ 02 (1) 인상 (2) 면역력 (3) 향상 (4) 해소 03 (1) 설랄 (2) 질리

우리는 하루에 얼마나 웃을까요? 사람은 어렸을 때 하루에 보통 400번을 웃지만, 어른이 된 후에는 하루에 보통 8번만 웃는다고 합니다. 사람이 나이를 먹을수록 웃음을 잃어 가는 까닭은 현실이 답답하고 삶의 무게가 무겁기 때문일 것입니다. 하지만 힘들수록 더 필요한 것이 바로 웃음입니다. 우리는 웃음을 통해 긍정적인 효과를 경험하기도 합니다.

▶나이를 먹을수록 잃어가는 웃음

첫째, 우리는 웃음을 통해 건강을 되찾을 수 있습니다. 웃음은 사람의 혈액 순환에 도움을 주고, 면역력을 높여 줍니다. 또한 웃음은 스트레스를 이겨 내고 쌓인 피로를 잠시나마 잊게 해 주는 훌륭한 약입니다. 웃음은 공짜로 얻을 수 있는 치료제인 것이지요.

3번의 근거

▶건강을 되찾을 수 있는 웃음

둘째, 웃음은 인간관계에서 긍정적인 역할을 합니다. 사람을 처음 만났을 때 딱딱한 표정보다는 미소 띤 표정이 상대방을 편안하게 만들어 주고, 대화의 물꼬를 트게 하지요. 또한 웃음 가득한 밝은 표정은 보는 사람에게 긍정적인 인상을 주고 상대방이 나에게 호감을 갖게 합니다. 따라서 웃음은 인간관계의 윤활유가 될 수 있습니다.

3번의 근거

▶인간관계에서 긍정적인 역할을 하는 웃음

셋째, 웃음은 학습 효과를 크게 높입니다. 웃음을 통해 우리는 학습하는 내용에 흥미를 느낄 수 있고, 기억력을 높이는 효과를 얻을 수 있지요. 또한 웃음은 새로운 것을 배울 때 생기는 긴장감을 해소하여 학습 능력을 크게 향상시킵니다. 긴장감이 감도는 딱딱한 분위기 속에서 수업을 받는 모습과 즐거운 분위기 속에서 웃으며 수업을 받는 모습을 상상해 봅시다. 어떤 분위기에서 수업을 받는 것이 공부가 더 잘 될까요? 즐거운 분위기에서 수업을 받을 때 공부도 더 잘 될 것입니다.

3번의 근거 / 3번의 근거

▶학습 효과를 크게 높일 수 있는 웃음

이렇게 웃음을 통해 우리가 얻을 수 있는 효과는 생각보다 매우 많습니다. 일상생활을 하면서 자신을 기쁘게 하는 즐거운 순간을 만났을 때, 시원하게 웃어 보는 것은 어떨까요? 많이 웃은 하루는 평소와 다르다고 느끼게 될 것입니다. 작은 웃음 한 번이 나를 다시 기쁘게 하고, 그 웃음의 물결이 퍼져서 상대방도 기분 좋게 만들어 줄 것입니다. 우리 모두 많이 웃읍시다.

4번의 근거

▶많이 웃자는 주장

이렇게 지도해 주세요! 이 글은 웃음의 긍정적인 효과를 근거로 들어서 많이 웃자고 주장한 글입니다. 글쓴이의 주장과 그에 대한 근거가 무엇인지 파악하면서 읽을 수 있도록 지도해 주세요.
- **주제** 웃음의 긍정적인 효과와 많이 웃자는 주장

1 이 글은 '웃음'이 우리에게 주는 긍정적인 효과를 근거로 들어 많이 웃자고 주장한 글입니다.

2 이 글은 첫째 문단에서 힘들수록 더 필요한 것이 웃음이라고 주장한 뒤 그에 대한 근거를 총 세 가지로 제시하였습니다.

오답 **풀이**
① 자신이 겪은 경험에 대해 이야기하고 있지 않습니다.
② 이 글에서는 소리를 흉내 내는 말이 사용되지 않았습니다.
③ 이 글에 시간을 나타내는 말은 없으며, 시간의 흐름에 따라 글을 전개하고 있지 않습니다.
④ 이 글에서는 장소의 변화가 나타나 있지 않습니다.

3 글쓴이는 웃음은 공짜로 받을 수 있는 치료제라고 하였지만, 세상의 모든 병을 치료해 준다고 하지는 않았습니다.

4 이 글은 현실이 답답하고 삶의 무게가 무거워도 일상생활 속에서 자주 웃자는 주장을 담고 있습니다.

5 보기에는 웃고 싶지 않아도 웃어야 하는 사람들의 모습이 나타나 있습니다. 이러한 모습은 웃음이 스트레스를 이겨 내고 쌓인 피로를 잠시나마 잊게 해 준다는 이 글의 주장을 반박하는 모습입니다. 따라서 보기를 읽은 후, 감정과 상관없이 무조건 웃는 것이 건강에 좋은 일은 아니라고 생각할 수 있습니다.

6 이 글에서는 웃음의 긍정적인 '효과'로 건강을 되찾게 도와주고, '인간'관계에서 긍정적인 역할을 하며, '학습' 효과를 크게 높인다는 점을 들었습니다. 그리고 이를 근거로 하여 많이 웃자고 주장하고 있습니다.

생각 글 쓰기

◆예시 **답안** 웃음은 돈이 따로 들지 않고, 건강에 여러 가지 긍정적인 효과를 주기 때문이다.

이렇게 지도해 주세요! 웃음은 스트레스를 이겨 내고, 쌓인 피로를 잠시나마 잊게 해 준다고 하였습니다. 이 밖에도 웃음의 긍정적인 효과를 생각해 볼 수 있도록 지도해 주세요.

어법 다지기

03 '유음화'는 'ㄴ'이 'ㄹ'의 앞이나 뒤에서 'ㄹ'로 발음되는 것을 말합니다.
(1) '설날'은 '날'의 'ㄴ'이 '설'의 받침 'ㄹ'을 만나 'ㄹ'로 바뀌면서 [설랄]로 발음됩니다.
(2) '진리'는 '진'의 받침 'ㄴ'이 '리'의 'ㄹ'을 만나 'ㄹ'로 바뀌면서 [질리]로 발음됩니다.

아빠의 잠버릇_김용삼

▶ 본문 38~41쪽

1 안경 2② 3② 4④ 5④ 6 엄마, 할머니
어휘·어법 다지기 01 (1)-㉠ (2)-㉢ (3)-㉡ (4)-㉣ 02 (1) 버릇 (2) 꿈속 (3) 생각 03 (1) 받쳐 (2) 바쳐

중심 글감 – 1번의 근거
안경을 쓴 채
3번의 근거
잠자는 버릇이 있는 아빠] 아빠의 잠버릇
자주 안경을 망가뜨려
엄마에게
핀잔을 듣지요 ▶1연: 안경을 쓰고 자는 잠버릇이 있는 아빠
□: 같은 말로 끝맺어 시에 리듬감을 줌.

오늘도 안경을 쓴 채
긴 소파에 누워 잠든 아빠
엄마가 보기 전
얼른 안경을 벗겨 주려다] 아빠가 엄마에게 핀잔을 들을까 봐 안경을 벗겨 주려 함.
그만두었지요 ▶2연: 잠자는 아빠의 안경을 벗겨 주려다 그만둠.
할머니를 똑똑히 보시라고 아빠를 배려함.

이따금
아빠가 안경을 쓰고 자는 까닭
꿈속에서 뵌다는 할머니
㉠똑똑히 보려고
안경을 쓰고 자는 것이라
생각되었기 때문이지요 ▶3연: 할머니를 그리워하는 아빠

이렇게 지도해 주세요! 이 시는 안경이라는 소재를 통해 할머니를 그리워하는 아빠의 마음과 아빠를 위하는 말하는 이의 마음을 드러낸 시입니다. 시의 따뜻한 분위기와 말하는 이의 마음을 잘 이해하면서 감상할 수 있도록 지도해 주세요.
• **주제** 할머니를 그리워하는 아빠의 마음

1 이 시는 '안경'을 쓰고 잠을 자는 아빠의 잠버릇을 통해 할머니를 그리워하는 아빠의 마음을 드러내고 있습니다.

2 이 시에는 소리를 흉내 내는 말이 사용되지 않았습니다.

오답 **풀이**
① 이 시는 총 3연으로, 전체 행은 모두 15행입니다.
③ 이 시에서는 '핀잔을 듣지요', '그만두었지요', '때문이지요'와 같이 각 연의 마지막 행을 '~지요'로 끝맺고 있습니다.
④ 엄마에게 핀잔을 들을까 봐 아빠의 안경을 벗겨 주려는 행동, 그리고 아빠가 할머니를 그리워하는 것을 알고 안경을 벗겨 주려다 그만둔 행동에서 말하는 이가 아빠를 배려하는 마음을 느낄 수 있습니다.
⑤ 3연을 통해 말하는 이의 할머니는 돌아가셨음을 알 수 있습니다.

3 1연에서 말하는 이는 아빠가 안경을 쓰고 잠자는 버릇이 있다고 하였습니다.

4 꿈속에서 뵌다는 할머니를 '똑똑히 보려고' 아빠가 안경을 쓰고 자는 것이라는 말하는 이의 상상을 통해, 아빠가 돌아가신 할머니를 그리워하고 있음을 알 수 있습니다.

5 엄마는 아빠가 할머니를 그리워하는 것을 못마땅해하는 것이 아니라, 안경을 쓴 채로 잠들어서 안경을 자주 망가뜨리는 것을 못마땅해하는 것입니다.

6 말하는 이는 1연에서 안경을 쓴 채 잠자는 버릇이 있는 아빠가 '엄마'에게 핀잔을 듣는 모습을 떠올렸고, 2연에서는 잠자는 아빠의 안경을 벗겨 주려다 그만두었습니다. 3연에서는 꿈속에서 할머니를 뵌다는 아빠가 '할머니'를 똑똑히 보려는 것이라고 생각하였습니다.

생각 글 쓰기

◆예시 **답안** 아빠가 할머니를 그리워하는 마음을 알기 때문이다.

이렇게 지도해 주세요! 이 시에는 할머니를 그리워하는 아빠의 마음과 이러한 마음을 잘 알고 아빠를 배려하는 말하는 이의 따뜻한 행동이 나타나 있습니다. 말하는 이와 아빠의 마음을 잘 이해할 수 있도록 지도해 주세요.

어법 다지기

03 '바치다'는 '신이나 웃어른에게 정중하게 드리다.', '무엇을 위하여 모든 것을 아낌없이 내놓거나 쓰다.'라는 뜻을 가진 낱말이고, '받치다'는 '물건의 밑이나 옆 등에 다른 물체를 대다.', '어떤 일을 잘할 수 있도록 뒷받침해 주다.'라는 뜻의 낱말입니다.
(1) 겨울에는 춥기 때문에 꼭 내복을 입어야 한다는 뜻으로 '받쳐'가 알맞습니다.
(2) 노벨상을 받은 과학자가 오랜 시간 동안 노력하였다는 뜻으로 평생을 '바쳐'가 알맞습니다.

사라, 버스를 타다

▶ 본문 42~45쪽

1 사라 2 ① 3 ③ 4 ⑤ 5 ⑤
어휘·어법 다지기 01 (1)-㉢ (2)-㉡ (3)-㉣ (4)-㉠ 02 (1) 시장 (2) 기어 (3) 구분 03 (1) 구별 (2) 구분

㉮ 아침마다 사라(이야기의 중심 인물)는 어머니와 함께 버스를 탔습니다. 언제나 백인들이 앉는 자리와 구분된 뒷자리에 앉았습니다.(2번의 근거) 고개를 돌려 자기를 쳐다보는 백인 아이들에게 사라는 얼굴을 찡그렸습니다. 백인 아이들도 얼굴을 찡그리며 웃어 댔습니다. 그러다가 어머니들에게 잔소리를 들은 뒤에야 바로 앉았습니다.

㉠ "지금까지 언제나 이래 왔단다. 자리에 앉을 수 있는 것만으로도 만족해야지."

어머니께서는 두 손을 깍지 낀 채 이렇게 말씀하시고는 했습니다. ▶버스 뒷자리에 앉은 사라

㉯ 어느 날 아침, 사라는 버스 앞쪽 자리가 얼마나 좋은 곳인지 알아보기로 마음먹었습니다.(3번의 근거) 사라는 자리에서 일어나 좁은 통로로 걸어 나갔습니다. 「별다른 것도 없어 보였습니다.(2번의 근거) 창문은 똑같이 지저분했고, 버스의 시끄러운 소리도 똑같았습니다. 앞쪽 자리가 뭐가 그리 대단하다는 것일까요?」

「 」: 흑인과 백인 사이에 차이가 없음을 드러내는 비유

▶버스 앞쪽 자리가 궁금하여 알아보기로 한 사라

㉰ 사라는 계속 나아갔습니다. 앞쪽 끝까지 가서 운전사(인종 차별을 당연하게 생각하는 인물) 옆자리에 앉았습니다. 사라는 운전사가 기어를 바꾸고 두 손으로 커다란 핸들을 돌리는 것을 지켜보았습니다. 운전사가 성난 얼굴로 사라를 쏘아보았습니다.(2번의 근거)

"꼬마 아가씨, 뒤로 가서 앉아라. ㉡ 너도 알다시피 늘 그래 왔잖니?" ▶버스 앞쪽 자리에 앉은 사라를 운전자가 못마땅해함.

㉱ "아무렴, 법에는 말이다, 너희 같은 사람은 버스 뒷자리에 앉아야 한다고 나와 있단다.(2번의 근거) 그래서 말인데, 법을 어기고 싶지 않다면 네 자리로 돌아가거라."

밖에 사람들이 모여들기 시작했습니다. 사람들이 흥분하여 사라에게 큰 소리를 질렀지만, 몇몇은 사라를 응원했습니다. 한 아저씨께서 소리치셨습니다.

"일어나지 마라. 그 자리는 네 피부색과 아무 상관이 없어."

경찰관(법이 잘못되었다고 생각하지 않는 인물)이 안타깝다는 듯 고개를 절레절레 흔들더니 사라를 번쩍 안아 올렸습니다. 그러고는 사람들 사이를 지나 경찰서로 향했습니다. ▶경찰서에 잡혀간 사라

㉲ "그런데 왜 저는 버스 앞자리에 타면 안 되나요?"

"법이 그렇기 때문이야. 법이라고 다 좋은 것은 아니지만 말이다."

사라가 어머니의 피곤한 눈을 올려다보며 물었습니다.

"법은 절대 바뀌지 않나요?"

어머니께서 부드럽게 대답하셨습니다.

"언젠가는 바뀌겠지." ▶법은 바뀔 수 있다고 말하는 어머니

㉳ ㉢ 그날은 어떤 흑인도 버스를 타지 않았습니다. 그다음 날도 마찬가지였습니다. 버스 회사는 당황했습니다. 시장도 어쩔 줄 몰라 했습니다. 그리하여 사람들은(인종 차별하는 법을 바꾼 사라와 흑인들) 마침내 법을 바꾸었습니다.

운전사가 문을 열어 주며 말했습니다.

"타시죠, 꼬마 아가씨."

사라는 자리에 앉기 전에 뒤돌아서 어머니를 쳐다보았습니다. 평소와 똑같은 외투와 똑같은 신발이었습니다. 그런데 오늘 어머니께서는 무엇인가 달라 보이셨습니다. 자랑과 행복이 두 눈에 가득했습니다.(법을 바꾼 것이 자랑스러운 어머니)

어머니께서 말씀하셨습니다.

"사라야, 왜 머뭇거리니? 그 자리에 앉을 자격이 있는 사람은 바로 우리 딸인데……."

운전사가 사라를 쳐다보았습니다. 버스에 있는 모든 사람이 사라를 쳐다보았습니다.

"아니에요, 어머니. 이 자리는 바로 어머니의 자리예요! 앞으로 어머니께서 계속 앉으실 수 있어요."

어머니께서 활짝 웃으셨습니다. 사라와 어머니는 함께 자리에 앉았습니다. ▶흑인도 버스 앞자리에 탈 수 있도록 법이 바뀜.

이렇게 지도해 주세요! 이 글은 인종 차별이 심했던 미국에서 한 소녀의 용기 있는 행동이 사회의 변화를 이끌어 냈다는 내용의 소설입니다. 이야기의 흐름에 따라 버스에서 사라의 위치가 어떻게 변하는지 살펴보면서 읽을 수 있도록 지도해 주세요.
- **주제** 인종 차별을 없애기 위한 사라와 흑인들의 노력

1 이 글은 흑인 소녀 '사라'의 용기 있는 행동으로 흑인들은 버스 앞자리에 앉지 못한다는 잘못된 법이 바뀌게 되었다는 내용을 담은 작품입니다.

2 사라는 늘 버스의 뒷자리에 앉았지만 어느 날 앞쪽 자리가 얼마나 좋은 곳인지 알아보기로 마음먹고 버스 앞쪽 끝까지 가서 운전사 옆자리에 앉았습니다.

3 흑인인 사라는 백인들만 앉을 수 있는 버스 앞자리에 앉았기 때문에 경찰서에 가게 되었습니다.

오답 **풀이**

① 뒷자리에 앉은 사라를 보고 백인 아이들이 얼굴을 찡그리며 웃어 댔지만 사라는 아이들과 싸우지 않았습니다.

② 사라가 버스 요금을 내지 않았다는 내용은 나타나 있지 않습니다.

④ 사라는 버스 앞쪽 자리가 얼마나 좋은 곳인지 알아보기로 마음먹고 뒷자리에서 앞자리까지 걸어 나갔습니다.

⑤ 사라가 앞쪽 끝까지 가서 운전사 옆자리에 앉은 것을 본 운전사는 성난 얼굴로 사라를 쏘아보았지만, 사라는 운전사에게 예의 없게 행동하지 않았습니다.

4 ㉠과 ㉡은 흑인을 차별하는 것을 익숙하고 당연하게 생각하는 당시 사람들의 태도를 보여 줍니다.

5 사라와 흑인들이 버스를 타지 않자 사람들이 법을 바꾸었다는 내용으로 미루어 볼 때, 사라와 흑인들은 자신들을 버스 앞자리에 앉지 못하게 하는 법이 잘못되었음을 다른 사람들에게 알리기 위해 버스를 타지 않았을 것입니다.

생각 글 쓰기

◆예시 **답안** 흑인이 백인과 다르다고 생각하고 차별하는 사회를 바꾸고자 했을 것이다.

이렇게 지도해 주세요! 사라가 사는 곳에는 흑인들은 백인들과 같이 버스 앞자리에 앉지 못한다는 잘못된 법이 있었고, 흑인들이 이 법으로 차별을 받았다고 하였습니다. 이 글에 나타난 당대의 사회 모습을 파악할 수 있도록 지도해 주세요.

어법 다지기

03 '구별'은 '성질이나 종류에 따라 차이가 나는 것을 갈라놓음.'이라는 뜻의 낱말이고, '구분'은 '일정한 기준에 따라 전체를 몇 개로 갈라 나눔.'이라는 뜻의 낱말입니다.

(1) 쌍둥이인 친구들의 차이점에 따라 갈라놓을 수 없었다는 뜻이므로 '구별'할 수 없었다고 써야 알맞습니다.

(2) 책 전체를 '읽음/안 읽음'이라는 기준에 따라 같은 속성을 가진 것끼리 뭉쳐 놓았다는 뜻이므로 읽은 책과 읽지 않은 책이 '구분'되어 있다고 써야 알맞습니다.

10회 사자와 모기

▶ 본문 46~49쪽

1④ 2④ 3② 4③ 5② 6 사자, 거만

어휘·어법 다지기 01 (1)-㉢ (2)-㉡ (3)-㉠ 02 (1) 발버둥 (2) 거만 (3) 분수 03 ①

어느 날, 모기 한 마리가 산 속을 헤매며 날아다니다가 사자를 만났습니다. (2번의 근거) 사자를 보고서 모기는 건방진 말투로 사자를 도발하기 시작했습니다. ▶모기가 사자를 도발함.

"네가 아무리 짐승들의 왕이라지만 나는 조금도 무섭지 않아. 덤빌 테면 덤벼 봐라." (모기의 거만한 태도)

이 말을 들은 사자는 어이가 없었습니다. 그래서 모기를 단번에 없애 버리려고 어흥 소리를 지르면서 앞발을 번쩍 들고 껑충 뛰었습니다. 그러나 사자가 아무리 빨리 발을 휘둘러도 날아다니는 모기를 잡을 수는 없었습니다.

모기는 사자의 공격을 유유히(움직임이 한가하고 여유가 있고 느리게.) 피하다가 사자의 눈앞으로 바싹 날아와서 말했습니다.

"네가 나를 잡으려고? 어림도 없지. 너는 날카로운 발톱과 이빨을 자랑하지만, 내게는 그까짓 것은 아무것도 아니야. 조그만 동물이라도 싸울 때는 물고 뜯고 하는 것이 큰 동물과 마찬가지라고. 그러니 이번에는 내가 너를 물어뜯어 놓을 테다."

이렇게 말하고 모기는 사자를 마구 쏘아댔습니다. 그 바람에 사자는 도저히 견딜 수가 없었습니다.

"그만! 내가 졌다. 항복할 테니 그만 공격해."

사자는 그만 작은 모기에게 항복하고 말았습니다. ▶사자가 모기에게 항복함.

㉠"짐승의 왕 사자를 이겼으니, 이제 내가 왕 중의 왕이다!"

모기는 몹시 거만해져서 이렇게 외치고는 자신의 자랑스러운 행동을 모두에게 알리려고 날아갔습니다. 그러나 신이 난 모기는 앞을 똑바로 보지 않고 날아가다가, 얼마 가지 못해서 그만 나무 사이에 쳐 놓은 거미줄에 걸리고 말았습니다. (6번의 근거) 모기는 거미줄에서 벗어나려고 열심히 발버둥을 쳤지만, 아무리 날갯짓을 해도 거미줄은 점점 더 몸을 죄어왔습니다. 그때가 되어서야 모기는 눈물을 흘리며 후회했습니다. ▶거만한 태도 때문에 거미줄에 걸린 모기

'사자를 이겼다고 우쭐해져서 내 분수를 잊었구나. 그냥 다른 동물들의 피를 빨아먹으면서 평소처럼 살걸 그랬어.' (이 글의 주제, 1번의 근거) ▶모기가 뒤늦게 후회함.

이렇게 지도해 주세요! 이 글은 모기가 사자를 이겼다고 우쭐대다가 거미줄에 걸린 뒤 자신의 행동을 후회한다는 내용의 이솝 우화입니다. 모기의 행동에서 교훈을 이끌어 낼 수 있도록 지도해 주세요.
- **주제** 자기의 분수에 맞게 행동해야 한다.

1 이 글은 거만하게 행동하다가 거미줄에 걸리게 된 모기를 통해 자기의 분수를 알고 행동해야 한다는 교훈을 전달하고 있습니다.

2 이 이야기는 '모기와 사자가 산 속에서 우연히 만남. → 모기가 사자를 도발함. → 사자가 앞발을 휘둘렀지만 모기를 잡지 못함. → 사자가 모기에게 항복함. → 모기가 거미줄에 걸림.' 순으로 진행됩니다.

3 '송충이는 솔잎을 먹어야 한다.'는 속담은 자기의 분수에 맞게 행동해야 한다는 뜻이므로 이 글의 내용과 어울립니다.

오답 풀이
① 아무리 능력이 없는 사람도 한 가지 재주는 있다는 뜻입니다.
③ 어떤 분야에 지식과 경험이 전혀 없어도 오래 있으면 어느 정도의 지식과 경험을 갖게 된다는 뜻입니다.
④ 좋은 것이라도 다듬고 정리하여 쓸모 있게 만들어야 값어치가 있다는 뜻입니다.
⑤ 엉뚱한 데 가서 화풀이를 한다는 뜻입니다.

4 사자를 이긴 후 거만해져서 자신이 동물의 왕이라고 외치는 모습으로 보아 모기가 건방지다는 것을 알 수 있습니다.

5 이 글은 자기 분수에 맞게 살아야 한다는 주제를 담은 이야기이므로, 내 능력에 맞게 살아야겠다는 연우의 말이 가장 주제와 가깝습니다.

6 모기는 '사자'를 이겼다고 생각하여 앞을 제대로 살피지 않고 날아가다가 거미줄에 걸렸습니다. 우리도 어려움을 당하지 않으려면 '거만'하게 행동하지 말고 겸손하게 살아야 합니다.

생각 글 쓰기

◆**예시 답안** 거미줄에서 풀려난 모기는 사자에게 사과하고 앞으로 자신의 분수에 맞게 살아갔을 것이다.

이렇게 지도해 주세요! 이 글의 주제는 자신의 분수에 맞게 살아야 한다는 것입니다. 모기는 거미줄에 걸린 후에야 자신의 행동을 후회하였습니다. 글쓴이가 글을 쓴 까닭을 이해하고 글의 주제에 맞게 그 이후의 이야기를 자유롭게 상상해 볼 수 있도록 지도해 주세요.

어법 다지기

03 단위를 나타내는 명사 중 거리를 나타내는 단위인 'm'는 한글로 적을 때 앞말과 띄어 써야 합니다. 그러므로 ①의 '2m'는 '이 미터'로 씁니다.

11회 물 부족을 해결하는 빗물 사용 전문가

▶ 본문 52~55쪽

1 빗물 2 ③ 3 ⑤ 4 사용량 5 ① 6 스트레스, 전문가, 빗물

어휘·어법 다지기 **01** (1)-㉢ (2)-㉡ (3)-㉣ (4)-㉠ **02** (1) 소속 (2) 친환경 (3) 유망 **03** (1) 출연 (2) 출현 (3) 출연

우리나라는 유엔(UN)에서 정한 '물 스트레스 국가'입니다. 물 스트레스란 국가가 필요로 하는 물의 전체 양을 1년간 쓸 수 있는 물의 양으로 나눈 것으로, 이 수치가 높을수록 사용할 수 있는 물이 부족하다는 뜻입니다. 유엔 경제사회이사회의 조사에 따르면 한국의 물 스트레스는 20~40퍼센트 수준으로, 인도나 남아프리카공화국 등 대표적인 물 부족 국가와 같은 수준인 것으로 나타났습니다. 또한 경제협력개발기구(OECD)에서 2012년에 발표한 보고서에서도 한국은 2050년이 되면 경제협력개발기구(OECD) 소속 국가 중 물 스트레스 지수가 1위인 국가가 될 것이라고 예측하고 있습니다.
(2번의 근거)

▶물 스트레스 국가로 선정된 우리나라

우리나라가 물이 부족하다니, 정말 이상한 이야기입니다. 우리나라에 비가 내리지 않는 사막이 있는 것도 아니고, 당장 비가 오는 날 창밖에 내리는 비만 봐도 전혀 물이 부족해 보이지 않기 때문입니다. 물론 강수량으로만 따지면 우리나라는 문제가 없습니다. 하지만 강수가 사계절 중 장마가 드는 여름철에만 집중된 데다가, 이 많은 물을 가두어 둘 수 있는 시설이 부족하여 해마다 많은 물을 그대로 바다에 흘려보내고 있습니다. 물 부족이 저 멀리 다른 나라만의 문제는 아니라는 것입니다.
(2번의 근거)

▶우리나라가 물 스트레스 국가인 까닭

이러한 물 부족 문제를 해결할 수 있는 직업이 있습니다. 바로 유망 직업 중 하나인 ㉠빗물 사용 전문가입니다. 물 부족 문제를 해결하는 데에는 빗물을 얼마나 사용할 수 있느냐가 중요하기 때문입니다. 그래서 앞으로는 빗물을 저장하는 기술과 모아 놓은 빗물을 효과적으로 사용하는 기술을 연구하고 알려 주는 전문가가 필요해질 것입니다.
(2번의 근거, 3번의 근거)

▶빗물 사용 전문가의 필요성

이미 다른 나라에서는 빗물을 저장하고 관리하는 시설을 갖춘 친환경 건축물들이 개발되고 있습니다. 예를 들어 영국 런던 남부의 월링턴에 있는 탄소 제로 주택 단지 '베드제드'에는 빗물을 지하 탱크로 연결하여 화장실 물로 사용하는 ㉡'시드 루프' 시설이 갖추어져 있습니다. 놀랍게도 이 시설을 설치한 것만으로도 물 사용량이 예전보다 65퍼센트나 줄
(2번의 근거, 4번의 근거)

어들었다고 합니다. ▶빗물을 저장하고 관리하는 다른 나라의 시설

여러분도 빗물을 효율적으로 관리해서 자원으로 재활용하는 빗물 사용 전문가에 관심을 가져 보는 것은 어떨까요? ▶빗물 사용 전문가에 대한 관심 권유

이렇게 지도해 주세요! 이 글은 빗물 사용 전문가가 어떤 직업인지 설명하는 글입니다. 우리나라가 물 스트레스 국가로 정해진 까닭과 빗물 사용 전문가가 필요한 까닭을 연관지어 이해할 수 있도록 설명해 주세요.
• **주제** 물 부족 문제를 해결할 수 있는 빗물 사용 전문가

1 이 글은 물 부족 문제를 해결하는 '빗물' 사용 전문가를 다룬 글입니다.

2 우리나라가 물 스트레스 국가인 것은 강수량이 여름에 집중되어 있고, 그 물을 가두어 둘 수 있는 시설이 부족하기 때문입니다. 강수량이 적기 때문은 아닙니다.

오답 **풀이**
① 우리나라의 물 스트레스 지수는 대표적인 물 부족 국가들과 같은 수준인 것으로 나타났다고 하였습니다.
② 우리나라는 유엔이 정한 물 스트레스 국가라고 하였습니다.
④ 우리나라는 해마다 많은 물을 바다에 흘려보내고 있는데 빗물을 효과적으로 사용하면 물 부족 문제를 해결할 수 있다고 하였습니다.
⑤ 이미 다른 나라에서는 빗물을 저장하고 관리하는 시설을 갖춘 친환경 건축물들이 개발되고 있다고 하였습니다.

3 빗물 사용 전문가는 빗물을 저장하는 기술과 모아 놓은 빗물을 효과적으로 사용하는 기술을 연구하고 알려 준다고 하였습니다.

4 시드 루프 시설을 설치한 것만으로 '베드제드'는 물 '사용량'을 예전보다 65퍼센트나 줄였다고 하였습니다.

5 이 글에서는 빗물을 효율적으로 관리해서 자원으로 재활용하는 빗물 사용가가 있다면 물 부족을 해결할 수 있을 것이라 하였습니다. 따라서 물 부족이 심해져 사막이 생길 것이라는 예측은 알맞지 않습니다.

오답 **풀이**
② 이 글은 물 부족 문제를 해결할 수 있는 빗물 사용 전문가에 대해 설명하고 있으므로 미래에 빗물 사용 전문가라는 직업이 떠오를 것이라는 반응은 알맞습니다.
③ 물 부족 문제를 해결하기 위해서 이미 다른 나라에서는 빗물을 저장하고 관리하는 시설을 갖춘 친환경 건축물들이 개발되고 있다고 하였으므로 많은 비를 효과적으로 모아 두는 시설이 생길 것이라는 반응은 알맞습니다.
④ 물 부족 문제를 해결하는 데에는 빗물을 얼마나 사용할 수 있느냐가 중요한데, 이미 영국에서는 빗물을 지하 탱크로 연결하여 화장실 물로 사용하는 시드 루프 시설을 통해 물 사용량을 65퍼센트나 줄였다고 하였습니다. 따라서 물 사용량의 많은 부분을 빗물로 대신할 수 있을 것이라는 반응은 알맞습니다.
⑤ 이미 영국에서는 빗물을 지하 탱크로 연결하여 화장실 물로 사용하는 시드 루프 시설을 통해 물 사용량을 65퍼센트나 줄였다고 하였으므로 빗물을 화장실에서 사용할 수 있는 시설이 집집마다 설치될 것이라는 반응은 알맞습니다.

6 이 글은 우리나라가 UN에서 정한 물 '스트레스' 국가인데, 이는 강수량은 많아도 물을 가두어 둘 수 있는 시설이 부족하기 때문이라고 하였습니다. 또한 그렇기 때문에 빗물을 효율적으로 사용하는 기술을 연구하고 알려 주는 빗물 사용 '전문가'가 필요하다고 말하며 '빗물'을 저장하고 관리하는 다른 나라의 시설을 소개하였습니다. 그리고 빗물 사용 전문가에게 관심을 가지자고 하였습니다.

생각 글 쓰기

◆예시 **답안** 빗물 사용 전문가가 되기 위해서는 빗물을 저장하는 기술과 빗물을 효과적으로 사용할 수 있는 방법을 공부해야 할 것이다.

이렇게 지도해 주세요! 이 글은 빗물 사용 전문가에 대해서 설명하는 글입니다. 빗물 사용 전문가가 어떤 일을 하는지에 대해 생각해 보고, 빗물 사용 전문가가 되기 위해서는 어떤 노력을 해야 할지 떠올려 볼 수 있도록 지도해 주세요.

어법 다지기

03 '출연'은 '연기, 공연, 연설 등을 하기 위하여 무대나 연단에 나감.'이라는 뜻이고, '출현'은 '나타나거나 또는 나타나서 보임.'이라는 뜻입니다.
(1) 그 배우가 처음 연기를 한 영화를 통해 상을 받았다는 뜻이므로 '출연'이 알맞습니다.
(2) 교실에 갑자기 강아지가 나타나서 모두 웃었다는 뜻이므로 '출현'이 알맞습니다.
(3) 유희는 오늘 텔레비전에 연기, 공연 등을 하기 위해 처음 나간다는 뜻이므로 '출연'이 알맞습니다.

자동 제세동기의 원리와 사용법

▶ 본문 56~59쪽

1 제세동기 2 ① 3 ② 4 ㉢ 5 ㉯, ㉱, ㉮, ㉰ 6 마비, 원리, 사용법

어휘·어법 다지기 01 (1)-㉡ (2)-㉠ (3)-㉢ 02 (1) 부착 (2) 비치 (3) 감전 (4) 제세동기 03 (1) × (2) ○ (3) ×

학교나 지하철역 등 사람이 많이 모이는 공공장소라면 반드시 비치된 것이 있습니다. 바로 자동 제세동기입니다. 자동 심장 충격기로도 불리는 이 기기는 심장 마비로 쓰러진 사람을 구할 수 있는 매우 중요한 의료기기입니다.
(2번의 근거) ▶자동 제세동기의 중요성

사람들은 대부분 심장 마비를 심장이 완전히 멈춘 상태라고 생각하지만, 실제로는 그렇지 않습니다. 심장은 심장 자체에서 나오는 신경 신호에 따라 뛰는데, 이 신호에 이상이 생기면 심장 박동이 꼬이면서 심장 전체에 문제가 발생합니다. 이때 심장은 정상적으로 박동하지 못하고 미세하게 떨리는 상태가 되는데, 이를 심장 마비라고 하는 것입니다.
(2번의 근거) ▶심장 마비의 정확한 뜻

자동 제세동기는 이렇게 심장에 이상이 생겼을 때, 순간적으로 강한 전류를 흐르게 하여 심장을 완전히 멈추게 한 뒤 다시 규칙적으로 뛰게 합니다. 다른 상황에 비유해 볼까요? ㉠운동장에서 아이들이 발을 맞추어 걷다가 ㉡걸음이 각자 흐트러지는 경우가 생깁니다. 이때 ㉢선생님이 호루라기를 불면 아이들이 순간적으로 걸음을 모두 멈춥니다. ㉣그 후 아이들이 다시 발을 맞추어 걷습니다. 이것이 자동 제세동기가 심장 박동을 정상으로 되돌리는 원리입니다.
(2번의 근거) ▶자동 제세동기의 원리

자동 제세동기의 사용법은 다음과 같습니다. 전원을 켜면 음성 안내가 나옵니다. 안내에 따라 환자의 상의를 벗긴 후 패드를 부착합니다. 하나는 오른쪽 쇄골 아래에 부착하고, 나머지 하나는 왼쪽 가슴 아래 겨드랑이 부분에 부착합니다. 패드를 부착하는 정확한 위치는 패드의 겉부분에 그림으로 제시되어 있습니다.
(3번의 근거 – 자동 제세동기의 사용법을 순서대로 설명함.) ▶자동 제세동기의 사용법 ①

패드에 연결된 선을 기계에 꽂으면 기계에서 '심장 리듬 분석 중'이라는 안내가 나옵니다. 심장 충격이 필요한 경우, '제세동이 필요합니다.'라는 안내가 나오면서 자동으로 충전이 시작됩니다. 충전이 다 되어 '제세동' 버튼이 깜빡이면 즉시 누릅니다. 전기 충격을 가할 때는 감전의 위험이 있으므로 "모두 물러나세요."라고 외쳐서 주변 사람들이 환자로부터 떨어지게 해야 합니다. 충격이 끝나면 필요에 따라 다시 제세동을 실행할 수 있습니다. 또, 제세동기가 심장 리듬을 다시 분석하는 동안 심폐 소생술을 하면 환자를 살리는 데 큰 도움이 될 수 있습니다.
(2번의 근거) ▶자동 제세동기의 사용법 ②

이렇게 지도해 주세요! 이 글은 자동 제세동기의 원리와 사용 방법을 설명한 글입니다. 제세동기의 사용 방법을 순서대로 알고 응급 상황에서 사용할 수 있도록 지도해 주세요.
• **주제** 자동 제세동기의 원리와 사용법

1 이 글은 자동 '제세동기'의 원리와 사용법을 설명하고 있습니다.

2 심장 마비가 발생하면 심장이 완전히 멈추는 것이 아니라 미세하게 떨리는 상태가 된다고 하였습니다.

오답 **풀이**
② 자동 제세동기는 자동 심장 충격기로도 불리는 의료기기라고 하였습니다.
③ 자동 제세동기는 심장에 이상이 생겼을 때, 순간적으로 강한 전류를 흐르게 하여 심장이 완전히 멈추게 한 뒤 다시 규칙적으로 뛰게 한다고 하였습니다.
④ 사람이 많이 모이는 공공장소라면 자동 제세동기가 반드시 비치되어 있다고 하였습니다.
⑤ 전기 충격을 가할 때는 감전의 위험이 있으므로, 주변 사람들이 환자로부터 떨어지게 해야 한다고 하였습니다.

3 이 글은 자동 제세동기의 원리를 설명한 뒤, 제세동기를 사용하는 방법을 순서대로 설명하였습니다.

오답 **풀이**
① 이 글에서는 자동 제세동기의 구조에 대해 설명하고 있지 않습니다.
③ 자동 제세동기의 개수를 늘려야 한다고 주장하는 내용은 나타나 있지 않습니다.
④ 비유를 통해 자동 제세동기의 중요성을 강조하는 것이 아니라 원리를 설명하고 있습니다.
⑤ 이 글에는 자동 제세동기의 장단점이 나타나 있지 않습니다.

4 ㉢에서 선생님이 호루라기를 불어 아이들의 걸음을 순간적으로 멈추게 하는 것은, 자동 제세동기가 강한 전류를 흐르게 하여 심장을 일시적으로 완전히 멈추게 하는 상황을 비유한 것입니다.

오답 **풀이**
㉠ 아이들이 발을 맞추어 걷는 상태로, 이는 심장이 정상적이고 규칙적으로 뛰는 상태를 비유한 것입니다.
㉡ 아이들의 걸음이 각자 흐트러지는 것을 말하며, 이는 심장에 이상이 생겨 미세하게 떨리는 상태를 비유한 것입니다.
㉣ 아이들이 다시 발을 맞추어 걷는 것으로, 일시적으로 멈추었던 심장이 다시 정상적으로 뛰는 상태를 비유한 것입니다.

5 제세동기를 사용할 때는 먼저 전원을 켜고 환자의 상의를 벗깁니다(㉯). 다음으로 패드를 환자의 몸에 부착하고 패드에 연결된 선을 기계에 꽂습니다(㉱). 제세동기가 충전될 때까지 기다린 다음(㉮), '제세동' 버튼이 깜빡일 때 즉시 눌러 제세동을 실행한다고 하였습니다(㉰).

6 이 글은 먼저 자동 제세동기의 중요성을 설명한 뒤, 사람들이 잘못 알고 있는 심장 '마비'의 정확한 뜻을 설명하고 있습니다. 그리고 일시적으로 심장에 강한 전류를 흐르게 하여 심장을 멈추게 하였다가 다시 규칙적으로 뛰게 하는 자동 제세동기의 '원리'와 자동 제세동기의 '사용법'에 대하여 설명하고 있습니다.

생각 글 쓰기

◆예시 **답안** 심장에 강한 전류가 흐르면 일시적으로 완전히 멈추는데, 이를 통해 심장이 다시 규칙적으로 뛰도록 하기 위해서이다.

이렇게 지도해 주세요! 자동 제세동기의 원리는 비정상적으로 뛰는 심장을 일시적으로 완전히 멈추게 하였다가 다시 규칙적으로 뛰게 하는 것입니다. 자동 제세동기의 원리를 올바르게 이해할 수 있도록 지도해 주세요.

어법 다지기

03 '희한하다'는 '매우 드물거나 신기하다.'라는 뜻입니다. (1)은 '희한한'이라고 쓰고, (3)은 '희한하게도'라고 써야 바른 문장입니다.

13회 태안에서 만들어 낸 기적

▶ 본문 60~63쪽

1 기적 2 ③ 3 ⑤ 4 ④ 5 ⓜ 6 ① 7 자원, 모금, 협동
어휘·어법 다지기 01 (1)-㉣ (2)-㉡ (3)-㉠ (4)-㉢ 02 (1) 검증 (2) 자발적 (3) 생계 03 (1) 꼳 (2) 낟

㉠2007년 12월, 충청남도 태안 앞바다에서 유조선과 다른 선박이 충돌하는 사고가 일어났습니다. 이 사고로 수많은 양의 기름이 태안 앞바다에 유출되었습니다.(2번의 근거) 이 기름 유출 사고는 바다에서 어업을 하던 태안군 사람들에게 사형 선고나 다름없었습니다. 오염된 바다에서는 더 이상 물고기를 잡을 수도, 양식업을 할 수도 없었기 때문입니다. 하루아침에 수많은 사람이 생계를 잃었습니다. ㉡환경 전문가들은 '수십 년이 지나야 태안의 생태계가 복구될 것이다.'(2번의 근거)라는 절망적인 의견을 내놓았습니다.

▶기름 유출 사고가 일어난 태안 앞바다

하지만 기름 유출 사고가 일어난 지 10년이 넘은 지금, 태안 앞바다는(2번의 근거) 이전의 생명력 넘치는 모습을 거의 되찾았습니다. 태안에서 나는 수산물은 안정성을 검증받았고, 돌고래를 포함하여 다양한 생물들이 다시 태안을 찾았습니다. 어떻게 이런 기적이 일어난 것일까요?

▶10년 만에 과거의 모습을 되찾은 태안 앞바다

이러한 기적 뒤에는 이름 없는 수많은 사람들의 노력이 있었습니다. ㉢태안 기름 유출 사고가 일어난 직후, 전국 각지에서 도움의 손길이 이어졌습니다. 누가 시키지 않았음에도 불구하고 자발적으로 나선 사람들은 태안 앞바다에 모여 바닷물 위의 기름을 걷어 내고 기름때에 오염된 돌들을 닦으며 구슬땀을 흘렸습니다. 이러한 자원봉사자들의 수는 백만 명이 넘었습니다.(2번의 근거) 이들 중에는 학생들과 군인들도 포함되어 있었습니다.

▶태안 앞바다를 살리기 위한 자원봉사자들의 협동과 노력

「자원봉사자들의 노력, 정부의 경제적 지원, 환경 감시 활동, 방송사에서의 모금 행사 등 사회 전반의 노력으로 태안은 빠르게 이전의 모습을 되찾아 갔습니다.」(「」: 3번의 근거) 그리고 최근에는 ㉣태안 앞바다가 건강하게 회복되어 가는 중이며 피해에서 거의 벗어났다는 의견이 나오고 있습니다.

▶태안 앞바다를 살리기 위한 사회 전반의 노력

이러한 '태안의 기적'은 많은 사람들의 협동과 봉사가 없었다면 불가능했을 것입니다. 내 일이 아님에도 불구하고 내 일처럼 발 벗고 나선 작은 천사들이 힘을 합쳐 기적을 만들어 낸 것입니다. 이 일을 통해 오늘날의 사회에서 협동의 의미를 되새겨 보는 것은 어떨까요? 서로 손을 잡고 힘을 합친(4번의 근거)

다면 어떠한 어려움이라도 이겨 낼 수 있을 것입니다. ⓜ지금 바로, 옆에 힘든 사람이 있다면 함께 손을 잡아 주세요.

▶어려움을 이겨 내기 위해서는 서로 협동하는 자세가 필요함.

이렇게 지도해 주세요! 이 글은 기름으로 오염된 태안 앞바다가 많은 사람들의 협동과 노력으로 다시 이전의 모습을 되찾았다는 내용입니다. 글쓴이는 이 글을 통해 협동의 중요성을 강조하고 있습니다. 협동과 봉사의 가치를 생각하면서 읽을 수 있도록 지도해 주세요.

• **주제** 협동과 봉사의 힘으로 다시 살아난 태안 앞바다

1 이 글은 기름 유출 사고에도 불구하고 수많은 사람의 봉사와 노력으로 '기적'처럼 다시 살아난 태안 앞바다를 통해 협동의 중요성을 강조한 글입니다.

2 기름 유출 사고가 일어난 지 10년이 넘은 지금, 태안 앞바다는 이전의 생명력 넘치는 모습을 거의 되찾았다고 하였습니다.

오답 **풀이**

① 첫째 문단에서 태안 앞바다에서 기름 유출 사고가 일어났다고 하였습니다.

② 현재 태안에서 나는 수산물은 안정성을 검증받았다고 하였습니다.

④ 태안 앞바다에 모여 기름을 닦으며 구슬땀을 흘린 자원봉사자들의 수는 백만 명이 넘었다고 하였습니다.

⑤ 기름 유출 사고가 났을 때 환경 전문가들은 수십 년이 지나야 태안의 생태계가 복구될 것이라고 하였습니다.

3 이 글에서는 백만 명이 넘는 자원봉사자들의 노력, 정부의 경제적 지원, 환경 감시 활동, 방송사에서의 모금 행사 등 사회 전반의 노력으로 태안이 빠르게 기름 유출 사고 이전의 모습을 되찾아 가고 있다고 하였습니다. 기름 유출 사고를 일으킨 책임자를 처벌했다는 내용은 나와 있지 않습니다.

4 이 글은 많은 사람들의 협동과 봉사로 태안 기름 유출 사고를 이겨 낸 과정을 통해 협동과 봉사의 가치에 대하여 설명하고 있습니다.

5 이 글에 나타난 사실과 글쓴이의 의견을 구별하는 문제입니다. ⓜ에는 힘든 일을 겪는 사람이 있다면 서로 협동하여 이겨 낼 것을 말하는 글쓴이의 생각이 드러나 있습니다.

오답 **풀이**

㉠ 태안 앞바다에서 선박 충돌 사고가 일어난 사실을 나타낸 문장입니다.

㉡ 환경 전문가들이 절망적인 의견을 내놓았다는 사실을 나타낸 문장입니다.

㉢ 태안 기름 유출 사고 직후 전국에서 도움을 주었다는 사실을 나타낸 문장입니다.

㉣ 태안 앞바다가 이전의 모습으로 회복되어 간다는 의견이 나오고 있다는 사실을 나타낸 문장입니다.

6 태안 기름 유출 사고가 일어났을 때 많은 사람들의 노력, 정부의 경제적 지원, 환경 감시 활동, 모금 행사 등 사회 전반의 노력으로 태안이 빠르게 이전의 모습을 되찾아 가고 있다고 하였습니다. 또한 태안에서 나는 수산물은 안정성을 검증받았다고 하였으므로, 태안에서 나는 수산물을 먹지 말아야겠다는 반응은 알맞지 않습니다.

7 태안 기름 유출 사고로 입은 피해를 복구하기 위하여 수많은 '자원'봉사자들이 봉사하였고, 정부에서는 피해 복구를 위한 경제적 지원을 하였습니다. 또한, 방송에서는 '모금' 행사를 통해 성금을 모았습니다. 이 글에서는 이렇게 어려움을 이겨 내기 위해서는 서로 '협동'하는 자세가 필요하다고 강조하고 있습니다.

생각 글 쓰기

◆예시 **답안** 기름 유출 사고를 내 일처럼 생각하고 어려움을 이겨 내기 위하여 협동한 수많은 자원봉사자들이 있었기 때문이다.

이렇게 지도해 주세요! 태안 기름 유출 사고는 대한민국 사상 최악의 기름 유출 사고였지만, 많은 사람들의 협동과 봉사 덕분에 태안 앞바다는 빠르게 예전의 생명력을 되찾을 수 있었습니다. 협동과 봉사의 가치를 생각하면서 글을 읽을 수 있도록 지도해 주세요.

어법 다지기

03 '음절의 끝소리 규칙'은 우리말에서 받침에 'ㄱ, ㄴ, ㄷ, ㄹ, ㅁ, ㅂ, ㅇ'이 아닌 자음이 올 때, 이 일곱 자음 중 하나로 바뀌어서 발음되는 것을 말합니다.

(1) '꽃'은 받침 'ㅊ'이 'ㄷ'으로 바뀌어서 [꼳]으로 발음됩니다.

(2) '낮'은 받침 'ㅈ'이 'ㄷ'으로 바뀌어서 [낟]으로 발음됩니다.

14회 조상의 지혜를 담은 전통 그릇, 옹기

▶ 본문 64~67쪽

1 옹기 2 ③ 3 ⑤ 4 ④ 5 (1) 항아리 (2) 뚝배기 6 ① 7 저장, 열, 연기

어휘·어법 다지기 01 (1)-ⓛ (2)-ⓡ (3)-ⓖ (4)-ⓒ 02 (1) 증발 (2) 실용 (3) 순환 03 (1) 부쳤다 (2) 부쳐 (3) 붙였다

우리나라의 대표적인 전통 그릇은 무엇일까요? 바로 옹기입니다. 언뜻 보기에 옹기는 단순하고 투박해 보이지만, 조상들의 지혜가 오롯이 담겨 있는 귀중한 전통 그릇입니다. (2번, 6번의 근거)
▶ 우리나라의 대표적인 전통 그릇인 옹기

옹기가 다른 그릇들보다 특별한 점은 바로, 숨을 쉬는 살아 있는 그릇이라는 점입니다.「옹기에는 눈에 보이지 않을 정도로 미세한 숨 구멍이 나 있습니다. 옹기는 만들어질 때 높은 온도에서 구워지는데, 이때 옹기 내부의 수분이 증발하여 빠져나가면서 숨 구멍이 생기는 것이지요. 이 숨 구멍을 통해 그릇 안과 밖의 공기가 순환하는 구조가 만들어집니다. 이러한 원리가 숨어 있는 옹기는 음식물이 잘 익도록 하며, 상하는 것을 막는 과학적이고 실용적인 그릇입니다.」(「」: 4번의 근거, 2번의 근거)
▶ 숨 구멍이 있는 옹기

옹기의 종류 중 하나인 항아리는 음식물을 저장하는 데 쓰였습니다. (5번의 근거) 우리나라의 대표적인 음식인 김치부터 간장, 된장, 젓갈, 술 등을 발효시키고 저장하는 필수적인 저장 용기였지요. 특히 항아리 중 크기가 큰 것을 '독'이라고 부르는데, (2번의 근거) 우리 조상들은 겨울이면 독에 김치를 저장하여 오랫동안 먹을 수 있었습니다.
▶ 항아리의 특징

옹기의 또 다른 종류인 뚝배기는 열을 보존하는 것이 특징입니다. (2번, 5번, 6번의 근거) 찌개나 탕, 국 등 따뜻한 온도를 유지해야 맛있는 음식을 조리하는 데 꼭 필요한 그릇이지요. 오늘날에도 유용하게 쓰이는 뚝배기는 사용할 때 한 가지 주의할 점이 있습니다. ㉠뚝배기를 씻을 때 세제를 사용하면 안 된다는 점입니다. 그릇의 미세한 숨 구멍에 세제가 들어가서 다음에 음식을 조리할 때 배어 나올 수 있기 때문이지요. (3번의 근거) 따라서 뚝배기를 씻을 때는 쌀뜨물이나 밀가루를 사용해야 합니다. (6번의 근거)
▶ 뚝배기의 특징

옹기는 집을 지을 때도 중요한 역할을 하였습니다. 특히 굴뚝과 기와의 재료로 많이 사용되었는데, (2번, 6번의 근거) 우리 조상들은 옹기로 만든 굴뚝에 구멍을 뚫어서 연기와 그을음이 잘 빠져나가도록 하였지요. 또한 옹기로 만든 기와는 습기나 열을 간직하였다가 서서히 내보내는 특징이 있어 여름의 더위나 장마를 견디는 데 큰 도움을 주었습니다. (6번의 근거)
▶ 옹기로 만든 굴뚝과 기와의 특징

이렇듯 조상의 지혜가 담겨 있는 우리나라의 전통 그릇인 옹기는 오늘날에도 사람들에게 많은 사랑을 받고 있답니다.
▶ 오늘날에도 사랑받고 있는 옹기

이렇게 지도해 주세요! 이 글은 우리나라 전통 그릇인 옹기의 특징과 종류를 설명한 글입니다. 옹기의 종류와 각각의 옹기가 가진 특징을 잘 이해하면서 읽을 수 있도록 지도해 주세요.

• **주제** 우리나라 전통 그릇인 옹기의 특징과 종류

1 이 글은 우리나라의 전통 그릇인 '옹기'의 특징과 종류를 설명하고 있습니다.

2 항아리 중 크기가 큰 것은 '독'이라고 부른다고 하였습니다.

오답 **풀이**
① 넷째 문단에서 옹기의 또 다른 종류인 뚝배기는 열을 보존하는 것이 특징이라고 하였습니다.
② 다섯째 문단에서 옹기는 집을 지을 때 굴뚝과 기와의 재료로 많이 사용되었다고 하였습니다.
④ 첫째 문단에서 우리나라의 대표적인 전통 그릇은 옹기라고 하였습니다.
⑤ 둘째 문단에서 옹기는 숨 구멍이 있어서 음식물이 잘 익도록 하고, 상하는 것을 막는 과학적이고 실용적인 그릇이라고 하였습니다.

3 세제를 사용하면 옹기의 미세한 숨 구멍에 세제가 들어갔다가 다음에 음식을 조리할 때 다시 나올 수 있으므로, 세제로 뚝배기를 설거지하면 안 된다고 하였습니다.

오답 **풀이**
①, ② 세제를 사용한다고 해서 뚝배기가 썩거나 녹아내리는 것은 아닙니다.
③ 세제의 양이 많이 들어서가 아니라, 뚝배기의 미세한 숨 구멍에 세제가 들어가기 때문에 뚝배기를 씻을 때 세제를 사용하면 안 된다고 하였습니다.
④ 세제를 사용하면 뚝배기의 기능이 떨어지는 것이 아니라, 음식에 세제가 배어 나올 수 있다고 하였습니다.

4 옹기를 높은 온도에서 구울 때 옹기 내부의 수분이 증발하여 빠져나가면서 숨 구멍이 만들어진다고 하였습니다.

오답 **풀이**
① 옹기의 숨 구멍은 눈에 보이지 않을 정도로 미세한 구멍이라고 하였습니다.
② 옹기의 숨 구멍은 옹기 내부의 수분이 증발하여 빠져나가면서 생기는 것이라고 하였습니다.
③ 옹기의 숨 구멍을 통해 그릇 안과 밖의 공기가 순환하는 구조가 만들어진다고 하였습니다.
⑤ 옹기의 숨 구멍은 음식이 잘 익도록 하며 상하는 것을 막는다고 하였습니다.

5 대표적인 옹기 중 하나인 '항아리'는 김치부터 간장, 된장, 젓갈, 술 등을 발효시키고 저장하는 필수적인 저장 용기라고 하였습니다. '뚝배기'는 열을 보존하는 특징이 있어 찌개나 탕, 국 등을 조리하는 데 필요한 그릇이라고 하였습니다.

6 뚝배기와 항아리 모두 여름에도 쓸 수 있습니다. 그리고 옹기로 만든 기와는 습기나 열을 간직하였다가 서서히 내보내는 특징이 있어 여름의 더위나 장마를 견디는 데 큰 도움을 주었다고 하였습니다.

오답 풀이

② 옹기는 집을 지을 때 굴뚝과 기와의 재료로 많이 사용되었다고 하였습니다.

③ 첫째 문단에서 옹기에는 우리 조상들의 지혜가 오롯이 담겨 있다고 하였습니다.

④ 뚝배기를 씻을 때 세제를 사용하면 미세한 숨 구멍에 세제가 들어가서 다음에 조리할 때 배어 나올 수 있기 때문에 쌀뜨물이나 밀가루를 사용하여 설거지해야 한다고 하였습니다.

⑤ 뚝배기는 열을 보존하는 것이 특징이라고 하였습니다.

7 우리나라의 대표적인 전통 그릇인 옹기 중에서 항아리는 음식물을 '저장'하거나 발효시키고, 뚝배기는 '열'을 보존하여 음식을 따뜻하게 유지시켜 준다고 하였습니다. 그리고 옹기로 만든 굴뚝은 '연기'나 그을음이 잘 빠지고, 기와는 습기나 열을 간직하였다가 서서히 내보내어 여름의 더위나 장마를 견디는 데 도움을 주었다고 하였습니다.

생각 글 쓰기

◆예시 답안 옹기로 만든 기와는 습기와 열을 간직하였다가 서서히 내보내는 특징이 있기 때문이다.

이렇게 지도해 주세요! 습기와 열이 많은 여름철에는 옹기로 만든 기와가 이를 조절하는 데 큰 도움을 준다고 하였습니다. 옹기의 장점을 계절의 특징과 연관하여 이해할 수 있도록 지도해 주세요.

어법 다지기

03 '부치다'에는 '편지나 물건 등을 상대에게 보내다.'라는 뜻을 가진 것이 있고, '프라이팬 등에 기름을 바르고 음식을 익혀서 만들다.'라는 뜻을 가진 것이 있습니다. 또, '붙이다'는 '맞닿아 떨어지지 아니하게 하다.'라는 뜻입니다.

(1) 소포를 우체국에 가서 상대에게 보낸다는 뜻이므로 '부쳤다'가 알맞습니다.

(2) 프라이팬에 기름을 바르고 김치 부침개를 익혀 먹는다는 뜻이므로 '부쳐'가 알맞습니다.

(3) 편지 봉투에 꽃 모양 스티커를 떨어지지 않게 하였다는 뜻이므로 '붙였다'가 알맞습니다.

15회 컴퓨터의 이용과 우리 생활

▶ 본문 68~71쪽

1 컴퓨터 2 ④ 3 ① 4 ④ 5 민지 6 정부, 교통

어휘·어법 다지기 01 (1)-㉡ (2)-㉢ (3)-㉠ 02 (1) 효율적 (2) 정밀 (3) 대비 03 (1) 베었다 (2) 배었다 (3) 베고

우리 생활에서 컴퓨터가 사라진다면 어떻게 될까요? 얼마나 불편할지 상상하기가 쉽지 않을 것입니다.(5번의 근거) 최초의 컴퓨터가 개발된 지 60년이 넘은 지금, 컴퓨터는 생활에서 떼려야 뗄 수 없는 존재가 되었습니다. 컴퓨터는 우리 생활의 어느 곳에서 사용되고 있을까요? ▶우리 생활에 꼭 필요한 컴퓨터

컴퓨터는 가정에서 학습, 통신 등의 다양한 목적으로 쓰입니다. 우리는 컴퓨터를 인터넷과 연결하여 원하는 정보를 찾을 수 있고, 인터넷 강의도 들을 수 있습니다. 멀리 떨어진 친구와 컴퓨터를 통해 이메일을 주고받기도 합니다.(4번의 근거) 또한, 친구들과 컴퓨터로 게임을 하기도 합니다. ▶가정에서의 컴퓨터 사용

컴퓨터는 나라를 운영하는 데에도 꼭 필요합니다. 정부는 컴퓨터를 통해 대부분의 행정 업무를 처리하며, 시민들이 직접 주민 센터나 시청에 가지 않고도 컴퓨터로 각종 민원을 접수하고 신속하게 처리할 수 있도록 돕습니다.(3번의 근거) 또한 슈퍼컴퓨터를 사용하여 태풍, 지진, 황사 등의 국가 재난 상황을 예측하고 대비하여 피해를 줄이기도 합니다.(4번의 근거) ▶정부에서의 컴퓨터 사용

산업용 로봇 또한 움직이는 컴퓨터라고 할 수 있습니다.(3번의 근거) 산업용 로봇은 사람이 하기 어려운 매우 정밀하거나 위험한 작업을 짧은 시간 내에 정확히 해낼 수 있습니다.(4번의 근거) 제품의 설계부터 생산까지의 모든 과정을 사람 없이 컴퓨터가 담당하기도 합니다. ▶산업 분야에서의 컴퓨터 사용

컴퓨터는 교통 분야에서도 폭넓게 이용됩니다. 교통의 흐름이 질서 있게 유지되도록 설치한 신호등은 컴퓨터에 의해 자동으로 조절됩니다.(3번의 근거) 비행기와 지하철 등의 교통수단도 컴퓨터를 통해 자동으로 운행되도록 점차 바뀌고 있습니다. ▶교통 분야에서의 컴퓨터 사용

컴퓨터가 발달할수록 크기는 작아지고 성능은 더 좋아지고 있습니다. 오늘날 사람들이 많이 사용하는 스마트폰은 작은 컴퓨터로 볼 수 있습니다.(3번의 근거) 이 스마트폰을 통해 사람들은 각종 정보를 얻고(4번의 근거) 사람들과 의사소통하며, 물건 사기, 음악 듣기, 송금하기 등 많은 일을 손쉽게 하고 있습니다. 작은 컴퓨터를 손에 들고 다니면서 일을 처리할 수 있는 시대가 온 것입니다. ▶작은 컴퓨터인 스마트폰의 사용

이처럼 컴퓨터가 우리 생활에 많은 영향을 미치고 있는 만큼 컴퓨터를 효율적으로 이용하는 것이 우리 생활의 질을 높이는 중요한 일이 될 것입니다. ▶컴퓨터를 효율적으로 이용하는 일의 중요성

3번의 근거

이렇게 지도해 주세요! 이 글은 컴퓨터가 우리 생활의 어느 곳에서 이용되는지 다양한 분야로 나누어 설명한 글입니다. 각 분야에서 컴퓨터가 하는 역할이 무엇인지 살펴보면서 읽도록 지도해 주세요.

• **주제** 우리 생활 속의 다양한 분야에서 이용되는 컴퓨터

1 이 글은 '컴퓨터'가 우리 생활의 어느 분야에 이용되고 있는지 설명하는 글입니다.

2 이 글에서는 컴퓨터가 활용되는 분야를 가정, 정부, 산업, 교통 등으로 나누어 설명하고 있습니다.

오답 **풀이**

① 컴퓨터로 인해 생긴 문제점은 나타나지 않았습니다.
② 컴퓨터의 구조에 대해서는 설명하지 않았습니다.
③ 컴퓨터를 효율적으로 이용하는 것이 중요하다고 하였지만, 사용 시간을 줄여야 한다고 주장한 것은 아닙니다.
⑤ 컴퓨터가 만들어진 역사를 시간 순서대로 설명한 것이 아니라, 컴퓨터가 이용되는 각각의 분야를 나누어서 설명하고 있습니다.

3 넷째 문단에서 산업용 로봇 또한 움직이는 컴퓨터라고 할 수 있다고 하였습니다.

오답 **풀이**

② 컴퓨터가 발달할수록 크기는 작아지고 성능은 더 좋아지고 있는데, 스마트폰은 작은 컴퓨터로 볼 수 있다고 하였습니다.
③ 컴퓨터는 가정이나 정부, 사회의 많은 분야에 폭넓게 사용되고 있다고 하였습니다.
④ 정부는 시민들이 직접 주민 센터나 시청에 가지 않고도 컴퓨터로 각종 민원을 접수하고 신속하게 처리할 수 있도록 돕는다고 하였습니다.
⑤ 교통의 흐름이 질서 있게 유지되도록 설치한 신호등은 컴퓨터에 의해 자동으로 조절된다고 하였습니다.

4 이 글은 생활 속에서 컴퓨터를 이용한 예로 컴퓨터를 고쳐서 다른 사람에게 팔아 돈을 버는 일을 소개하지 않았습니다.

오답 **풀이**

① 스마트폰을 통해 각종 정보를 얻을 수 있다고 하였습니다.
② 컴퓨터로 친구와 이메일을 주고받을 수 있다고 하였습니다.
③ 슈퍼컴퓨터를 이용하여 국가 재난을 예측하고 대비할 수 있다고 하였습니다.
⑤ 산업용 로봇은 움직이는 컴퓨터로, 사람이 하기 어려운 위험한 작업을 짧은 시간 내에 정확히 해낼 수 있다고 하였습니다.

5 이 글은 컴퓨터가 우리 생활의 어느 분야에서 활용되는지 설명한 글입니다. 글쓴이는 컴퓨터를 효율적으로 이용하면 우리 생활의 질을 높일 수 있다고 보았으므로, 컴퓨터를 이용하는 시간을 줄여야 한다는 '민지'는 글의 내용을 잘못 이해한 것입니다.

6 이 글은 컴퓨터가 우리 생활의 어떤 분야에서 이용되고 있는지 설명하고 있습니다. 가정에서는 학습, 통신 등의 목적으로 컴퓨터를 쓰고, '정부'에서는 행정 업무, 민원 등을 신속하게 처리합니다. 또 산업 분야에서는 산업용 로봇으로 컴퓨터를 활용하고, '교통' 분야에도 이용하고 있습니다. 글쓴이는 이러한 예시를 통해 컴퓨터를 효율적으로 이용하면 생활의 질을 높일 수 있다고 하였습니다.

생각 글 쓰기

◆예시 **답안** 교통 분야에서는 교통의 흐름을 유지하고 비행기와 지하철 등의 교통수단을 자동으로 운행한다.

이렇게 지도해 주세요! 교통 분야에서 컴퓨터를 이용한 예시는 다섯째 문단에서 확인할 수 있습니다. 이 밖에도 각 분야에서 컴퓨터가 하는 역할을 생각해 볼 수 있도록 지도해 주세요.

어법 다지기

03 '배다'에는 '스며들거나 스며 나오다.'라는 뜻의 '배다'와 '배 속에 아이나 새끼를 가지다.'라는 뜻의 '배다'가 있습니다. '베다'에는 '날이 있는 물건으로 상처를 내다.'라는 뜻의 '베다'와 '누울 때 베개 등을 머리 아래에 받치다.'라는 뜻의 '베다'가 있습니다.

(1) 손에 상처가 난 것이므로 '베었다'가 알맞습니다.
(2) 토끼가 배 속에 새끼를 가진 것이므로 '배었다'가 알맞습니다.
(3) 누울 때 팔로 머리 아래를 받친 것이므로 '베고'가 알맞습니다.

16회 장영실이 만든 발명품들

▶ 본문 72~75쪽

1 장영실 2 ④ 3 ② 4 파수호 5 ㉣ 6 자격루, 농경
어휘·어법 다지기 01 (1)-㉣ (2)-㉢ (3)-㉡ (4)-㉠ 02 (1) 노비 (2) 엄격 (3) 관측 03 ③

장영실은 조선 시대에 활약한 과학자이자 다양한 발명품을 만들어 낸 기술자로 알려져 있습니다. 장영실은 그의 뛰어난 업적을 인정받아서, 노비 출신임에도 불구하고 신분 제도가 엄격했던 조선 시대에 벼슬을 지냈습니다. 그가 만든 대표적인 발명품으로는 앙부일구, 자격루, 혼천의 등이 있습니다.(2번의 근거)

▶과학자이자 발명품을 만들어 낸 기술자인 장영실

앙부일구는 장영실이 발명한 해시계입니다.(3번의 근거) 해가 떠 있는 동안 시계 내부에 생기는 그림자로 시각을 표시하지요. 해는 동쪽에서 떠서 서쪽으로 지는데, 이에 따라 그림자의 위치도 계속해서 달라집니다. 앙부일구는 이 원리를 이용하여 시간의 변화를 나타낼 수 있었던 것입니다. 또한 장영실은 앙부일구에 그림자의 길이에 따른 절기를 표시하여 백성들이 농사를 짓는 데 도움이 되도록 하였습니다.(5번의 근거)

▶앙부일구의 특징

자격루는 물을 이용한 시계입니다. 자격루가 뛰어난 발명품으로 인정받는 까닭은 자동으로 시간을 알려 줄 수 있기 때문입니다.(3번의 근거) 「자격루 안에는 물을 흘려주는 항아리인 '파수호'와 물을 받는 항아리인 '수수호'가 있습니다. 수수호에는 작은 막대가 있는데, 파수호에서 흘린 물이 수수호에 차오르면 막대도 같이 떠오르기 시작합니다. 떠오른 막대가 미리 마련된 구슬을 떨어뜨리면, 인형들이 자동으로 움직이고 소리를 내면서 시간을 알려 주었습니다.」(「 」: 4번의 근거)

▶자격루의 특징

혼천의는 하늘의 별들을 관측하기 위하여 만든 천문 기구입니다.(3번의 근거) 장영실은 혼천의를 지구가 우주의 중심에 있고 태양과 달, 행성이 지구 주변을 도는 모습으로 만들었습니다.(3번의 근거) 혼천의는 계절과 시간의 변화를 알 수 있게 만든 매우 과학적인 발명품이었지요.(3번의 근거)

▶혼천의의 특징

장영실이 만든 수많은 발명품은 조선 전기에 과학 기술이 발달하고 농업 생산량이 늘어나는 데 큰 도움을 주었습니다. 그가 만든 천문 기구와 시계들 덕분에 조선은 중국과 다른 고유의 역법을 탄생시킬 수 있었고, 이는 조선의 농경 생활에 큰 발전을 가져왔습니다.

▶조선의 과학 기술과 농업 생산에 큰 도움을 준 장영실의 발명품

이렇게 지도해 주세요! 이 글은 과학자이자 기술자인 장영실이 만든 발명품들을 자세히 설명한 글입니다. 발명품의 종류와 각 발명품들의 특징을 파악하면서 읽을 수 있도록 지도해 주세요.

- **주제** 장영실이 만든 발명품과 특징

1 이 글은 조선 시대의 과학자이자 기술자인 '장영실'이 만든 발명품들을 설명한 글입니다.

2 이 글은 장영실이 만든 발명품인 앙부일구, 자격루, 혼천의를 자세하게 설명하고 있습니다.

3 장영실은 혼천의를 지구가 우주의 중심에 있고, 태양과 달, 행성이 지구 주변을 도는 모습으로 만들었다고 하였습니다.

4 자격루는 '파수호'와 수수호라는 두 개의 항아리로 이루어져 있다고 하였습니다. '파수호'에서 물을 흘려주고, 수수호에서 물이 차올라 막대를 치면 구슬이 떨어져 인형이 자동으로 움직이고 소리를 내면서 시간을 알려 주었다고 하였습니다.

5 장영실이 앙부일구에 그림자 길이에 따라 절기를 표시하여 농사를 짓는 데 도움을 주었다는 내용으로 보아, 앙부일구는 절기를 알려 주었음을 알 수 있습니다. 반면 자격루가 절기를 알려 주었다는 내용은 나타나 있지 않습니다.

오답 **풀이**
㉠ 별을 관측할 수 있는 것은 혼천의입니다.
㉡ 앙부일구와 자격루는 모두 자동으로 시간을 알려 주었습니다.
㉢ 앙부일구는 해를 이용하기 때문에 맑은 날에만 사용할 수 있고, 자격루는 날씨에 상관없이 물만 있으면 사용할 수 있습니다.

6 장영실이 만든 앙부일구는 해를 이용하여 시간을 알려 주고, '자격루'는 시간을 자동으로 알려 주었습니다. 혼천의는 하늘에 있는 천체의 움직임을 관측할 수 있었습니다. 이러한 여러 발명품은 우리나라 고유의 역법을 탄생시켜, '농경' 생활이 크게 발전하였습니다.

생각 글 쓰기

◆ 예시 **답안** 과학 기술이 발달하고 농업 생산량이 늘어나는 데 큰 도움을 주었다.

이렇게 지도해 주세요! 장영실의 발명품 덕분에 조선의 과학 기술과 농업은 더욱 발전하였습니다. 장영실의 발명품이 지닌 가치와 우수성을 이해할 수 있도록 지도해 주세요.

어법 다지기

03 '체언'은 명사, 수사, 대명사를 통틀어 일컫는 말입니다. ③에서 '샀다'는 명사, 수사, 대명사 중 어디에도 포함되지 않습니다. ③에서 체언은 대명사인 '나'와 명사인 '가방'입니다.

오답 **풀이**
①의 '어제'는 명사, ②의 '이거'는 대명사, ④의 '둘'은 수사, ⑤의 '사과'는 명사입니다.

17회 복도에 안전 거울을 설치해 주세요

▶ 본문 76~79쪽

1 안전 거울 2 ② 3 ④ 4 ④ 5 (1) ㉠ (2) ㉡, ㉢ 6 ㉣ 7 안전사고, 복도

어휘·어법 다지기 01 (1)-㉢ (2)-㉡ (3)-㉠ (4)-㉣ 02 (1) 건의 (2) 예방 (3) 모퉁이 03 (1) 한참 (2) 한창

교장 선생님, 안녕하세요? 저는 4학년 3반 정영훈이라고 합니다. 항상 우리 학교와 학생들을 위해 노력해 주시는 교장 선생님께 감사 드립니다. 오늘 제가 교장 선생님께 글을 쓰는 까닭은 최근 복도에서 안전사고가 많이 발생하고 있기 때문입니다.

(2번의 근거 – 글을 읽는 사람 / 3번의 근거 – 글쓴이 / 4번의 근거)

▶교장 선생님께 글을 쓴 까닭

새 학기가 시작된 지난주에 우리 학교에서 아찔한 사고가 있었습니다. 제 친구인 민영이가 복도 모퉁이를 돌다가 갑자기 튀어나온 친구를 보고 놀라 넘어진 것입니다. 다행히 민영이는 다른 곳은 크게 다치지 않았지만, 다리뼈에 금이 가고 말았습니다. 그래서 지금은 붕대를 한 채 학교에 다니고 있습니다. 더욱 심각한 것은 민영이 말고도 비슷한 사고를 당해 붕대를 하고 다니는 친구들이 다른 반에도 꽤 많이 있다는 것입니다.

(3번의 근거)

▶학교 복도에서 안전사고가 생긴 사례

이러한 복도에서의 안전사고는 우리 학교만의 문제가 아니라고 합니다. ○○ 신문은 최근 1년 동안 학교 안에서 일어난 안전사고 건수를 조사하였는데, 2018년에 발생한 안전사고가 2017년에 비해 16퍼센트나 늘었다고 합니다. 특히 복도에서의 안전사고는 사고가 일어난 장소로 순위를 매겼을 때 4위를 차지할 정도로 자주 발생하고 있었습니다.

(3번의 근거 / 3번의 근거)

▶복도에서 안전사고가 많이 발생함.

저는 이러한 신문 기사를 읽고 교장 선생님께 꼭 건의를 드려야겠다고 생각했습니다. ㉠교장 선생님, 우리 학교 복도에 안전 거울을 설치해 주십시오. ㉡안전 거울이 필요한 곳을 조사하여 설치한다면, 친구들이 모퉁이를 돌기 전에 누가 오는지 미리 확인할 수 있기 때문에 안전사고가 눈에 띄게 줄어들 것입니다. ㉢자동차가 다니는 도로에도 곳곳에 이러한 안전 거울이 설치되어 있어 도로 위 자동차들의 사고를 예방하고 있습니다. 안전 거울을 설치하는 일은 학교 친구들뿐만 아니라 선생님들의 안전을 위한 일이기도 합니다.

(3번, 6번의 근거 – 글쓴이의 주장 / 6번의 근거 / 6번의 근거)

▶복도에 안전 거울을 설치할 것을 건의함.

교장 선생님, 안전 거울을 설치하여 우리 학교 친구들과 선생님들이 더 안전한 학교생활을 할 수 있게 만들어 주세요. 긴 글 읽어 주셔서 정말 고맙습니다.

▶안전 거울을 설치해 달라는 부탁

이렇게 지도해 주세요! 이 글은 사고가 난 사례를 들어 복도에 안전 거울을 설치할 것을 건의하는 글입니다. 글쓴이의 건의 사항과 이러한 건의를 한 까닭이 무엇인지 파악하면서 읽도록 지도해 주세요.

• **주제** 복도의 안전 거울 설치에 대한 필요성

1 이 글은 학교 복도에 '안전 거울'을 설치해 달라는 건의와 그에 대한 근거를 담은 글입니다.

2 이 글은 정영훈이라는 학생이 교장 선생님께 쓴 글입니다.

3 학교 안에서 안전사고가 일어난 장소로 순위를 매겼을 때, 복도에서 발생한 안전사고가 4위를 차지했다고 하였습니다.

오답 **풀이**

① 글쓴이는 처음에 자신이 4학년 3반 정영훈이라고 소개하였습니다.
② 친구 민영이가 복도 모퉁이를 돌다가 넘어져서 다리뼈에 금이 갔고 붕대를 한 채 학교에 다니고 있다고 하였습니다.
③ 글쓴이는 복도에 안전 거울을 설치할 것을 건의하며 친구가 다쳤던 일, 신문 기사 내용 등을 근거로 들었습니다.
⑤ 2018년에 발생한 안전사고 건수가 2017년에 비해 16퍼센트나 늘었다고 하였습니다.

4 글쓴이가 복도에 안전 거울을 설치할 것을 건의한 까닭은 복도에서 안전사고가 많이 발생하고 있기 때문입니다.

5 글쓴이는 ㉠에서 복도에 안전 거울을 설치할 것을 주장하고 있으며, 그 근거로 안전 거울을 설치했을 때 사고가 줄어든다는 점(㉡)과 안전 거울이 자동차 도로에 이미 설치되어 있다는 점(㉢)을 들었습니다.

6 글쓴이는 안전 거울을 설치해야 한다고 주장하고 있으므로 안전 교육을 실시하는 것이 더 좋은 방법이라고 말하는 ㉣는 글쓴이와 의견이 다릅니다.

7 글쓴이는 복도에서 '안전사고'가 많이 발생하고 있기 때문에 '복도'에 안전 거울을 설치해야 한다고 주장하였습니다. 그 근거로 안전 거울을 설치하면 모퉁이를 돌기 전에 사람이 오는지 미리 확인할 수 있고, 도로 위 자동차들도 안전 거울로 사고를 예방하고 있다는 점을 들었습니다.

생각 글 쓰기

◆예시 **답안** 친구들이 복도 모퉁이를 돌기 전에 누가 오는지 미리 확인할 수 있어 안전사고가 예방된다.

이렇게 지도해 주세요! 글쓴이가 말한 근거를 바탕으로 복도에 안전 거울이 설치되면 좋은 점을 생각할 수 있도록 지도해 주세요.

어법 다지기

03 (1) 시간이 상당히 지나는 동안 친구를 기다렸다는 뜻이므로 '한참'이 알맞습니다.
(2) 요즘 가장 왕성하게 인기 있는 노래를 모두 알고 있다는 뜻이므로 '한창'이 알맞습니다.

18회 지구를 운전하는 엄마_안상학

▶ 본문 80~83쪽

1 ④ 2 ⑤ 3 ①, ⑤ 4 ⑤ 5 ② 6 자동차 7 ③

어휘·어법 다지기 01 (1)-ⓒ (2)-ⓛ (3)-ⓙ (4)-ⓡ 02 (1) 호미 (2) 시동 (3) 시속 03 (1) 띠어 (2) 띄게

봄나들이 갔다가

㉠냉이밭을 만난 엄마 ▶1연: 봄나들이를 갔다가 엄마가 냉이밭을 만남.

호미 대신

㉡자동차 열쇠로 냉이를 ㉮캔다 ▶2연: 엄마가 자동차 열쇠로 냉이를 캠.

「열쇠를 ㉢땅에 꽂을 때마다

「 」: 말하는 이가 시를 쓰게 만든 장면

㉣지구를 시동 거는 것 같다」

부릉부릉

자동차가 움직이는 소리를 표현한 의성어

지구를 몰고 가는 엄마

우리는 시속 1,667킬로미터 ㉤지구 자동차를 탔다

지구가 스스로 도는 속도

▶3~5연: 엄마가 냉이를 캐는 모습을 보고 자동차에 시동 거는 장면을 떠올림.

이렇게 지도해 주세요! 이 시는 냉이 밭에서 냉이를 캐는 엄마를 보고 떠오른 생각을 쓴 동시입니다. 말하는 이가 엄마가 지구를 운전하고 있다고 생각하는 까닭을 이해할 수 있도록 지도해 주세요.

• **주제** 냉이 밭에서 냉이를 캐는 엄마의 모습

1 이 시에서 말하는 이는 엄마가 냉이를 캐는 모습을 보고 떠오르는 생각에 따라 시를 전개하고 있습니다.

2 이 시에서 말하는 이는 열쇠로 냉이를 캐는 엄마의 모습을 보고, 지구를 커다란 자동차라고 생각하였습니다. 엄마를 보고 기발한 장면을 상상하는 것을 볼 때 말하는 이는 자신이 보는 모습을 재미있어 하고 있는 것입니다.

3 지구와 자동차는 빠르게 움직이고, 엄마가 열쇠를 꽂을 수 있다는 점이 비슷합니다.

오답 **풀이**

② 연료는 자동차에만 필요합니다.

③ 말하는 이는 자동차가 크기 때문에 지구를 자동차에 빗댄 것이 아닙니다.

④ 냉이가 자라는 곳은 지구의 냉이 밭이지, 자동차가 아닙니다.

4 말하는 이는 엄마가 자동차 열쇠로 냉이를 캐는 모습에서 지구 자동차를 운전하는 엄마의 모습을 떠올렸습니다. 따라서 엄마가 열쇠로 지구 자동차에 시동을 걸듯이 냉이를 캐는 모습을 떠올릴 수 있습니다.

오답 **풀이**

① 열쇠로 냉이를 캐는 사람은 엄마입니다.

② 우주에서 지구를 본다는 내용은 나타나지 않았습니다.

③ 여러 가지 자동차에 대한 내용은 나타나지 않았습니다.

④ 지구를 위하여 쓰레기를 줍는 엄마의 모습은 나타나지 않았습니다.

5 ㉡은 자동차 열쇠를 나타내는 반면 ㉠, ㉢, ㉣, ㉤은 모두 엄마가 열쇠를 꽂는 냉이 밭(지구)을 나타내고 있습니다.

6 말하는 이는 지구가 시속 1,667킬로미터로 움직이는 것이 '자동차'를 타고 움직이는 것 같다고 생각하고 있습니다.

7 ㉮의 '캔다'는 '땅 속에 묻힌 광물이나 식물 등의 자연 생산물을 파서 꺼낸다.'라는 뜻입니다. ③의 '캐어서'는 '드러나지 아니한 사실을 밝혀내어서.'라는 뜻으로, ㉮와 뜻이 다릅니다.

생각 글 쓰기

✦예시 **답안** 엄마가 자동차 열쇠로 냉이를 캐면서 열쇠를 땅에 꽂는 모습이 지구에 시동을 거는 것 같기 때문이다.

이렇게 지도해 주세요! 말하는 이는 밭에서 냉이를 캐는 엄마의 모습을 보고 지구를 운전하는 엄마의 모습을 떠올렸습니다. 이와 같이 일상생활 속에서 경험한 것들을 떠올리며 시를 감상할 수 있도록 지도해 주세요.

어법 다지기

03 '띄다'는 '눈에 보이다.', '남보다 훨씬 두드러지다.' 등의 뜻이 있고, '띠다'는 '물건을 몸에 지니다.', '빛깔이나 색채 등을 가지다.', '강점이나 기운 등을 나타내다.' 등의 뜻이 있습니다.

(1) 사과가 붉은 빛깔을 가지고 있었다는 뜻이므로 '띠어'가 알맞습니다.

(2) 동생의 얼굴이 남보다 훨씬 두드러지게 귀여운 얼굴이라는 뜻이므로 '띄게'가 알맞습니다.

안창호 선생이 아들에게 쓴 편지

▶ 본문 84~87쪽

1 필립 2 ② 3 ④ 4 ② 5 ㈐, ㈑ 6 ⑤ 7 좋은, 친구, 책

어휘·어법 다지기 01 (1)-㉣ (2)-㉡ (3)-㉠ (4)-㉢ 02 (1) 지식 (2) 소식 (3) 동양 03 (1) 크다 (2) 먹었다 (3) 예쁘시다

사랑하는 아들 필립
'반드시 독립을 이룬다'는 뜻으로, 안창호 선생이 아들에게 지어 준 이름.

어머니의 편지를 받아 보았다. ㉠네가 넘어져 팔을 다쳤다는 소식이 들어 있어 매우 걱정되는구나.(아들을 걱정하는 마음이 드러남.) 팔이 낫거들랑 내게 바로 알려라. ㉡한 학년 올라가게 된 것을 축하한다.(아들을 축하하고 기뻐하는 마음이 드러남.) 아버지는 무척 기쁘구나.「나는 이곳에 편안히 잘 있다. 미국 국회 의원들이 동양에 온다고 해 홍콩으로 왔다만 그들이 이곳에 들르지 않아 만나지는 못했단다.(2번의 근거) 나는 곧 상하이로 돌아갈 거란다.」(「 」: 자신의 소식을 전함.) ▶아들에 대한 마음과 자신의 소식

내 아들 필립아. 키가 크고 몸이 커지는 만큼 스스로 좋은 사람이 되려고 힘써야 한단다.(2번의 근거 – 아들에게 당부하는 말) 네가 어리고 몸이 작았을 때보다 더욱더 힘써야 하지. 스스로 좋은 사람이 되려고 노력하는 네 모습을 내 눈으로 직접 보고 싶구나. ㉢너는 워낙 남을 속이지 않는 진실한 사람이라 좋은 사람이 되기도 쉬울 거란다.(아들을 믿는 마음이 드러남.) ▶아들이 좋은 사람이 되기를 바라는 마음

㉮ 좋은 사람이 되려면 진실하고 깨끗해야 해. 또 좋은 친구를 가려 사귀어야 한단다.(4번의 근거 – 좋은 사람이 되는 조건 ①) 그게 좋은 사람이 되는 첫 번째 조건이지. 더욱 부지런해져라. 어려운 일도 열심히 견디거라. ㉣책은 부지런히 보고 있니? 아무 책이나 읽지 말고, 좋은 책을 골라 꾸준히 읽어라. 좋은 책을 가려 보는 것이 좋은 사람이 되는 두 번째 조건이란다.(4번의 근거 – 좋은 사람이 되는 조건 ②) 좋은 친구를 사귀고 좋은 책을 읽는 일을 멈추지 말아라. 책은 두 종류를 택하렴. 첫째는 좋은 사람들의 이야기가 담겨 있어 본받을 수 있는 책이고, 둘째는 너의 공부에 필요한 지식을 얻기 위한 책이다.(5번의 근거) 또 우리글과 책을 잘 익혀라. ㉤즐거운 마음으로 내 말을 따라 주겠지?(아들에게 기대하는 마음이 드러남.) 너를 믿는다. ▶아들에게 전하는 좋은 사람이 되는 조건

1920년 8월 3일 홍콩에서

안창호

이렇게 지도해 주세요! 이 글은 독립운동을 하기 위해 국외에 나가 있던 안창호 선생이 아들 필립을 사랑하는 마음과 하고 싶은 말을 담아 쓴 편지글입니다. 아버지가 아들에게 하고 싶은 말이 무엇인지 생각하면서 읽도록 지도해 주세요.

• **주제** 아들이 좋은 사람이 되기를 바라는 아버지의 마음

1 이 글은 안창호 선생이 아들 '필립'에게 쓴 편지글입니다.

2 글쓴이는 미국 국회 의원을 만나기 위해 홍콩으로 갔지만, 그들을 만나지 못했다고 하였습니다.

3 ㉣에는 아들을 자랑스러워하는 마음보다는 아들이 좋은 사람이 되도록 좋은 책을 읽기를 바라는 마음이 담겨 있습니다.

4 글쓴이는 아들에게 좋은 사람이 되려면 진실하고 깨끗해야 한다고 하였습니다.

오답 **풀이**
① 글쓴이는 아들에게 더욱 부지런해지라고 하였습니다.
③ 좋은 책을 가려 보는 것이 좋은 사람이 되는 두 번째 조건이라고 하였습니다.
④ 학교 공부를 많이 해야 한다는 내용은 나타나 있지 않습니다.
⑤ 글쓴이는 아들에게 좋은 친구를 가려서 사귀어야 한다고 하였습니다.

5 글쓴이는 ㉮에서 좋은 책이란 첫째는 좋은 사람들의 이야기가 담겨 있어 본받을 수 있는 책이고, 둘째는 자신의 공부에 필요한 지식을 얻기 위한 책이라고 하였습니다.

6 편지에는 아들이 좋은 사람이 될 것이라는 기대와 자신의 말을 즐거운 마음으로 따라 줄 것이라는 기대가 담겨 있습니다. 하지만 이러한 기대를 힘들어하는 아들의 생각은 찾아볼 수 없습니다.

7 첫째 문단에는 아들을 생각하는 마음과 글쓴이(안창호 선생) 자신의 소식이 나타나 있고, 둘째 문단에는 아들이 '좋은' 사람이 되기를 바라는 마음이 나타나 있습니다. 셋째 문단에는 좋은 사람이 되는 조건 두 가지가 나타나 있습니다. 첫째 조건은 진실하고 깨끗해야 한다는 것과 좋은 '친구'를 사귀는 것이고, 둘째 조건은 좋은 '책'을 가려 보는 것입니다.

생각 글 쓰기

◆예시 **답안** 팔을 다친 아들을 걱정하는 마음, 좋은 사람이 되기 위해 열심히 노력하기를 바라는 마음 등을 전하고 싶었을 것이다.

이렇게 지도해 주세요! 글쓴이(안창호 선생)는 편지를 통해 멀리 떨어진 아들을 걱정하는 마음, 아들이 좋은 사람이 되기를 바라는 마음을 전하고 있습니다. 안창호 선생이 아들에게 느끼는 감정을 당시 시대적 배경과 연결하여 이해할 수 있도록 지도해 주세요.

어법 다지기

03 '용언'은 문장 안에서 사람이나 사물의 움직임, 성질, 상태 등을 서술하는 역할을 하는 말로, 동사와 형용사로 구분된다고 하였습니다.
(1) 용언은 가방의 성질을 나타내는 형용사 '크다'입니다.
(2) 용언은 '지수'의 움직임을 나타내는 동사 '먹었다'입니다.
(3) 용언은 마음의 성질을 나타내는 형용사 '예쁘시다'입니다.

20회 장끼전

▶ 본문 88~91쪽

1 (1) 겨울 (2) 밭 2 ⑤ 3 ④ 4 ① 5 ②

어휘·어법 다지기 01 (1)-㉡ (2)-㉢ (3)-㉠ (4)-㉣ 02 (1) 덫 (2) 풍경 (3) 통곡 (4) 잔소리 03 (1) 문안하고 (2) 무난하게 (3) 무난하게

어느 마을에 장끼와 까투리가 살았습니다. 장끼는 수꿩이고, 까투리는 암꿩을 말합니다. 장끼와 까투리는 서로 결혼했습니다. 장끼와 까투리는 서로 사이가 아주 좋았습니다. 그래서 자식이 많았습니다. 아들이 아홉, 딸이 열둘이나 되는 대식구였답니다.
(이야기의 주인공)
▶장끼와 까투리는 자식이 많은 대식구임.

겨울이 되어 온 세상에 눈이 소복이 쌓였습니다. 풍경은 매우 아름다웠지만, 꿩들에게는 그리 반가운 일은 아니었습니다. 먹을 것을 구하기가 힘들었기 때문입니다. 꿩들은 사람들이 땅에 떨어뜨린 곡식을 주워 먹어야 하는데, 눈이 쌓여서 곡식이 보이지 않았습니다. 먹을 것이 없었던 장끼와 까투리는 자식들을 먹이기 위해 밭에 나가 보기로 했습니다.
(이야기의 계절적 배경 – 1번의 근거) (공간적 배경 – 1번의 근거)
▶겨울이 되어 먹을 것을 구하기 위해 밭에 나간 장끼와 까투리

먹을 것을 찾기 위해 쏘다니던 장끼가 큰 콩을 발견했습니다. 기분이 좋아진 장끼는 신이 나서 콩을 향해 달려가려고 했습니다. 그때, 까투리가 옆에서 소리쳤습니다.
(사람들이 놓은 덫)

「"㉠잠깐 멈춰요! 그 콩을 먹으면 안 돼요. 왠지 사람이 우리를 잡으려고 일부러 가져다 놓은 것 같아요. 먹지 않는 것이 좋겠어요."」
(3번의 근거) 「 」: 2번의 근거 – 조심스러운 까투리의 성격을 보여 줌.

신이 나서 뛰어가던 장끼가 걸음을 멈추고 까투리를 쳐다보았습니다.

"밖이 이렇게 추운데 사람들이 밭에 왔겠어요? 눈이 와서 사람들이 오지 않아요."

"그래도 먹지 않는 것이 좋겠어요."

까투리가 계속해서 말렸지만, 장끼는 이런 까투리의 잔소리가 듣기 싫었습니다.
(2번의 근거)
▶콩을 먹으려는 장끼를 말리는 까투리

까투리는 장끼에게 어젯밤에 꾸었던 꿈 이야기를 해 주었습니다.

"어젯밤에 잠이 들자마자 꿈을 꾸었어요. 비가 오다가 날씨가 맑아졌어요. 하늘에 무지개가 생겼는데, 그게 갑자기 칼로 바뀌었어요. 그러더니 그 칼이 당신의 목을 베었어요. 당신이 죽을 꿈이 분명해요. 제발 먹지 말아요."
(2번의 근거)

하지만 장끼는 오히려 기뻐하며 대답했습니다.

"그 꿈은 나쁜 꿈이 아니에요. 꿈은 반대라고 하잖아요? 무지개가 나한테 떨어졌으니까 나한테 좋은 일이 있을 거예요."
(까투리의 꿈을 자신에게 유리하게 해석하는 장끼)

까투리는 계속해서 다른 꿈 이야기를 했지만, 장끼는 버럭 화를 내며 소리쳤습니다.

"더는 듣기 싫어요. 한 번만 더 꿈 이야기를 하면, 내가 당신을 가만두지 않을 거요."
(2번의 근거 – 다른 사람의 말을 듣지 않는 장끼의 성격)

까투리의 간절한 애원을 뒤로 한 채, 장끼는 보무도 당당하게 콩을 향해 걸어갔습니다.
(위엄 있고 활기 있게 걷는 걸음)
▶콩을 먹으려는 장끼를 불길한 꿈 이야기를 하며 말리는 까투리

장끼는 기뻐하며 콩을 부리로 콕 쪼았습니다.

"으악!"

장끼가 소리를 질렀습니다. 장끼가 덫에 걸린 것입니다. 쇠가 부딪치는 소리가 나고 날카로운 것이 장끼의 목을 눌렀습니다. 숨이 막힌 장끼가 푸드덕거렸으나 때는 이미 늦었습니다.
(2번의 근거)

㉡"아이고, 나 죽네! 진작에 까투리 자네 말을 들을 것을! 이제 와서 후회해도 소용없구나!"
(까투리의 충고를 듣지 않은 것을 후회하는 장끼)

"아이고, 이게 무슨 일이야! 그렇게 내 말을 안 듣더니 어쩌면 좋아! 이렇게 될 줄 몰랐나? 여자 말을 안 듣다가 집안이 망했네." / 까투리가 놀라서 큰 소리로 울었습니다.

새끼들도 아버지가 덫에 걸린 모습을 보았습니다. 모두 발만 동동 구를 뿐 어찌할 바를 몰랐습니다. 까투리가 통곡하며 말했습니다.

"좋은 약이 맛은 쓰지만 몸에 좋다고 했는데. 옳은 말은 듣기 싫지만 행동에 좋다고 했는데! 당신이 내 말을 들었으면 좋았을 텐데. 둘이 사이좋게 살다가 하나가 죽게 되었네. 나는 이제 어떻게 하나? 아이고, 답답하고 가여워라."
(이 글의 교훈) (안타까운 까투리의 상황)

까투리가 가슴을 치면서 울었습니다.
▶콩을 먹으려다 덫에 걸려 죽을 위기에 처한 장끼

이렇게 지도해 주세요! 이 글은 고전 소설 '장끼전'의 일부로, 까투리의 말을 듣지 않은 장끼가 사람이 놓은 덫에 걸려 죽을 위기에 처한 부분입니다. 인물의 성격과 사건이 일어난 배경, 사건의 내용을 두루 이해하면서 읽을 수 있도록 지도해 주세요.

• **주제** 까투리의 말을 듣지 않고 행동하다 죽을 위기에 처한 장끼

1 둘째 문단에서 겨울이 되어 눈이 소복이 쌓였다고 하였고, 꿩들이 먹을 것을 찾기 위해 밭에 나가 보기로 했다고 하였습니다. 즉 이 글의 계절적 배경은 '겨울'이고, 공간적 배경은 '밭'이라는 것을 알 수 있습니다.

2 까투리는 하늘에 무지개가 생겼는데, 그것이 칼로 바뀌어 장끼에게 떨어지는 꿈을 꾸었습니다.

3 까투리는 콩이 놓인 것을 이상하게 생각하여 사람이 놓은 덫이라 생각하고, 장끼에게 먹지 말라고 충고하였습니다.

4 장끼는 까투리의 말을 듣지 않은 것을 후회했지만 이미 때는 늦어 죽을 위기에 처했습니다. 이 상황을 가장 잘 나타내는 속담은 이미 일이 잘못된 뒤에는 후회하고 손을 써 보아야 아무 소용이 없다는 뜻의 '소 잃고 외양간 고친다.'입니다.

오답 **풀이**

② '강한 사람끼리 싸우는 통에 약한 사람이 피해를 본다.'라는 뜻입니다.
③ '내가 남에게 말이나 행동을 좋게 하여야 남도 자기에게 좋게 한다.'라는 뜻입니다.
④ '아무리 좋은 것이라도 쓸모 있게 만들어야 값어치가 있다.'라는 뜻입니다.
⑤ '모든 일은 원인에 따라서 결과가 나온다.'라는 뜻입니다.

5 사람들은 꿩을 잡아먹기 위해 덫을 놓은 것이기 때문에 콩을 가져다 준 사람이 착하다는 생각은 알맞지 않습니다.

오답 **풀이**

① 장끼가 사람이 놓은 덫에 걸려 죽게 되면 까투리는 혼자 살아가게 될 것이므로 까투리가 불쌍하다는 생각은 알맞습니다.
③ 겨울에 눈이 소복이 쌓여 꿩들이 먹을 것을 구하기가 힘든 모습에서 안쓰럽다는 생각을 할 수 있습니다.
④ 장끼가 까투리의 말을 듣지 않고 콩을 먹으려다가 죽을 위기에 처했으므로 다른 사람의 충고를 무시하지 말아야 한다는 생각은 알맞습니다.
⑤ 까투리가 하는 말을 듣지 않다가 덫에 걸려 죽을 위기에 처하게 된 장끼의 모습을 보고 안타깝다는 생각을 할 수 있습니다.

생각 글 쓰기

◆예시 **답안** 다른 사람의 충고를 무시하지 말고 귀담아듣는 자세가 필요하다.

이렇게 지도해 주세요! 이 글을 통해 다른 사람이 진심으로 해 주는 충고를 귀담아듣는 자세가 필요하다는 교훈을 얻을 수 있습니다.

어법 다지기

03 '무난하다'는 '별로 어려움이 없다.', '이렇다 할 단점이나 흠잡을 만한 것이 없다.', '성격 등이 까다롭지 않고 무던하다.'라는 뜻을 가진 낱말이고, '문안하다'는 '웃어른께 안부를 여쭈다.'라는 뜻을 가진 낱말입니다.
(1) 지현이가 할머니께 안부를 여쭈었다는 뜻이므로 '문안하고'가 알맞습니다.
(2) 신발이 새로 산 옷에 흠잡을 데 없이 어울려 보인다는 뜻이므로 '무난하게'가 알맞습니다.
(3) 달리기 시합에서 별로 어려움이 없게 우승을 차지하였다는 뜻이므로 '무난하게'가 알맞습니다.

21회 착한 소비를 생활화하자

▶ 본문 94~97쪽

1 착한 소비 2 ⑤ 3 ③ 4 ③ 5 ㉡ 6 환경, 올바른, 이웃
어휘·어법 다지기 **01** (1)-㉡ (2)-㉣ (3)-㉢ (4)-㉠ **02** (1) 대가 (2) 현명 (3) 기부 **03** (1) 복귀 (2) 복구 (3) 복구

여러분은 물건을 살 때 어떤 것을 먼저 살펴보나요? 많은 사람들이 빼놓지 않고 보는 것은 가격일 것입니다. 적은 돈으로 좋은 물건을 구매하는 것이 현명한 소비라고 생각하기 때문이지요. 그러나 가격만을 중요하게 생각하는 것이 올바른 소비라고 할 수는 없습니다.(2번의 근거) 물건을 살 때는 그 물건이 어떤 과정을 거쳐 완성되었는지도 고려해 보아야 하기 때문입니다. 물건의 가격뿐만이 아니라 이웃과 사회, 환경을 생각하는 의미 있는 소비를 해야 하는 것입니다.(2번, 3번의 근거) 우리는 이러한 소비를 '착한 소비'라고 합니다. '착한 소비'가 필요한 까닭은 무엇일까요? ▶물건을 구매할 때 가격만 따질 것이 아니라 '착한 소비'를 해야 함.

첫째, 우리의 환경을 보존할 수 있기 때문입니다.(3번의 근거) 물건을 만드는 데에는 지구에 있는 수많은 자원이 사용되고, 물건을 만드는 과정에서 환경이 오염되기도 합니다. 환경 오염을 줄이기 위해서는 유기농, 친환경 농작물을 구매하고, 간소하게 포장된 물건을 사야 합니다.(4번의 근거) 이것이 우리의 환경을 지키는 '착한 소비'입니다. ▶'착한 소비'가 필요한 까닭 ① – 환경을 보존할 수 있음.

둘째, 물건을 만드는 사람들에게 일하는 것에 대한 정당한 대가를 줌으로써 올바른 사회를 만들 수 있기 때문입니다.(3번의 근거) 「몇몇 나라에서는 아이들이 학교에 다니지 못하고 하루 종일 일하며 카카오나 커피의 열매를 땁니다. 그리고 그 대가로 너무나도 적은 돈을 받고 있지요. 어린아이들에게 일을 시키는 것과 정당한 대가를 주지 않는 것은 모두 불법입니다.(4번의 근거) 이러한 과정으로 만들어진 물건을 구매하지 않는 것이 올바른 사회를 만들 수 있는 길입니다.」(「」: 5번의 근거) ▶'착한 소비'가 필요한 까닭 ② – 건강한 사회를 만들 수 있음.

셋째, 우리 주변의 이웃에게 도움을 줄 수 있기 때문입니다.(3번의 근거) 우리가 구매하는 여러 물건 중에는 그것을 구매하는 동시에 기부할 수 있는 것들이 있습니다.(4번의 근거) 예를 들면, 어떤 신발 회사에서는 신발 한 켤레를 판매하면 자동으로 우리 주변의 이웃에게 신발 한 켤레가 기부됩니다. 또한, 옷이 한 벌 팔리면 어려운 이웃에게 옷을 선물하는 회사도 있습니다. 이러한 회사의 물건을 이용하는 '착한 소비'를 통해 우리는 이웃들에게 도움을 줄 수 있습니다. ▶'착한 소비'가 필요한 까닭 ③ – 우리 주변의 이웃을 도울 수 있음.

이처럼 '착한 소비'는 우리의 환경, 사회, 이웃이 더 나아지도록 만들 수 있습니다. 우리는 물건을 구매할 때 가격뿐만 아니라 더 다양한 조건을 고려하고 자신과 사회에 좋은 영향을 줄 수 있는 '착한 소비'를 생활화할 수 있도록 노력해야 할 것입니다.

2번, 3번의 근거

3번의 근거

▶'착한 소비'를 생활화하자는 주장

이렇게 지도해 주세요! 이 글은 지구의 환경을 보존할 수 있고, 건강한 사회를 만들 수 있으며 어려운 이웃을 도울 수 있다는 근거를 들어 '착한 소비'를 실천할 것을 주장하는 논설문입니다. 글쓴이의 주장과 근거가 무엇인지, 그 근거가 타당한지 살펴보면서 읽을 수 있도록 지도해 주세요.

• **주제** 착한 소비를 해야 한다.

1 이 글은 '착한 소비'를 생활화하자고 주장하는 논설문입니다.

2 이 글에서는 환경, 사회, 이웃에 도움이 되는 착한 소비를 하자고 주장하고 있습니다.

오답 **풀이**
① 글쓴이는 매일매일 소비를 늘리자고 주장하지 않았습니다.
② 글쓴이는 지구의 환경을 보존하기 위해서 유기농, 친환경 농작물을 구매하거나 간소하게 포장된 물건을 사야 한다고 말하고 있습니다. 지구의 자원을 많이 사용하자고 주장하지는 않았습니다.
③ 적은 돈으로 많은 물건을 구매하기 위해 가격만 고려하는 것은 현명한 소비일 수는 있지만, 올바른 소비가 아니라고 하였습니다.
④ 이 글에서는 물건을 구매하는 동시에 기부하는 물건을 이용하면 주변 이웃에게 도움을 줄 수 있다고 하였습니다. 하지만 봉사 활동을 하자고 말하지는 않았습니다.

3 이 글에서 '가격'만을 중요하게 생각하는 것은 올바른 소비로 볼 수 없다고 하였습니다. '착한 소비'는 물건을 구매할 때 드는 돈을 절약하는 소비가 아닙니다.

4 어린아이들에게 노동을 시키는 것은 불법이므로, 지수의 소비는 착한 소비라고 할 수 없습니다.

오답 **풀이**
① 유기농 농작물을 구매하는 것은 지구의 환경을 생각하는 착한 소비입니다.
② 포장이 간소한 물건을 구매하는 것은 지구의 환경을 생각하는 착한 소비입니다.
④ 노동자들이 정당한 대가를 받고 만든 물건을 구매하는 것은 사회를 생각하는 착한 소비입니다.
⑤ 신발 한 켤레를 구매하면 자동으로 어려운 이웃에게 신발 한 켤레가 기부되는 신발을 구매하는 것은 어려운 이웃을 돕는 착한 소비입니다.

5 **보기**는 '공정 무역'의 뜻을 설명하고 있습니다. 공정 무역은 노동자에게 정당한 대가를 주는 것이 목적이므로 '착한 소비'와 같은 목표를 지녔다고 볼 수 있습니다. 그러나 어린아이들이 딴 카카오나 커피 열매를 사고파는 것은 공정 무역이라고 할 수 없으므로 ㉡은 알맞은 생각이 아닙니다.

6 이 글은 '착한 소비'를 생활화해야 한다고 주장한 글입니다. 글쓴이는 주장에 대한 근거로 세 가지를 들었습니다. 먼저 친환경 농작물, 간소하게 포장된 물건을 구매하면 '환경'을 지킬 수 있고, 노동자에게 정당한 대가를 준 물건을 구매하면 '올바른' 사회를 만들 수 있다고 하였습니다. 또한, 구매할 때 이웃에게 기부되는 물건을 구매하면 어려운 '이웃'을 도울 수 있다고 하였습니다.

생각 글 쓰기

◆예시 **답안** 유기농 농작물이나 친환경 농작물을 구매하면 환경 오염을 줄일 수 있고, 포장이 간소한 물건을 구매하면 포장에 들어가는 자원을 아낄 수 있기 때문이다.

이렇게 지도해 주세요! 이 글은 착한 소비를 해야 하는 까닭을 세 가지 측면에서 말하고 있습니다. 이에 해당하는 내용이 무엇인지 정확하게 말할 수 있도록 지도해 주세요.

어법 다지기

03 '복구'는 '잃어버리거나 손해를 보기 전의 상태로 회복함.'이라는 뜻이고 '복귀'는 '본디의 자리나 상태로 되돌아감.'이라는 뜻입니다.

⑴ 유학을 갔던 배우가 영화배우라는 본디의 자리로 되돌아갔다는 뜻이므로 '복귀'가 알맞습니다.
⑵ 장마로 생긴 피해를 손해를 보기 전의 상태로 회복한다는 뜻이므로 '복구'가 알맞습니다.
⑶ 그림을 오랫동안 관리하지 않아서 망가지기 이전의 상태로 되돌리기 힘들다는 뜻이므로 '복구'가 알맞습니다.

가깝고도 먼 나라, 북한

▶ 본문 98~101쪽

1 북한 2 ③ 3 ⑤ 4 ② 5 ⑤ 6 문화어, 음식
어휘·어법 다지기 01 (1)-㉡ (2)-㉠ (3)-㉢ 02 (1) 공유 (2) 흔적 (3) 기후 03 ③

휴전으로 6 · 25 전쟁이 멈춘 뒤, 북한은 우리나라와 가장 가까우면서도 가장 먼 나라가 되었습니다. 같은 한반도에 위치해 있고 우리나라의 바로 위에 맞닿아 있지만, 마음대로 갈 수 있는 곳이 아니기 때문입니다. 그렇게 서로 왕래하지 못한 채 50년 이상의 세월이 흘렀기 때문에, 남한 사람들과 북한 사람들의 생활 모습은 많이 달라졌습니다. (2번의 근거)

▶남한과 생활 모습이 많이 다른 북한

먼저, 북한 사람들은 남한 사람들과 사용하는 말이 조금 다릅니다. 북한의 표준어는 평양 지역의 사람들이 사용하는 '문화어'입니다. 「문화어에는 외래어나 외국어를 순우리말로 순화한 낱말이 많습니다. 예를 들어 '젤리'는 '단묵', '아이스크림'은 '얼음보숭이'로 바꾸어 부릅니다. 또한 '일없다.'라는 표현을 남한에서는 '네가 신경 쓸 일이 아니다.'라는 뜻으로 사용하지만, 북한에서는 '괜찮다.'라는 뜻으로 사용합니다. 만약 남한 사람과 북한 사람이 처음 만나서 대화한다면 간단한 대화는 할 수 있겠지만, 서로가 하는 말의 뜻을 모두 이해하기는 어려울 것입니다.」 (「 」: 3번의 근거)

▶북한의 표준어인 '문화어'

그리고 남한과 북한은 기후도 다릅니다. 북한의 겨울은 강원도의 겨울보다 훨씬 춥고 깁니다. (2번의 근거) 그 까닭은 북한이 남한보다 더 북쪽에 있기 때문입니다. (4번의 근거) 북한에는 1월에 평균 기온이 영하 20도까지 떨어지는 곳도 있을 정도로 겨울에는 춥고, 여름에는 남한보다 덥지 않은 편입니다. 그래서 북한 인구의 60퍼센트는 남한과 기후가 비슷하여 많이 춥지 않은 북한의 남쪽에 살고 있습니다. (2번의 근거)

▶남한보다 추운 북한의 겨울

북한의 음식 문화 역시 남한과는 다릅니다. 남북이 분단되기 전에는 남한과 북한이 같은 역사와 문화를 공유하였기 때문에 별로 차이가 없었지만, 분단이 된 뒤 북한에서는 남한과 다른 음식 문화가 발달하였습니다. 북한 음식들은 대체로 남한의 음식보다 덜 자극적이고, 맛이 싱거운 편입니다. (2번의 근거) 북한의 음식에는 자극적이지 않은 조선 시대 요리의 흔적이 남아 있는 것입니다. 또한, 북한은 중국, 러시아와 맞닿아 있기 때문에 중국, 러시아의 영향을 받은 요리도 많습니다. 예를 들면 북한의 짜장면은 남한의 짜장면과 비슷하게 생겼지만, 중국의 영향을 많이 받아 덜 기름지고 구수한 맛이 훨씬 강합니다. (2번의 근거)

▶북한의 음식 문화

이렇게 지도해 주세요! 이 글은 북한의 생활 모습을 남한의 생활 모습과 비교하여 설명한 글입니다. 북한 사람들의 생활 모습과 남한 사람들의 생활 모습에는 어떤 차이가 있는지 알 수 있도록 지도해 주세요.
• **주제** 남한과 생활 모습이 많이 다른 북한

1 이 글은 '북한' 사람들의 생활 모습에 대하여 설명한 글입니다.

2 북한 인구의 60퍼센트는 남한과 기후가 비슷하여 많이 춥지 않은 북한의 남쪽에 살고 있다고 하였습니다.

오답 **풀이**
① 북한의 음식들은 남한의 음식보다 덜 자극적이고 맛이 싱거운 편이라고 하였습니다.
② 북한의 겨울 날씨는 남한에서 가장 추운 지역인 강원도의 날씨보다 훨씬 춥고 길다고 하였습니다.
④ 북한의 짜장면은 남한의 짜장면과 비슷하게 생겼지만 덜 기름지고 구수한 맛이 훨씬 강하다고 하였습니다.
⑤ 분단이 된 뒤 서로 왕래하지 못한 채 많은 세월이 흘러 남한 사람들과 북한 사람들의 생활 모습이 많이 달라졌다고 하였습니다.

3 북한 사람이 남한 사람과 대화하면 서로가 하는 말의 뜻을 모두 이해하기는 어려울 것이라고 하였습니다.

4 북한이 남한보다 추운 까닭은 남한보다 더 북쪽에 있기 때문이라고 하였습니다.

5 '횡재'는 '뜻밖에 재물을 얻음.'이라는 뜻을 가지고 있는 낱말입니다. **보기** 에서 북한 친구는 길을 가다가 돈을 주웠으므로 뜻밖의 재물을 얻은 것입니다. 따라서 '호박을 잡다.'는 우리말로 '횡재하다'와 같은 뜻인 것을 알 수 있습니다.

6 이 글에서는 남한과 북한의 생활 모습이 많이 다르다고 하며, 먼저 북한의 표준어인 '문화어'를 설명하였습니다. 다음으로 북한의 기후를 설명하였으며, 마지막으로 덜 자극적이고 싱거운 북한의 '음식' 문화에 대해서 설명하였습니다.

생각 글 쓰기

◆예시 **답안** 남북이 분단된 채로 오랜 시간이 지났기 때문이다.

이렇게 지도해 주세요! 남한과 북한의 생활 모습은 분단 이전에는 크게 다르지 않았지만, 분단 이후 두 지역에서는 서로 다른 문화가 발달하였습니다. 이를 바탕으로 달라진 남한과 북한의 생활 모습을 생각해 볼 수 있도록 지도해 주세요.

어법 다지기

03 '수식언'은 뒤에 오는 말을 꾸미거나 제한하여 정하기 위하여 덧붙이는 말입니다. ③에서 수식언은 '빠르다'를 꾸미는 '아주'입니다.

23회 공기의 역할

▶ 본문 102~105쪽

1 공기 2 ⑤ 3 ③ 4 ③ 5 ② 6 공기, 생명체, 하늘
어휘·어법 다지기 01 (1)-㉣ (2)-㉢ (3)-㉡ (4)-㉠ 02 (1) 민감 (2) 표면 (3) 자외선 03 (1) 비껴 (2) 비켰다

우리 눈에는 보이지 않지만 지구 어디에나 있으며, 우리가 살아가는 데 반드시 필요한 것은 무엇일까요? 바로 공기입니다. 공기가 없다면 우리는 숨을 쉬지 못해 살 수 없을 것입니다. 공기는 우리 생활 속에서 또 어떤 역할을 하고 있을까요? (3번의 근거) ▶공기의 역할

지구 주위는 공기로 둘러싸여 있습니다. 지구의 표면에서 멀어질수록 공기의 양은 점점 줄어들지요. (2번의 근거) 지구 밖으로 멀리 나가면 공기는 거의 존재하지 않습니다. (2번의 근거, 3번의 근거) 지구 주변에만 공기가 많은 것은 지구의 중력이 공기를 잡아당기고 있기 때문입니다. 이렇게 지구 주위에 공기가 있는 공간을 '㉠대기권'이라고 합니다. (4번의 근거) 대기권은 네 개의 층으로 나뉘는데, 그중 '오존층'은 태양으로부터 오는 자외선을 막아 주는 역할을 합니다. (4번의 근거) 만약 오존층이 없다면 자외선이 그대로 지구에 닿게 될 것이고, 그렇게 되면 우리의 피부는 큰 병에 ㉡걸릴 것입니다. (3번, 4번의 근거) 또한, 대기권은 운석이 지구에 그대로 떨어져 큰 피해가 생기는 것을 막아 주는 역할도 하지요. (3번, 4번의 근거) ▶대기권의 역할

공기는 지구에 생명체가 살 수 있게 만드는 역할도 합니다. 공기 안에는 산소가 포함되어 있습니다. (2번의 근거) 덕분에 지구의 많은 생명체들은 산소를 마시며 살아갈 수 있지요. 그리고 공기는 땅에서 나오는 열이 우주로 흩어져 나가는 것을 막아 줍니다. (4번의 근거) 공기가 없다면 지구의 열이 모두 우주로 나가고 지구는 차갑게 식어 생명체가 살 수 없는 곳이 될 것입니다. (3번의 근거) ▶생명체가 살 수 있게 해 주는 공기

하늘은 왜 파란색일까요? 이것 또한 공기 때문이지요. (2번의 근거) 태양에서 나온 빛은 우리 눈에 들어오기 전에 공기층을 통과합니다. 이때 태양빛을 구성하고 있는 여러 가지 색 중에서 파란색과 보라색이 멀리까지 퍼지는데, 우리 눈은 보라색 빛에는 민감하지 않기 때문에 파란색을 더 잘 인식하는 것이지요. 그래서 하늘이 파랗게 보이는 것이랍니다. 하지만 달에서 찍은 사진을 보면 낮에도 하늘이 어둡게 보입니다. 그 까닭은 바로 달에 공기가 없기 때문입니다. (3번의 근거) ▶하늘이 파랗게 보이는 까닭

공기는 우리 눈에는 보이지 않지만 공간을 차지하고 있습니다. (2번의 근거) 고무풍선을 불고 물속에서 입구를 열면 거품이 일어나는 것을 볼 수 있습니다. 이 거품은 풍선에 있던 공기가 빠져나가면서 생기는 것이랍니다. 풍선 안에 공기가 차 있는 것이지요. 만약 공기가 공간을 차지하지 않는다면 튜브나 구명조끼는 공기를 넣어도 부풀어 오르지 않을 것입니다.
▶공간을 차지하고 있는 공기

이렇게 지도해 주세요! 이 글은 공기의 여러 가지 역할에 대하여 설명한 글입니다. 공기의 역할을 이해할 수 있도록 설명해 주세요.
• **주제** 공기가 우리 생활에서 하는 일

1 이 글은 '공기'의 여러 가지 역할에 대하여 설명한 글입니다.

2 지구의 표면에서 멀어질수록 공기의 양은 점점 줄어든다고 하였습니다.

3 오존층이 자외선을 막아 준다고 하였으므로, 대기권이 없는 달에는 오존층이 없어서 자외선이 그대로 땅에 닿을 것이라고 생각할 수 있습니다.

4 공기는 땅에서 나오는 열이 우주로 흩어져 나가는 것을 막아 준다고 하였습니다. 따라서 ㉠이 지구의 열을 우주로 보낸다는 것은 잘못된 설명입니다.

5 ㉡은 '병이 들다.'라는 뜻이므로, 가장 비슷한 뜻으로 쓰인 것은 ② '감기에 걸려'에서의 '걸려'입니다.

오답 **풀이**
① '어떤 물체가 떨어지지 않고 벽이나 못 등에 매달리다.'라는 뜻으로 쓰였습니다.
③ '앞으로의 일에 대한 희망 등이 달리다.'라는 뜻으로 쓰였습니다.
④ '눈이나 마음 등에 만족스럽지 않고 언짢다.'라는 뜻으로 쓰였습니다.
⑤ '자물쇠, 문고리가 채워져 있거나 빗장이 질리다.'라는 뜻으로 쓰였습니다.

6 이 글은 '공기'의 역할이 무엇인지 설명하는 글입니다. 공기는 대기권을 형성하여 자외선과 운석을 막아 주며, '생명체'가 살 수 있게 해 주고, '하늘'을 파랗게 보이게 합니다. 또, 공기는 공간을 차지하고 있습니다.

생각 글 쓰기

◆예시 **답안** 달에서 보는 하늘은 어두운 색이다. 달에는 공기가 없기 때문이다.

이렇게 지도해 주세요! 지구는 공기가 있기 때문에 하늘이 파란색으로 보인다는 것을 이해하고, 공기가 하는 역할에는 또 무엇이 있는지 스스로 생각해 볼 수 있도록 지도해 주세요.

어법 다지기

03 (1) 서쪽 하늘에 저녁노을이 비스듬히 비치어 있다는 뜻이므로 '비껴'가 알맞습니다.
(2) 자동차를 피해 길옆으로 자리를 조금 옮긴다는 뜻이므로 '비켰다'가 알맞습니다.

24회 소매곡리를 살린 친환경 에너지

▶ 본문 106~109쪽

1 친환경 2 ② 3 ③ 4 바이오 가스 5 ② 6 기피, 바이오

어휘·어법 다지기 01 (1)-㉢ (2)-㉠ (3)-㉡ (4)-㉣ 02 (1) 공급 (2) 선정 (3) 수익 (4) 기피 03 (1) 졸였다 (2) 조리셨다

강원도 홍천군 북방면 소매곡리는 사람이 100가구도 살지 않는 아주 작은 산골 마을입니다. 이곳에는 다른 마을과는 조금 다른 점이 하나 있습니다. 그것은 바로 친환경 에너지 타운으로 선정되어 친환경 에너지를 생산한다는 점입니다.
▶친환경 에너지를 생산하는 소매곡리

소매곡리에는 원래 하수 처리장, 가축 배설물 처리장 등의 기피 시설(2번의 근거)이 있었습니다. 이 시설들에서 심한 악취가 풍겼기 때문에 사람들은 근처에 오는 것을 꺼렸습니다. 냄새가 너무 심해서 소매곡리 근처의 고속도로까지도 냄새가 풍길 정도였지요. 게다가 소매곡리에는 도시가스도 공급되지 않아 주민들이 생활하기가 불편했습니다(2번의 근거). 도시가스가 공급되지 않으니 주민들은 난방에 어려움을 겪었고, 농사짓는 데 필요한 전기료 또한 주민들에게는 큰 부담이었습니다. 결국 주민들은 마을을 떠나기 시작했습니다(2번의 근거). ▶기피 시설 때문에 피해를 보던 소매곡리

그러나 이제는 바이오 가스 시설이 소매곡리의 이러한 문제들을 해결해 주고 있습니다. 마을에 있는 하수 처리장과 쓰레기 매립장 터를 이용하여 바이오 가스 시설을 설치한 것입니다(2번의 근거). 이 시설은 가축 배설물과 하수 찌꺼기, 음식물 쓰레기를 혼합하여 바이오 가스를 생산합니다(4번의 근거). 여기서 만들어진 바이오 가스는 도시가스 회사에 공급되는데 이를 정제하면 주민들은 저렴한 도시가스를 공급받아 난방 에너지 등으로 사용할 수 있습니다(3번의 근거). 덕분에 주민들의 연료비는 절반 정도로 줄어들었습니다. 악취 문제 역시 하수 처리 시설의 용량을 키우고, 하수 처리 시설을 지하로 설치하여 해결하였습니다(3번의 근거). ▶바이오 가스 시설로 문제를 해결한 소매곡리

또한, 소매곡리는 하수 처리장 위에 태양광 패널을 설치하여 태양광 발전을 하고 있습니다. 여기서 만들어진 전기는 전력 거래소에 판매되어 전기가 필요한 곳에 쓰이고(2번의 근거), 에너지를 판매하여 얻은 수익은 다시 마을을 위해 사용되면서 주민들의 삶을 바꾸어 주고 있습니다. 이와 같은 친환경 에너지 사업 덕분에 주민들의 생활 환경이 나아지고 소득도 높아졌습니다(3번의 근거). 줄어들었던 마을의 주민 수도 기적처럼 다시 늘어나기 시작했습니다. ㉠친환경 에너지로 마을의 고민거리도 해결하고, 환경 문제도 해결하다니 그야말로 좋은 일이 아닐 수 없겠지요? ▶친환경 에너지로 나아진 주민들의 삶

이렇게 지도해 주세요! 이 글은 바이오 가스 시설과 태양광 패널 덕분에 새롭게 변화한 소매곡리의 모습을 설명한 글입니다. 소매곡리가 어떻게 위기를 극복하였는지 자세히 설명해 주세요.
• **주제** 소매곡리를 변화시킨 친환경 에너지

1 이 글은 '친환경' 에너지 시설을 통해 변화한 소매곡리의 모습을 설명한 글입니다.

2 소매곡리에는 도시가스가 공급되지 않아 주민들이 생활하기 불편했다고 하였습니다.

3 마을에 고속도로가 연결되었다는 내용은 이 글에서 찾아볼 수 없습니다.

4 셋째 문단에서 소매곡리의 '바이오 가스' 시설은 가축 배설물과 하수 찌꺼기, 음식물 쓰레기를 혼합하여 '바이오 가스'를 생산한다고 하였습니다.

5 소매곡리는 친환경 에너지 시설을 설치하여 마을의 고민거리와 환경 문제를 한꺼번에 해결하였으므로 이 상황에는 '일석이조'가 알맞은 한자 성어입니다.

6 이 글은 친환경 에너지를 생산하는 마을인 소매곡리에 대하여 설명하고 있습니다. 소매곡리에는 '기피' 시설이 있어 마을 사람들이 피해를 보았지만, '바이오 가스' 시설을 설치하여 문제를 해결하였습니다. 또한 친환경 에너지 사업으로 인해 주민들의 삶이 나아졌습니다.

생각 글 쓰기

◆예시 **답안** 태양광 패널로 얻은 전기를 판매한 수익으로 주민들의 생활 환경이 나아지고 소득도 높아졌다.

이렇게 지도해 주세요! 소매곡리의 바이오 가스 시설과 태양광 패널에서 생산된 전기는 주민들의 삶을 바꾸었고, 환경 문제도 해결하였습니다. 비슷한 사례로는 또 무엇이 있는지 찾아볼 수 있도록 지도해 주세요.

어법 다지기

03 '조리다'는 '재료에 양념이 푹 스며들도록 국물이 거의 없게 바짝 끓이다.'라는 뜻이고 '졸이다'는 '찌개, 국, 한약 등의 물이 증발하여 양이 적어지게 하다.', '속을 태우다시피 초조해하다.'라는 뜻입니다.
(1) 경기를 보며 속을 태우다시피 초조해했다는 뜻이므로 '졸였다'가 알맞습니다.
(2) 어머니께서 멸치와 고추에 간장이 스며들도록 바짝 끓였다는 뜻이므로 '조리셨다'가 알맞습니다.

25회 학교 폭력을 예방하자

▶ 본문 110~113쪽

1② 2⑤ 3③ 4① 5동진 6예방, 상대방, 의사

어휘·어법 다지기 01 (1)-㉡ (2)-㉠ (3)-㉢ 02 (1) 징후 (2) 잔인 (3) 조롱 03 (1) 주어 (2) 목적어

오늘날 학교 폭력은 보이지 않는 곳에서 더욱 은밀하게 행해지고 있으며, 그 방법도 잔인해지고 있습니다.(3번의 근거) 우리는 학교 폭력을 중대한 사회 문제로 받아들이고, 예방하기 위해 노력해야 합니다.(2번의 근거) 학교 폭력을 예방할 방법을 알아보기에 앞서 학교 폭력이 왜 큰 문제가 되는지 알아볼 필요가 있습니다.

▶심각한 사회 문제인 학교 폭력

학교 폭력은 폭력을 당한 사람에게 신체적, 정신적으로 심각한 피해를 줍니다.(3번의 근거) 때리거나 꼬집는 등 신체에 직접 가해지는 폭력은 피해자의 몸에 크고 작은 상처를 남깁니다. 정신적인 피해는 더욱 심각하여, 학교 폭력을 당한 사람은 고통스러운 기억을 평생 안고 살게 됩니다. 폭력을 당하면서 느끼는 두려움과 공포, 불안감은 겪어 보지 않은 사람은 상상하기 힘들 정도로 무척 크다고 합니다. 그렇다면 이러한 학교 폭력을 예방할 수 있는 방법에는 무엇이 있을까요?

▶학교 폭력이 큰 문제가 되는 까닭

첫째, 상대방을 생각하는 마음을 가지도록 합니다. 누군가를 때리거나 꼬집는 등의 행동은 상대방이 어떻게 받아들이느냐에 따라 의미가 달라집니다. 장난으로 하는 행동이라도, 당하는 사람이 고통을 느끼고 불쾌하다고 생각한다면 그것은 괴롭힘이고 폭력입니다. 따라서 ㉠항상 상대방의 입장을 헤아려 보고, 나라면 어떨지 입장을 바꾸어 보며 상대방을 존중해야 합니다.

▶학교 폭력을 예방하는 방법 ① – 상대방 배려하기

둘째, 학교 폭력의 징후가 발견되면 바로 선생님이나 다른 어른들께 알립니다. 학교 폭력이 일어나는 것을 보고도 그냥 지나치는 행동은 또 다른 학교 폭력이 될 수 있습니다.(5번의 근거) 우리는 적극적인 신고를 통하여 학교 폭력이 계속되는 상황을 막을 수 있고,(3번의 근거) 피해자를 고통 속에서 더 빨리 구할 수 있습니다.

▶학교 폭력을 예방하는 방법 ② – 학교 폭력 신고하기

셋째, 분명하게 자신의 의사를 표현합니다.(3번, 5번의 근거) 친구들이 자신을 놀리거나 조롱하여 부끄럽거나 창피한 기분을 느꼈다면 이러한 행동을 분명하게 거부하는 자세가 필요합니다. '싫다'는 의사를 확실하게 표현하여 자신의 기분과 감정을 전달하고,(5번의 근거) 괴롭힘과 놀림이 계속 이어질 경우에는 주변에 신고하여 문제를 빠르게 해결해야 합니다.

▶학교 폭력을 예방하는 방법 ③ – 분명하게 의사 표현하기

학교 폭력은 무엇보다 예방이 중요합니다. 학교 폭력을 예방하여 학생들이 건강하고 활기찬 학교생활을 할 수 있도록 우리 모두 노력해야 합니다.(2번의 근거)

▶학교 폭력 예방을 위해 노력하자는 당부

이렇게 지도해 주세요! 이 글은 학교 폭력의 심각성과 학교 폭력을 예방하는 방법을 알리기 위해 쓴 논설문입니다. 학교 폭력의 문제점과 글쓴이가 말하는 예방 방법을 이해할 수 있도록 지도해 주세요.

- **주제** 학교 폭력의 심각성을 알고 예방하도록 노력하자.

1 이 글은 학교 '폭력'으로 피해자가 겪는 '고통'과 '상처'가 심각하므로 이를 '예방'하기 위해 우리 모두 노력해야 한다고 주장한 글입니다.

2 글쓴이는 학교 폭력의 심각성을 제시한 뒤 학교 폭력을 예방하는 방법을 설명하였습니다.

3 학교 폭력의 징후를 발견하거나 학교 폭력이 일어나는 것을 보고도 그냥 지나치는 행동은 또 다른 학교 폭력이 될 수 있으므로 적극적으로 신고를 해야 한다고 하였습니다.

4 상대방의 입장을 헤아려 본다는 뜻을 가진 한자 성어는 '역지사지'입니다.

5 이 글에서는 학교 폭력이 발생하는 것을 보았을 때는 그냥 지나치지 말고 신고해야 한다고 하였습니다. 따라서 동진의 행동은 알맞지 않습니다.

6 이 글은 학교 폭력의 심각성과 학교 폭력을 '예방'하는 방법을 알리고 있습니다. 글쓴이는 '상대방'을 생각하는 마음 가지기, 학교 폭력을 보았을 때 어른들께 바로 알리기, 분명하게 자신의 '의사' 표현하기 등의 방법으로 학교 폭력을 예방할 수 있다고 하였습니다.

생각 글 쓰기

◆예시 **답안** 당하는 사람이 고통을 느끼거나 불쾌하다고 생각한다면, 그 행동은 괴롭힘이고 폭력이 될 수 있기 때문이다.

이렇게 지도해 주세요! 학교 폭력을 예방하기 위해서는 상대방을 생각하는 마음을 가지고 존중해야 합니다. 그러한 자세가 왜 필요한지 이해할 수 있도록 지도해 주세요.

어법 다지기

03 문장의 '주성분'은 문장의 뼈대를 이루는 성분으로 주어, 서술어, 목적어, 보어가 있습니다. (1)은 먹는 움직임의 주체가 되는 것이므로 '주어'이고 (2)는 먹는다는 움직임의 대상이 되는 것이므로 '목적어'가 알맞습니다.

26회 레오나르도 다 빈치

▶ 본문 114~117쪽

1 레오나르도 2 ④ 3 ㉠ 4 ① 5 ② 6 빈치, 문하생

어휘·어법 다지기 01 (1)-㉠ (2)-㉣ (3)-㉡ (4)-㉢ 02 (1) 원료 (2) 당대 (3) 재능 03 (1) 부수어 (2) 부수었다 (3) 부시어

레오나르도 다 빈치는 1452년 4월 15일 피렌체 근처의 빈치라는 마을에서 태어났습니다.(4번의 근거) 레오나르도는 어렸을 때부터 수학을 비롯한 여러 가지 학문을 배웠고, 그림 그리기를 좋아했으며, 음악에도 뛰어난 재주를 보였지요. 레오나르도는 이처럼 주변의 다양한 일에 흥미를 느꼈는데, 그중 어린 레오나르도의 호기심을 가장 자극한 것은 자연이었습니다. 레오나르도는 물이 흐르는 모습이나 식물이 성장하는 모습, 여러 동물들의 움직임, 새가 나는 모습을 보며 상상을 하곤 했습니다.(2번, 5번의 근거)

▶빈치라는 마을에서 어린 시절을 보낸 레오나르도 다 빈치

레오나르도가 열네 살이 되던 해, 아버지 피에로는 그를 피렌체로 데리고 갔습니다.(4번의 근거) 레오나르도는 신분이 높지 않았기 때문에 아버지는 레오나르도가 예술가가 되기를 원했습니다. 당시 예술가는 신분이 낮은 사람도 할 수 있었고 사람들에게 인정받는 직업이었기 때문입니다.(3번, 5번의 근거) 레오나르도는 아버지 덕분에 당대 최고의 화가이자 조각가였던 베로키오의 문하생으로 들어갈 수 있었습니다.(4번의 근거) 레오나르도는 그곳에서 열심히 그림 그리는 법을 배웠습니다. 어느 정도 그림 공부를 한 레오나르도는 훌륭한 작품을 만드는 일에 도전해 보고 싶었습니다. 하지만 문하생의 신분으로 혼자 작품을 만드는 것은 쉬운 일이 아니었습니다.(5번의 근거)

▶피렌체로 가서 베로키오의 문하생이 된 레오나르도 다 빈치

레오나르도가 스무 살이 되던 해, 드디어 자신의 재능을 시험해 볼 기회가 찾아왔습니다. 그의 스승 베로키오가 「그리스도의 세례」라는 작품을 그리게 되었는데, 제자들에게 그림 그리는 것을 도와 달라고 부탁하였기 때문입니다. 베로키오가 중심인물을 그리면 제자들은 그 주변 인물을 그리는 방식으로 작업이 이루어졌습니다.(4번, 5번의 근거) 레오나르도에게는 그림의 왼쪽에 있는 천사를 그릴 수 있는 기회가 주어졌습니다. 레오나르도는 이 기회를 놓치지 않았지요.

▶그림을 그릴 기회가 찾아온 레오나르도 다 빈치

얼마 후, 레오나르도의 그림을 본 베로키오는 깜짝 놀랐습니다. 당시 화가들은 모두 달걀을 원료로 한 '템페라'라는 물감을 사용하여 그림을 그렸는데, 레오나르도는 그러한 방식을 과감하게 버리고 물감에 기름을 섞어 그림을 그렸기 때문입니다.(4번의 근거) 게다가 베로키오가 자세히 살펴보니, 레오나르도의 그림은 자신의 수준을 이미 뛰어넘은 것이었습니다. 베로키오는 크게 감탄했고, 자신은 이제 그림을 그리지 않겠다고 말하며 그림 그리는 일을 모두 레오나르도에게 맡겼습니다.(5번의 근거)

▶물감에 기름을 섞어 그려 베로키오를 놀라게 한 레오나르도 다 빈치

이렇게 지도해 주세요! 이 글은 레오나르도 다 빈치에 대하여 쓴 전기문입니다. 시간의 흐름에 따라 이해할 수 있도록 지도해 주세요.

• **주제** 뛰어난 화가인 레오나르도 다 빈치

1 이 글은 '레오나르도' 다 빈치에 대하여 쓴 글입니다.

2 레오나르도의 호기심을 자극한 것은 자연이라고 하였습니다.

3 아버지는 레오나르도가 신분이 높지 않았기 때문에 신분이 낮은 사람도 할 수 있고, 사람들에게 인정받는 직업인 예술가가 되기를 원했다고 하였습니다.

4 레오나르도는 베로키오의 문하생이었습니다.

5 어린 레오나르도는 물이 흐르는 모습이나 식물이 성장하는 모습, 여러 동물들의 움직임, 새가 나는 모습을 보며 상상을 하고는 했다고 하였습니다.

오답 **풀이**

① 베로키오는 레오나르도의 수준에 감탄했다고 하였습니다.

③ 「그리스도의 세례」는 베로키오가 중심인물을, 제자들이 주변 인물을 그린 그림이라고 하였습니다.

④ 문하생이 혼자 작품을 만드는 것은 쉬운 일이 아니었다고 하였습니다.

⑤ 베로키오는 화가이자 조각가였는데, 당시 예술가는 사람들에게 인정받는 직업이었다고 하였습니다.

6 레오나르도 다 빈치는 '빈치'라는 마을에서 어린 시절을 보냈고, 열네 살에 피렌체로 가서 베로키오의 '문하생'이 되었습니다. 그리고 물감에 기름을 섞어 뛰어난 실력으로 그림을 그려 베로키오를 깜짝 놀라게 하였습니다.

생각 글 쓰기

◆예시 **답안** 레오나르도가 자신의 그림 수준을 뛰어넘은 것이 기쁘면서도, 가르칠 것이 없어 섭섭했을 것이다.

이렇게 지도해 주세요! 레오나르도의 그림을 본 베로키오는 감탄했고, 자신은 이제 그림을 그리지 않겠다고 하였습니다. 베로키오의 행동을 통해 그의 생각을 추측해 볼 수 있도록 지도해 주세요.

어법 다지기

03 (1) 과자를 잘게 깨뜨려 먹었다는 뜻이므로 '부수어'가 알맞습니다.

(2) 동생이 조각을 깨뜨려 못 쓰게 만들었다는 뜻이므로 '부수었다'가 알맞습니다.

(3) 엄마께서 밥 먹은 그릇을 씻어 놓으라고 하셨다는 뜻이므로 '부시어'가 알맞습니다.

27회 식물들의 다양한 서식지와 생김새

▶ 본문 118~121쪽

1 식물 2 ㉮ 3 ① 4 ⑤ 5 미희 6 산, 연못, 사막
어휘·어법 다지기 01 (1)-㉠ (2)-㉡ (3)-㉣ (4)-㉢ 02 (1) 진화 (2) 나이테 (3) 서식지 03 (1) 짖는 (2) 지었다

세상에는 여러 가지 식물들이 있습니다. 산이나 들, 물속이나 심지어 사막에도 식물이 살고 있지요. 이러한 식물들은 서식지는 물론이고, 생김새도 모두 다릅니다.

▶서식지도 생김새도 모두 다른 식물들

산과 들에는 나무와 풀이 많이 있습니다. 나무와 풀을 구분하는 기준은 확실하지 않지만, 줄기가 단단하고, 시간이 지나며 줄기의 길이가 길어지는 동시에 굵기까지 굵어지면서 나이테가 생기면 대부분 나무라고 봅니다. 또한, 나무는 겨울에도 줄기가 시들지 않지요. 나무에는 소나무, 단풍나무, 떡갈나무, 밤나무 등이 있습니다. 반면, 풀은 나무보다 줄기, 잎, 뿌리가 부드러운 편입니다.(2번의 근거) 민들레, 명아주, 강아지풀, 토끼풀 등이 풀에 속하지요. 풀은 겨울에는 추위를 이기지 못하고 줄기가 시들게 됩니다.(2번의 근거) 다만 여러해살이풀의 경우에는 땅 아래에 있는 부분이 계속 살아 있기 때문에 봄이 되면 다시 자랍니다.(2번의 근거)

▶산과 들에서 자라는 식물들

강이나 연못에도 식물이 자랍니다. 물속에 잠겨서 사는 식물에는 물수세미,(4번의 근거) 검정말, 나사말 등이 있는데, 잎이 가늘고 긴 모양이며 물이 흐르는 방향에 따라 줄기가 휘어지지요. 물 위에 떠서 사는 식물에는 부레옥잠이 있습니다. 부레옥잠은 마치 수염처럼 생긴 뿌리를 가지고 있고, 이 뿌리가 물속으로 길게 뻗어 있습니다.(4번의 근거) 「부레옥잠의 잎자루는 풍선처럼 볼록하게 부풀어 있는데, 칼로 잎자루를 자르면 많은 ㉠공기주머니가 있습니다.」(「」: 3번의 근거) 부레옥잠과 달리 수련이나 가래, 마름 등은 잎과 꽃만 물에 떠 있습니다.(4번의 근거) 줄기가 물 위부터 물속의 땅까지 길게 이어지고, 물속의 땅 아래에 뿌리가 심어져 있지요. 연꽃은 잎이 물 위에서 자라는 식물입니다. 연꽃의 잎은 물 위로 높이 솟고, 뿌리는 물가의 땅이나 물속 땅에서 옆으로 뻗으며 자랍니다.(4번의 근거)

▶강이나 연못에서 자라는 식물들

건조한 사막에도 식물이 자랍니다. 사막의 식물들은 물이 부족한 곳에서 살아남기 위해 진화하였는데,(4번, 5번의 근거) 그 대표적인 예가 선인장입니다. 선인장의 잎은 날카로운 가시 모양으로 생겼지요.(5번의 근거) 게다가 선인장은 껍질이 두껍고 숨 구멍이 거의 없어 물을 효과적으로 절약할 수 있습니다. 선인장은 가시가(5번의 근거) 많고 겉모습이 아름답지 않지만, 때가 되면 화려하고 예쁜 꽃을 피워 냅니다.

▶사막에서 자라는 선인장

이렇게 지도해 주세요! 이 글은 식물들의 서식지와 그에 따라 다르게 발달한 식물들의 생김새가 다른 식물들에 대하여 설명한 글입니다. 각 환경에서 자라는 식물들이 어떠한 특징을 가지고 있는지 알 수 있도록 설명해 주세요.

• **주제** 사는 환경에 따라 각자 다른 생김새로 발달한 식물들

1 이 글은 '식물'들의 서식지와 그에 따라 다르게 발달한 식물들의 생김새에 대하여 설명한 글입니다.

2 풀은 겨울에 추위를 이기지 못하고 줄기가 시든다고 하였습니다. 반면, 나무는 겨울에도 줄기가 시들지 않는다고 하였습니다.

3 부레옥잠은 물 위에 떠서 사는 식물입니다. 부레옥잠의 잎자루는 풍선처럼 볼록하게 부풀어 있는데 칼로 잘라 보면 많은 공기주머니가 있다고 하였습니다. 이 공기주머니 덕분에 부레옥잠이 물 위에 뜨는 것입니다.

4 개구리밥은 물 위에 떠서 사는 식물이므로 사는 환경이 비슷한 식물은 부레옥잠입니다.

오답 **풀이**
① 수련은 잎과 꽃만 물에 떠 있고 뿌리는 물속 땅에 심어져 있다고 하였습니다.
② 연꽃은 잎이 물 위에서 자라고, 뿌리는 물가의 땅이나 물속 땅에서 옆으로 뻗으며 자란다고 하였습니다.
③ 선인장은 사막에서 자란다고 하였습니다.
④ 물수세미는 물속에 잠겨서 사는 식물이라고 하였습니다.

5 선인장은 건조한 사막에서 살아남기 위해 진화한 식물로, 나무로서의 특징을 가지고 있지 않습니다.

6 이 글은 식물들의 다양한 서식지와 생김새에 대하여 설명하고 있습니다. '산'과 들에서 자라는 식물들, 강이나 '연못'에서 자라는 식물들, '사막'에서 자라는 식물들은 생김새가 서로 다르다고 하였습니다.

생각 글 쓰기

❖ 예시 **답안** 사는 곳의 환경에 맞게 적응하기 위해서이다.

이렇게 지도해 주세요! 여러 가지 식물들의 생김새가 다른 까닭은 살고 있는 환경이 다르기 때문입니다. 식물의 생김새를 보고 어떤 환경에서 살고 있는지 추측해 볼 수 있도록 지도해 주세요.

어법 다지기

03 (1) 까치가 시끄럽게 울어서 지저귄다는 뜻이므로 '짖는'이 알맞습니다.
(2) 모래를 써서 성을 만들었다는 뜻이므로 '지었다'가 알맞습니다.

28회 등 굽은 나무_김철순

▶ 본문 122~125쪽

1 성민 2 ② 3 ④ 4 ② 5 ③ 6 다정 7 운동장, 달나라

어휘·어법 다지기 01 (1)-㉣ (2)-㉠ (3)-㉡ (4)-㉢ 02 (1) 문방구 (2) 등 (3) 달나라 03 (1) 매우 (2) 예쁜

텅 빈 운동장을

혼자 걸어 나오는데

「운동장가에 있던 나무가

4번의 근거 – 말하는 이가 실제로 탔던 말

등을 구부리며

말타기놀이 하잔다

얼른 올라타라고

등을 내민다」 ▶1연: 운동장을 걸어 나오다가 나무에 탐.

「 」: 말하는 이가 나무에 올라탄 것이지만 거꾸로 나무가 말하는 이에게 말을 건 것처럼 표현함.

내가 올라타자

말하는 이

따그닥따그닥

말이 달리는 소리를 흉내 내는 의성어 – 2번의 근거

달린다

학교 앞 문방구를 지나서

□: 말하는 이가 상상으로 간 곳

네거리를 지나서

우리 집을 지나서

달린다 ▶2연: 말을 타고 여러 곳을 달림.

달리고 또 달린다

차보다 빠르다

어, 어, 어,

구름 위를 달린다

비행기보다 빠르다

저 밑의 집들이

점점 작게 보인다 ▶3연: 구름 위를 달리며 집들이 점점 작게 보임.

㉠ "성민아, 뭐 해?" ▶4연: 말하는 이를 부르는 소리를 들음.

1번의 근거 – 말하는 이의 이름이 나타남.

은찬이가 부르는 소리에

말은 그만

걸음을 뚝, 멈춘다 ▶5연: 말이 걸음을 멈춤.

말하는 이가 상상을 멈춤.

아깝다,

말하는 이의 아쉬운 마음이 드러난 부분

달나라까지도 갈 수 있었는데 ▶6연: 달나라까지 가지 못해 아쉬움.

이렇게 지도해 주세요! 이 시는 말하는 이가 등이 굽은 나무에 올라 말을 타고 다니는 상상을 하는 모습을 그린 시입니다. 말하는 이가 상상한 모습을 머릿속에 그려 볼 수 있도록 지도해 주세요.

• **주제** 나무를 타고 여러 곳을 달리는 상상

1 4연에서 은찬이가 "성민아, 뭐 해?"라고 말하는 이를 부르는 소리에서 말하는 이의 이름이 '성민'임을 알 수 있습니다.

2 이 시는 말하는 이의 풍부한 상상력을 엿볼 수 있는 시로, 교훈을 주기 위하여 쓴 것은 아닙니다.

오답 **풀이**

① 이 시는 6연 27행으로 이루어져 있습니다.

③ 이 시는 말하는 이가 나무를 말이라고 생각하며 여러 곳을 다니는 상상을 하는 모습이 담겨 있습니다.

④ 2연에 '따그닥따그닥'이라는 말발굽 소리를 흉내 내는 말이 나타나 있습니다.

⑤ 말하는 이는 나무를 말이라고 생각하고 신나게 상상하다가 5연, 6연에서 은찬이가 부르는 소리에 상상을 멈추며 아쉬워하고 있습니다.

3 2~3연에서 말하는 이는 '문방구, 네거리, 우리 집'을 순서대로 지나쳤고, 더 나아가 '구름 위'를 달렸습니다.

4 말하는 이가 탔던 말은 운동장가에 있던 '나무'입니다.

5 말하는 이는 은찬이가 부르는 소리를 듣고 '아깝다, 달나라까지도 갈 수 있었는데'라고 하였습니다. 이 표현에서 말하는 이의 아쉬운 마음을 알 수 있습니다.

6 말하는 이는 은찬이가 불러서 상상을 멈추었고, 달나라까지 가지 못하였으므로, '다정'의 말은 알맞지 않습니다.

7 말하는 이는 1연에서 '운동장'을 걸어 나오다 나무에 탔고, 2연에서는 말을 타고 여러 곳을 달렸습니다. 3연에서 말하는 이는 구름 위를 달리며 집들이 점점 작게 보이는 상상을 했지만, 4연에서 말하는 이를 부르는 소리를 들었습니다. 5연에서는 말하는 이가 탄 말이 걸음을 멈추었고, 6연에서 말하는 이는 '달나라'까지 가지 못해 아쉬워하였습니다.

생각 글 쓰기

◆예시 **답안** 말을 타고 여러 곳을 달리는 상상을 하다가 친구가 부르는 소리를 듣고 상상을 멈추었다는 뜻이다.

이렇게 지도해 주세요! 이 시의 말하는 이는 운동장의 나무를 말이라고 생각하며 타고 달리는 상상을 하다가, 친구가 부르는 소리를 듣고 상상을 멈추고 있습니다.

어법 다지기

03 문장의 부속 성분은 주성분을 꾸며 주는 역할을 하는 말로, 관형어, 부사어가 있습니다.

(1) '매우'는 서술어 '고프다'를 꾸며 주는 부사어입니다.

(2) '예쁜'은 '꽃' 앞에서 그 말을 꾸며 주는 관형어입니다.

29회 공부와 근면함

▶ 본문 126~129쪽

1 근면 2 ⑤ 3 ① 4 ③ 5 ⑤ 6 ② 7 현준

어휘·어법 다지기 01 (1)-㉠ (2)-㉡ (3)-㉣ (4)-㉢ 02 (1) 근면 (2) 기운 (3) 유배 03 (1) 닮았다 (2) 담았다

다산 정약용이 유배 시절을 보냈을 때, 그에게는 여러 명의 제자가 있었습니다. 그중 황상이라는 제자는 열다섯 살에 정약용을 처음 만나 스승과 제자의 연을 맺었습니다. 비록 황상이 양반이 아니었기 때문에 과거 시험은 볼 수 없었지만, 황상을 눈여겨본 정약용은 황상이 훌륭한 시인이 될 수 있도록 도와주려고 했습니다. ▶황상과 정약용이 연을 맺음.

(4번의 근거 / 3번의 근거 / 4번의 근거)

황상은 정약용의 가르침을 받으며 열심히 공부하려고 했으나, 마음처럼 쉽게 되지 않았습니다. 어느 날 공부가 잘 되지 않아 고민하던 황상은 스승인 정약용을 찾아가 부끄러워하면서 말씀드렸습니다. (3번의 근거)

"스승님, 저는 공부를 못하는 것 같습니다. 첫째는 너무 둔하고, 둘째는 꽉 막혔으며, 셋째는 답답합니다. 어떻게 공부해야 할지 너무 막막합니다. 저 같은 사람도 과연 공부를 잘할 수 있겠습니까?"

제자의 말을 들은 정약용이 말했습니다.

"그렇게 생각하느냐? 오히려 그 반대이다. 공부는 꼭 ㉠너와 같은 사람이 해야 한다. 공부를 잘한다는 사람들이 흔히 저지르는 잘못이 여러 가지 있는데, 너는 그중에서 하나도 가지고 있지 않구나! 그러므로 너와 같은 사람이야말로 공부를 제대로 할 수가 있다." (3번의 근거 / 끊임없이 노력할 수 있는 사람)

정약용의 말을 듣자 황상은 기운이 났습니다. 그러나 곰곰이 생각해 본 황상은 다시 우울해졌습니다. (3번의 근거)
▶황상이 공부가 잘 되지 않아 정약용에게 도움을 요청함.

"스승님, 힘을 북돋아 주셔서 감사합니다. 덕분에 저도 할 수 있다는 마음이 생겼습니다. 그러나 저는 여전히 공부를 어떻게 해야 하는지 잘 모르겠습니다."

그러자 정약용이 웃으며 말했습니다.

「"어떻게 하면 공부를 잘할 수 있겠느냐? 근면하면 된다. 어떻게 하면 모르는 것을 알 수 있겠느냐? 근면하면 된다. 어떻게 하면 실력을 기를 수 있겠느냐? 근면하면 된다. 그렇다면 어떻게 해야 근면할 수 있겠느냐? 마음가짐을 굳건히 하고 끊임없이 노력하면 된다."」 (「」: 정약용이 말하는 공부를 잘하는 방법 – 2번, 4번의 근거 / 7번의 근거)

이 말을 들은 황상은 크게 깨우치고 부지런함을 마음 깊이 새기고 실천했습니다. 이후 황상은 정약용도 감탄할 만한 훌륭한 시를 많이 ㉡짓고 스승에게 가장 인정받는 제자가 되었습니다. ▶정약용이 황상에게 공부를 잘하는 방법을 알려 줌.

이렇게 지도해 주세요! 이 글은 정약용과 황상의 대화를 통해 공부를 잘하려면 근면해야 한다는 교훈을 전달하는 글입니다. 정약용이 강조하고자 했던 것이 무엇인지 알 수 있도록 설명해 주세요.

• **주제** 공부를 할 때 근면함의 중요성

1 이 글은 '근면'함의 중요성을 알려 주는 글입니다.

2 글쓴이는 정약용과 황상의 대화를 통하여 공부를 잘하려면 근면해야 한다는 교훈을 전달하고 있습니다.

3 황상은 양반이 아니었기 때문에 과거 시험을 볼 수 없었다고 하였습니다.

4 이 글에서 황상이 잘못했다는 내용은 찾아볼 수 없습니다.

5 정약용은 황상 같은 사람이 공부를 해야 한다고 하였고, 공부를 잘하려면 끊임없이 노력해야 한다고 하였습니다. 따라서 ㉠의 황상과 같은 사람은 끊임없이 노력할 수 있는 사람입니다.

6 ㉡의 '짓다'는 '시, 소설, 편지, 노래 가사 등과 같은 글을 쓰다.'라는 뜻으로 쓰였습니다.

오답 **풀이**
① '이름 등을 정하다.'라는 뜻으로 쓰였습니다.
③ '논밭을 다루어 농사를 하다.'라는 뜻으로 쓰였습니다.
④ '이어져 온 일이나 말 등의 결말이나 결정을 내다.'라는 뜻으로 쓰였습니다.
⑤ '죄를 저지르다.'라는 뜻으로 쓰였습니다.

7 정약용은 공부를 잘하기 위해서는 마음가짐을 굳건히 하고 끊임없이 노력해야 한다고 하였습니다. 이와 같은 사람은 '현준'입니다.

생각 글 쓰기

✦예시 **답안** 근면하지 않으면 공부를 하다가 힘들어졌을 때 금방 포기하기 때문일 것이다.

이렇게 지도해 주세요! 정약용은 공부를 잘하기 위해서는 무엇보다 근면해야 하는데, 끊임없이 노력하면 근면할 수 있다고 하였습니다. 끊임없이 노력하는 태도가 공부에서 왜 중요한지 생각할 수 있도록 지도해 주세요.

어법 다지기

03 (1) 오빠와 웃는 모습이 서로 비슷하다는 뜻이므로 '닮았다'가 알맞습니다.
(2) 바구니에 감귤을 가득 넣었다는 뜻이므로 '담았다'가 알맞습니다.

30회 양반전_박지원

▶ 본문 130~133쪽

1 ③ 2 상민 3 ⑤ 4 ⑤ 5 다경

어휘·어법 다지기 01 (1)-㉣ (2)-㉡ (3)-㉠ (4)-㉢ 02 (1) 자초지종 (2) 부임 (3) 급제 03 (1) 겹문장 (2) 홑문장

조선 시대, 강원도 정선군의 한 마을에 글 읽기를 좋아하는 양반이 살고 있었습니다. 마을 사람들에게도 신임이 매우 두터웠고, 고을의 우두머리인 군수가 새로 부임할 때면 이 양반의 집을 찾아가 인사를 하는 것이 하나의 예의였습니다. 그러나 그 양반은 집이 너무 가난해서 관가에서 양곡을 자주 빌려다 먹었습니다.(1번의 근거) 그렇게 여러 해를 지나, 어느덧 관가에서 빌려 먹은 양곡이 천 석이 넘게 되었습니다.

▶글 읽기를 좋아하고 가난한 양반

그러던 어느 날, 관찰사가 이 고을에 방문하여 관곡을 조사하는 과정에서 양반이 천 석을 빌려다 먹은 사실을 알게 되었습니다. 관찰사는 화를 내며 양반을 잡으라고 명령했습니다.(3번의 근거)

양곡을 갚을 길이 없었던 양반은 밤낮으로 울기만 하고 해결책을 내놓지 못하였습니다.(자신의 눈 앞에 닥친 문제도 해결하지 못하는 무능한 모습에 대한 비판) 이 모습을 본 아내가 혀를 끌끌 차며 말했습니다.

"평생 글 읽기만 좋아하고, 꾸어다 먹은 관곡 갚을 생각은 하지 않더니 딱합니다그려. 항상 '양반 양반' 거리더니 양반 값어치가 쌀 한 줌의 가치도 안 되는군요?"(양반을 풍자하는 글쓴이의 태도가 드러남.)

▶양곡을 갚지 못해 울고 있는 양반

그 마을에 있는 부자가 이 소식을 들었습니다. 재물은 많았으나 신분이 상민이라는 이유로 차별을 받던 그는 이 소식을 듣자마자 가족들을 불러 모았습니다.(1번, 2번의 근거)

"양반이란 가난해도 위엄 있고 존귀한 신분이지만, 우리는 상민이라 재물이 많고 부자여도 항상 천대를 받는다.(업신여기어 천하게 대우하거나 푸대접함.) 듣자 하니 우리 고을의 한 양반이 ㉠사정이 딱하게 되었다고 한다. 이에 내가 그 신분을 사서 양반 행세를 해 보려 하는데, 다들 어떤가?"

이 말에 집안사람들 모두가 찬성을 하며 좋아했습니다.

▶양반 신분을 사려는 부자 상민

다음 날 그 부자는 양반에게 가서 양반 신분을 양도 받고, 관가에 가서 양반이 빌린 천 석의 양곡을 모두 갚았습니다. 군수는 어찌 된 영문인지 궁금하여 옛 양반을 방문하였습니다. 옛 양반은 허둥지둥 땅에 엎드려서 자초지종을 설명하였습니다. 이 말을 들은 군수는 기뻐하며 말했습니다.

"그 부자 상민이야말로 군자이며 양반이로세. 허나 개인끼리 사사로이 양반의 신분을 사고 팔았으니 훗날 소송 거리가 될 수 있소. 그러하니 고을 사람들 모두가 보는 앞에서 증서를 만들기로 합니다. 군수인 나도 도장을 찍겠소."

▶양반 거래 증서를 만들기로 한 군수

〈중략〉

위 증서는 양반을 팔아서 관곡을 갚은 것으로 그 값은 천 석이다.

「무릇 양반이라 함은, 새벽 다섯 시만 되면 일어나 책을 얼음 위에 박을 밀듯 외워야 하며, 배고픔을 참고 추위를 견뎌야 한다. 세수할 때 주먹을 비비면 안 되며, 양치질을 하여 입 냄새를 내지 말고, 종을 부를 때는 소리를 길게 뽑아야 하며, 성난다고 아내를 두들기지 말아야 한다. 아파도 중이나 무당을 부르지 말고, 추워도 화로에 불을 쬐지 말고, 돈을 가지고 놀음을 하면 안 될 것이다.」(「」: 불필요한 형식에 얽매여 생활하던 양반의 모습이 드러남.)

▶양반 거래 증서의 내용

부자는 증서를 멍하니 듣다가 화를 내며 말했습니다.

"정말 양반이라는 게 이것뿐입니까? 제가 듣기로는 양반은 신선 같다고 들었는데 이러면 너무 재미가 없는걸요.(양반이 되어도 이익이 없음.) 바라옵건대 제게 이익이 되도록 증서를 바꾸어 주십시오."

그리하여 증서를 새로 만들었으니 내용은 이랬습니다.

「"하늘이 백성을 낳을 때 백성을 넷으로 구분했으니,(1번의 근거 – 신분 제도가 있었음.) 가장 높은 것이 선비이며 이것이 곧 양반이라. 양반의 이익은 막대하여 농사도 안 짓고 장사도 안 하고 글만 외우면 문과 급제를 할 수 있다. 과거에 급제하지 않아도 조상님 덕으로 벼슬을 할 수 있으니,(1번의 근거) 어찌 좋지 아니하랴. 강제로 이웃의 소를 끌어다 먼저 자기 땅을 갈고, 마을의 일꾼을 잡아다 일을 시켜도 누가 뭐라 하리오? 너희들 코에 잿물을 들어붓고 수염을 낚아채더라도 누구 감히 원망하지 못할 것이라."」(「」: 부당한 이익을 얻고, 신분이 낮은 백성들을 함부로 대하는 양반의 모습이 드러남. – 4번의 근거)

부자는 증서를 중단시키고 혀를 내두르며(몹시 놀라거나 어이없어서 말을 못 하며) 말했습니다.

㉡"그만두시오, 그만하오. 나를 장차 도둑놈으로 만들 작정인가?"(1번의 근거 – 양반 신분을 비판함.)

그러고는 머리를 흔들며 가 버렸습니다.

▶양반 거래 증서의 내용을 듣고 양반 되기를 그만 둔 부자

이렇게 지도해 주세요! 이 글은 조선 후기 박지원이 쓴 고전 소설 「양반전」의 한 부분으로, 신분 제도가 흔들리기 시작한 당시의 상황과 양반 계층에 대한 비판을 담고 있습니다. 작품에 당시의 시대상이 어떻게 나타나 있는지 파악하며 읽을 수 있도록 지도해 주세요.

• **주제** 조선 시대 신분 제도와 무능한 양반 신분에 대한 비판

1 부자가 재물은 많았으나 신분이 상민이라는 이유로 천대를 받았다는 내용을 통해 당시 신분에 따른 차별이 있었다는 사실을 알 수 있습니다.

오답 **풀이**

① 군수가 새로 만든 증서에 백성을 넷으로 구분했다고 적혀 있는 것으로 보아 신분 제도가 있었음을 알 수 있습니다.

② 군수가 만든 증서로 양반에게 어떤 이익이 있는지 확인한 상민이 자신을 도둑놈으로 만들 작정이냐고 하였습니다. 즉 양반이 도둑놈 같다는 뜻이므로, 이 글이 양반 신분을 비판하는 글이라는 사실을 알 수 있습니다.

④ 이 글의 양반은 평생 글 읽기만 좋아하고 집이 너무 가난해서 관가에서 빌려 먹은 양곡이 천 석이 넘는다는 내용을 통해 글만 읽고 가난한 양반도 있었다는 사실을 알 수 있습니다.

⑤ 새로 만든 증서에서 양반은 과거에 급제하지 않아도 조상님 덕으로 벼슬을 할 수 있다고 하였습니다.

2 부자의 신분은 '상민'이라고 하였습니다.

3 부자는 양반이 오랫동안 관곡을 빌려다 먹어 그 양이 천 석이 되었고, 관찰사가 오면서 이러한 사실이 밝혀져 잡혀가게 될 위기에 처했다는 소식을 들었습니다.

4 새로 만든 증서에는 양반은 과거에 급제하지 않아도 조상님 덕으로 벼슬을 할 수 있고, 강제로 이웃의 소를 끌어다 먼저 자기 땅을 갈 수 있으며, 마을의 일꾼을 잡아다 일을 시켜도 누가 뭐라 할 사람이 없다는 내용이 있습니다. 부자는 이렇게 부당한 이익을 얻는 양반의 횡포가 도둑놈 같다고 생각하여 ㉡과 같이 말하였습니다.

5 이 글의 양반이 천 석이나 되는 관곡을 빌리고 갚지 못한 것으로 보아 돈을 많이 벌었다고 할 수 없고, 양반이 문과 급제를 했다는 내용도 찾아볼 수 없습니다.

생각 글 쓰기

◆예시 **답안** 첫 번째 증서로 불필요한 형식에 얽매여 사는 모습을 알 수 있고, 두 번째 증서로 신분을 앞세워 이익을 얻고 신분이 낮은 사람들을 함부로 대하는 모습을 알 수 있다.

이렇게 지도해 주세요! 글쓴이는 「양반전」에서 불필요한 형식에 얽매이고 양반 신분을 함부로 내세우는 무능력한 양반 계층을 풍자하고자 하였습니다. 글쓴이가 보여 주고자 한 양반 계층의 잘못된 모습이 무엇인지 생각할 수 있도록 지도해 주세요.

어법 다지기

03 '홑문장'은 한 문장에 주어와 서술어가 한 번만 나오는 문장을 말하고, '겹문장'은 주어와 서술어가 두 번 이상 나오는 문장을 말합니다.

(1) '내 동생은', '배가'가 주어이고 '고프면', '연다'가 서술어이므로 주어와 서술어가 두 번씩 쓰인 겹문장입니다.

(2) '현우는'이 주어이고 '말한다'가 서술어이므로 주어와 서술어가 한 번씩 쓰인 홑문장입니다.

31회 거울 속에 숨겨진 과학

▶ 본문 136~139쪽

1 거울 2 ① 3 ③ 4 ⑤ 5 도영 6 승강기, 백화점

어휘·어법 다지기 **01** (1)-㉡ (2)-㉣ (3)-㉢ (4)-㉠ **02** (1) 시야 (2) 조수석 (3) 발명품 **03** (1) 굳어 (2) 굳어서 (3) 굳었다

거울은 우리 생활에서 빼놓을 수 없는 발명품으로, 많은 사람들이 사용하고 있습니다. 사람들은 거울로 자신의 모습을 살펴보거나, 혼자서는 보기 힘든 곳을 볼 수 있습니다. 거울에는 쓰임새에 따라 각각 다른 과학적 원리가 숨어 있습니다. 어떤 원리인지 한번 살펴볼까요? (1번의 근거) ▶거울 속에 숨겨진 과학적 원리

거울이 있는 대표적인 장소로는 승강기를 들 수 있습니다. 사람들은 승강기를 이용하는 동안 거울을 보면서 머리 모양이나 옷맵시를 가다듬습니다. 그런데 이 거울은 사람들이 자신의 모습을 살펴보는 용도 외에 다른 용도로도 사용됩니다. 승강기 안은 좁은 공간이기 때문에 승강기에 탄 사람들이 답답함을 느낄 수 있습니다. 이때 승강기 안의 거울은 사람들의 시야를 확 트이게 하여 승강기 안이 넓어 보이게 하는 효과가 있지요. (5번의 근거) ▶승강기 거울에 숨어 있는 원리

자동차 앞좌석에는 뒷거울과 옆 거울이 달려 있습니다. 운전자는 이 거울들로 뒤를 돌아보지 않고도 뒤에서 다가오는 자동차들을 확인할 수 있습니다. 조수석 쪽에 있는 옆 거울을 자세히 살펴보면 ㉠'사물이 보이는 것보다 가까이 있음.'이라는 안내문이 쓰여 있습니다. 이는 운전자의 시야를 넓히기 위해서 거울을 볼록 거울로 만들었기 때문입니다. (3번의 근거) (㉮) 운전석 쪽에 있는 옆 거울은 평면거울로 만들었기 때문에 이러한 안내문이 적혀 있지 않지요. ▶자동차 거울에 숨어 있는 원리

백화점에서도 거울을 볼 수 있습니다. 백화점의 에스컬레이터 옆, 매장 벽면, 승강기 앞에는 거울이 많습니다. 손님들은 이 거울에 비친 자신의 모습을 계속해서 보면서 무의식적으로 걸음을 늦추고, 백화점에 더 오랫동안 머무르게 됩니다. (4번의 근거) 또한 백화점에서는 옷을 입고 나와서 살펴보는 전신 거울로 오목 거울을 사용합니다. (4번의 근거) 오목 거울을 비스듬하게 놓으면 새 옷을 입고 나온 자신의 모습이 더욱 날씬하게 보이지요. (4번의 근거) 그 까닭은 실제 다리와 거울 속에 비친 다리 사이의 거리는 가깝고, 실제 머리와 거울 속에 비친 머리 사이의 거리는 멀어서 거울에 비친 모습이 위로 갈수록 날씬하게 보이기 때문입니다. 덕분에 새 옷을 입은 손님들은 만족감을 느끼고 (4번의 근거)

더욱 많은 옷을 사게 됩니다. 이렇게 백화점에서도 거울이 중요한 역할을 하고 있다는 사실을 알 수 있겠죠?
▶백화점 거울에 숨어 있는 원리

이렇게 지도해 주세요! 이 글은 거울에 숨어 있는 다양한 과학적 원리를 설명하는 글입니다. 거울에는 쓰이는 용도에 따라 다른 과학적 원리가 있다는 것을 이해할 수 있도록 설명해 주세요.
• **주제** 거울에 숨어 있는 과학적 원리

1 이 글은 '거울' 속에 숨어 있는 과학적 원리를 설명하는 글입니다.

2 조수석에 있는 거울은 볼록 거울로 만들었기 때문에 안내문이 있지만, 운전석 쪽에 있는 거울은 평면거울로 만들었기 때문에 안내문이 없습니다. ㉮ 앞뒤로 서로 반대되는 내용이 연결되므로 ㉮에는 '그러나'가 오는 것이 가장 알맞습니다.

3 ㉠은 거울로 보는 사물이 실제 거리보다 더 멀리 있는 것처럼 보인다는 뜻으로, 이는 '볼록 거울'을 이용하여 본 물체는 실제보다 더 '작게' 보이기 때문입니다.

4 백화점에서 사용하는 전신 거울은 오목 거울을 비스듬하게 세워 놓았기 때문에 거울에 비친 손님들의 모습이 위로 갈수록 날씬하게 보인다고 하였습니다.

5 승강기에 있는 거울은 좁은 승강기 안이 넓어 보이게 하는 효과를 준다고 하였습니다.

오답 **풀이**
지윤: 백화점은 전신 거울로 오목 거울을 비스듬하게 세워 놓아서 손님들이 날씬하게 보이도록 한다고 하였습니다.
하진: 자동차에 있는 거울들로 운전자가 뒤를 돌아보지 않고도 뒤에서 다가오는 자동차들을 확인할 수 있다고 하였습니다.

6 이 글은 거울 속에 숨어 있는 과학적 원리를 설명한 글입니다. '승강기' 거울에 숨어 있는 원리, 자동차 거울에 숨어 있는 원리, '백화점' 거울에 숨어 있는 원리를 설명하였습니다.

생각 글 쓰기

◆예시 **답안** 손님들이 백화점에 오래 머무르면서 물건을 더 살 가능성이 높아진다.

이렇게 지도해 주세요! 이 글에서는 거울의 다양한 쓰임새와 각각의 거울에 숨겨진 과학적 원리를 설명하고 있습니다. 생활 속에서 사용되는 거울의 예를 생각해 볼 수 있도록 지도해 주세요.

어법 다지기

03 (1) 떡이 단단하게 되어 있었다는 뜻이므로 '굳어'가 알맞습니다.
(2) 며칠째 비나 눈이 내려 날씨가 나빴다는 뜻이므로 '궂어서'가 알맞습니다.
(3) 아침부터 비가 내리고 하루 종일 날씨가 나빴다는 뜻이므로 '궂었다'가 알맞습니다.

32회 기초 질서의 중요성

▶ 본문 140~143쪽

1 기초 질서 2 ③ 3 ④ 4 ④ 5 ㉯ 6 자동차, 깨진 유리창
어휘·어법 다지기 01 (1)-ⓒ (2)-ⓛ (3)-ⓔ (4)-㉠ 02 (1) 상반 (2) 방치 (3) 확산 03 (1) 무쳐 (2) 묻혀

여러분에게 재미있는 ㉠실험을 하나 소개하려고 합니다. 구석진 골목길에 똑같은 자동차 두 대가 주차되어 있습니다. 그중 한 대는 자동차 앞의 엔진 뚜껑만을 열어 두었고, 다른 한 대는 거기에 더하여 앞 유리창도 깨진 상태로 내버려 두었습니다. 일주일 뒤, 이 두 자동차는 어떻게 되었을까요?
▶두 대의 자동차를 이용한 실험

(2번의 근거 / 3번의 근거 / 3번의 근거)

실험 결과는 정말 놀라웠습니다. 자동차 앞의 엔진 뚜껑만 열어 둔 차는 별다른 변화가 없었지만, 유리창까지 깨진 상태로 둔 자동차는 완전히 망가지고 말았습니다. 유리창은 모두 깨져 있었고, 자동차의 배터리와 타이어는 누군가가 훔쳐 갔는지 없어진 상태였습니다. 두 자동차에는 유리창이 깨졌느냐, 안 깨졌느냐의 차이만 있었는데, 어떻게 이런 상반된 결과가 나온 것일까요?
▶상반된 결과가 나온 두 대의 자동차를 이용한 실험

(3번의 근거)

전문가들은 이러한 현상을 'ⓒ깨진 유리창 이론'으로 설명합니다. '깨진 유리창 이론'이란 '유리창이 깨져 자동차가 방치되었다는 인상을 주면 그 주변을 중심으로 범죄가 확산되기 시작한다.'라는 이론입니다. 즉, 작은 무질서가 방치될 경우 큰 사회 문제로 이어질 가능성이 커진다는 것이지요.
▶깨진 유리창 이론

(2번의 근거 / 4번의 근거)

'깨진 유리창 이론'이 우리에게 주는 깨달음은 무엇일까요? 바로 기초 질서를 지키는 것이 더 큰 범죄를 막는 첫걸음이라는 점입니다.「길거리에 쓰레기 버리지 않기, 껌 뱉지 않기, 벽에 낙서하지 않기 등의 간단한 질서만 지켜도 우리 주변에서 발생하는 수많은 범죄를 미리 예방할 수 있습니다.」 쓰레기가 많이 버려진 길거리에서는 사람들이 아무렇지 않게 또 다른 쓰레기를 버리지만, 깨끗한 거리에서는 사람들이 쓰레기 버리기를 망설인다는 사실도 이러한 견해를 뒷받침합니다.
▶깨진 유리창 이론이 우리에게 주는 깨달음

(2번, 5번의 근거 / 「」: 5번의 근거)

이처럼 기초 질서를 지키는 일은 우리 주변을 바꾸는 힘이 있습니다. 기초 질서는 누구나 조금만 신경 쓰면 충분히 지킬 수 있지만, 방심하는 순간 쉽게 위반할 수 있습니다. '나 하나쯤이야'라는 생각을 버리고, '나 하나라도'라는 생각으로 기초 질서를 잘 지키는 사람이 됩시다. 솔선수범하는 여러분의 행동이 더 안전한 사회를 만드는 밑거름이 될 것입니다.
▶기초 질서의 중요성

(2번의 근거)

이렇게 지도해 주세요! 이 글은 '깨진 유리창 이론'을 통해 기초 질서가 중요하다는 의견을 전달하는 글입니다. '깨진 유리창 이론'의 내용이 무엇인지, 이 이론을 통해 글쓴이가 주장하고자 하는 것이 무엇인지 생각하면서 읽을 수 있도록 지도해 주세요.

• **주제** 깨진 유리창 이론과 기초 질서를 지키는 것의 중요성

1 이 글은 '깨진 유리창 이론'을 통해 '기초 질서'를 지키는 것의 중요성을 강조한 글입니다.

2 이 글은 '깨진 유리창 이론'을 통해 기초 질서와 범죄 사이에 관련이 있음을 밝혔습니다.

3 이 글의 실험에서 자동차 앞의 엔진 뚜껑만을 열어 둔 자동차는 별다른 변화가 없었다고 하였습니다.

4 ④는 작은 일로 시작한 것이 나중에 가서 걷잡을 수 없이 커지게 된다는 뜻입니다.

오답 **풀이**

① 글자를 하나도 모를 정도로 아주 무식하다는 뜻입니다.
② 애쓰던 일이 실패로 돌아가거나 남보다 뒤떨어져 어찌할 도리가 없음을 이르는 말입니다.
③ 원인이 없으면 결과가 있을 수 없다는 뜻입니다.
⑤ 말만 잘 하면 어려운 일이나 불가능해 보이는 일도 해결할 수 있다는 뜻입니다.

5 보기 는 낙서하지 않는다는 기초 질서를 지키는 것이 범죄 발생을 줄이는 결과를 가져왔다는 내용입니다. 따라서 뉴욕 지하철 이야기가 '깨진 유리창 이론'과 관련이 없다는 ㉯의 의견은 알맞지 않습니다.

6 이 글은 두 대의 '자동차'를 이용한 실험과 여기에서 탄생한 '깨진 유리창' 이론을 설명하고 있습니다. 또한 이를 통해 기초질서를 잘 지키는 사람이 되자고 주장하고 있습니다.

생각 글 쓰기

✦예시 **답안** 기초 질서를 지키는 것이 더 큰 범죄를 막는 일임을 알고, 솔선수범하여 기초 질서를 지키자고 말하고 있다.

이렇게 지도해 주세요! 글쓴이는 '깨진 유리창 이론'을 통해 기초 질서의 중요성을 깨닫고, 이를 지키는 사람이 되자고 주장하고 있습니다. '깨진 유리창 이론'을 이해하고 글쓴이의 주장을 파악할 수 있도록 지도해 주세요.

어법 다지기

03 (1) 어머니가 콩나물에 갖은양념을 넣고 골고루 한데 뒤섞어 주셨다는 뜻이므로 '무쳐'가 알맞습니다.
(2) 붓에 먹물을 들러붙게 하여 글씨를 썼다는 뜻이므로 '묻혀'가 알맞습니다.

33회 생명체를 모방하는 기술

▶ 본문 144~147쪽

1 모방 **2** ⑤ **3** 벨크로 **4** ㉰ **5** ① **6** 관찰 **7** 생김새, 우엉, 연꽃잎

어휘·어법 다지기 **01** (1)-㉢ (2)-㉡ (3)-㉠ **02** (1) 돌기 (2) 결합력 (3) 모방 **03** ⑤

우리가 사용하는 수많은 발명품은 어떻게 만들어진 것일까요? 발명품 중에는 동식물의 생김새를 모방하여 만들어진 것들이 있습니다. ▶동식물의 생김새를 모방하여 만든 발명품

스위스의 기술자인 조르주 드 메스트랄(George de Mestral)은 어느 날 자신의 개와 함께 사냥에 다녀온 후 개의 털에 바늘처럼 뾰족하게 생긴 우엉 가시가 붙어 있는 것을 발견했습니다.(2번의 근거) 이에 관심을 가진 메스트랄은 현미경을 통해 우엉 가시를 자세히 관찰하였고,(6번의 근거) 그 결과 우엉 가시의 끝부분에 작고 튼튼한 갈고리가 있어 사람이나 동물의 털에 잘 달라붙고 쉽게 떨어지지 않는다는 것을 알아냈습니다.(2번의 근거) 메스트랄은 이러한 생김새를 모방하여 한쪽 면에는 강력한 갈고리가 빽빽하게 나 있고 다른 쪽 면에는 갈고리를 걸 수 있는 둥근 고리가 달려 있어 두 면을 붙일 수 있는 벨크로 테이프를 발명하였습니다.(2번, 3번의 근거) ▶우엉 가시의 생김새를 모방하여 발명한 벨크로 테이프

연꽃잎의 생김새를 모방하여 만든 발명품도 있습니다. 연꽃잎은 둥글고 넓적하게 생겼습니다. 이 연꽃잎을 현미경으로 관찰해 보면 표면에 작고 둥근 돌기가 많이 나 있는 것을 볼 수 있지요.(4번의 근거) 이 돌기에는 미끄러운 성분의 막이 씌워져 있어 연꽃잎은 비를 맞아도 젖지 않고 비를 흘려보낼 수 있습니다. 사람들은 이러한 원리를 응용하여 물에 젖지 않는 방수복이나 방수 페인트,(5번의 근거) 이물질이 붙어도 쉽게 씻어낼 수 있는 옷감, 자동차 코팅제 등의 제품을 개발하였습니다.
▶연꽃잎의 원리를 모방하여 물에 젖지 않는 제품을 만듦.

게코 도마뱀의 생김새를 모방한 경우도 있습니다. 게코 도마뱀은 벽과 천장에서 떨어지지 않고 자유롭게 기어 다닙니다.(5번의 근거) 어떻게 떨어지지 않는 것일까요? 게코 도마뱀의 발바닥에는 빨판이 있는데, 이 빨판은 매우 강한 결합력을 지니고 있지요.(5번의 근거) 빨판 하나로 견뎌낼 수 있는 힘은 매우 작지만, 발바닥에는 수백 개의 빨판과 50만 개의 작은 솜털이 나 있어 발바닥으로 수 킬로그램이나 되는 무거운 몸을 지탱할 수 있습니다. 미국의 스탠퍼드 대학에서는 이를 모방하여 미끄러운 벽을 빠르게 올라가는 스티키 봇(sticky bot)을 개발하였고,(5번의 근거)

미국 국방성은 이 기술을 이용한 신발이나 장갑에 큰 관심을 보이고 있다고 합니다. 이처럼 자연 속의 동식물을 모방하여 만든 물건들은 우리 생활에 많은 도움을 주고 있습니다.
▶게코 도마뱀의 발바닥을 모방하여 벽에 붙는 기술을 만듦.

이렇게 지도해 주세요! 이 글은 동식물을 모방하여 만든 발명품을 소개하는 글입니다. 무엇을 보고 어떤 제품을 발명하였는지 알 수 있도록 설명해 주세요.
• **주제** 동식물을 모방하여 만든 발명품

1 이 글은 동식물의 생김새를 '모방'하여 만든 발명품을 소개하는 글입니다.

2 우엉 가시는 끝부분에 갈고리가 있기 때문에 사람이나 동물의 털에 잘 달라붙고 쉽게 떨어지지 않는다고 하였습니다.

3 '벨크로' 테이프는 우엉 가시의 생김새를 모방하여 만든 것입니다.

4 연꽃잎의 표면에 작고 둥근 돌기가 있는데, 이 돌기에는 미끄러운 막이 있어 비를 흘려보낸다고 하였습니다.

5 강한 결합력을 가진 빨판은 사물을 벽에 붙게 하지만 물에 젖지 않게 하는 것은 아닙니다.

6 이 글에 나온 발명품들은 모두 동식물을 자세히 관찰하였기 때문에 발견한 것입니다. 따라서 주변을 자세히 '관찰'해야겠다는 내용이 들어가는 것이 알맞습니다.

7 이 글은 동식물의 '생김새'를 모방하여 만든 발명품을 소개한 글입니다. 사람들은 '우엉' 가시의 생김새를 모방하여 벨크로 테이프를 만들었고, '연꽃잎'의 생김새를 모방하여 물에 젖지 않는 제품을 만들었으며, 게코 도마뱀의 발바닥을 모방하여 벽에 붙는 기술을 만들었다고 하였습니다.

생각 글 쓰기

◆예시 **답안** 우엉 가시의 끝부분에 작고 튼튼한 갈고리가 있기 때문이다.

이렇게 지도해 주세요! 자연 속의 동식물을 모방하여 만든 발명품은 매우 많습니다. 이 글에서 소개한 발명품 이외에 자연에서 아이디어를 얻은 발명품에는 또 무엇이 있을지 찾아볼 수 있도록 지도해 주세요.

어법 다지기

03 '종결 표현'은 문장을 끝내는 데 쓰이는 표현으로 말하는 이가 전달하려는 생각에 따라 종류가 달라집니다. ⑤는 상대방에게 심부름을 했는지 대답하라고 요구하는 의문문입니다.

34회 팝 아트

▶ 본문 148~151쪽

1 팝 2 ④ 3 (1)-㉠ (2)-㉢ (3)-㉡ 4 ㉯ 5 형석 6 ③ 7 생활, 작가
어휘·어법 다지기 01 (1)-㉡ (2)-㉠ (3)-㉢ 02 (1) 소재 (2) 일가견 (3) 거장 03 (1) 여위었다 (2) 여의셨다

미술관에 가 보니 신기한 작품들이 보입니다. ㉠통조림 깡통만 잔뜩 그려 놓은 그림, ㉡만화의 한 장면을 크게 그려 놓은 그림이 보입니다. 또 ㉢사람의 키보다 더 크게 만든 숟가락이 있는가 하면, 천으로 만든 흐물흐물한 삽도 있습니다. 이러한 작품들은 과연 어떤 예술 작품일까요?
▶미술관의 신기한 작품들

이 작품들은 바로 팝 아트(Pop Art)에 속하는 예술 작품입니다. 팝 아트란 대중 예술(Popular Art)을 줄인 말로, 1960년대 미국 뉴욕을 중심으로 일어난 미술의 갈래를 가리킵니다. (5번의 근거) 여러분들에게 팝 아트라는 용어가 낯설게 느껴질 수도 있습니다. 하지만 팝 아트는 현대 미술 분야에서 가장 눈에 띄는 장르로, 최근에는 생활 속에서도 팝 아트 작가들의 작품을 쉽게 찾아볼 수 있습니다. ▶현대 미술에서 가장 눈에 띄는 팝 아트

팝 아트의 가장 큰 특징은 작품의 소재를 일상적인 것에서 찾는다는 것입니다. (2번의 근거) 「팝 아트 작가들은 대중 매체 광고, 만화, 연예인의 사진, 슈퍼마켓의 제품 등 생활 속에서 흔히 눈에 띄는 것들을 작품의 소재로 사용합니다. (2번, 6번의 근거) 덕분에 미술에 일가견이 있는 전문가가 아닌 일반인들도 어렵지 않게 작품을 감상할 수 있지요.」 (「」: 4번의 근거) ▶생활 속에서 소재를 가져오는 팝 아트

팝 아트 작품들은 신선한 느낌을 주는 표현 기법으로 사람들의 관심을 끌었습니다. 이러한 팝 아트 작품의 대표적인 작가로는 앤디 워홀(2번의 근거)이 있지요. 앤디 워홀은 배우 마릴린 먼로의 사진이나 수프 깡통 등 사람들이 생활 속에서 자주 접하는 이미지들을 '실크 스크린'이라는 판화 기법을 사용하여 표현했습니다. (3번, 6번의 근거) 또한 이전의 미술 작품들과는 달리 자신의 작품을 대량으로 생산했는데, 광고처럼 이미지를 계속해서 반복하기도 했습니다. ▶팝 아트의 대표적인 작가 앤디 워홀

또 다른 유명한 팝 아트 작가로는 로이 리히텐슈타인(2번의 근거)이 있습니다. 리히텐슈타인은 만화의 한 장면을 그대로 확대하여 작품으로 만들었지요. (3번, 6번의 근거) 이는 당시 사람들이 낮은 수준의 문화로 생각하던 만화를 미술로 끌어들여 예술의 경계를 더욱 넓혔다는 평가를 받고 있습니다. 클래스 올덴버그(2번의 근거) 역시 빼놓을

수 없는 팝 아트의 거장입니다. 그는 숟가락, 야구 방망이, 립스틱 등의 물건들을 크게 만들어 사람들이 자주 다니는 공원이나 거리에 설치했지요. (3번, 6번의 근거) 또한, 청소기나 선풍기 등 딱딱한 물건을 부드러운 천으로 만들어 전시하기도 했습니다. (6번의 근거)

▶팝 아트의 유명 작가 리히텐슈타인과 올덴버그

이렇게 지도해 주세요! 이 글은 팝 아트의 특징과 팝 아트 작가들을 설명하는 글입니다. 팝 아트는 무엇이고, 대표적인 작가에는 누가 있는지 알 수 있도록 설명해 주세요.

• **주제** 팝 아트와 대표적인 작가들

1 이 글은 '팝' 아트의 특징과 팝 아트 작가들을 설명하는 글입니다.

2 이 글에서 팝 아트 작품의 가격에 대해서는 설명하지 않았습니다.

오답 **풀이**

① 팝 아트의 가장 큰 특징은 작품의 소재를 일상적인 것에서 찾는 것이라고 하였습니다.

② 넷째, 다섯째 문단에서 팝 아트 작가인 앤디 워홀, 로이 리히텐슈타인, 클래스 올덴버그 등을 소개하였습니다.

③ 팝 아트란 대중 예술을 줄인 말로, 1960년대 미국 뉴욕을 중심으로 일어난 미술의 갈래를 가리킨다고 하였습니다.

⑤ 셋째 문단에서 대중 매체 광고, 만화, 연예인의 사진, 슈퍼마켓의 제품 등 생활 속에서 흔히 눈에 띄는 것들을 작품의 소재로 사용했다고 하였습니다.

3 앤디 워홀은 수프 깡통 등 생활 속에서 자주 접하는 이미지들을 사용하여 표현하였으므로 ㉠, 올덴버그는 숟가락 등의 물건들을 거대하게 확대시켜 작품을 만들었으므로 ㉢, 리히텐슈타인은 만화의 한 장면을 확대해서 작품으로 만들었으므로 ㉡이 알맞습니다.

4 일반인들도 팝 아트 작품을 어렵지 않게 감상할 수 있는 것은 팝 아트 작품은 평소에 생활 속에서 자주 접하는 것들을 소재로 사용하기 때문이라고 하였습니다.

오답 **풀이**

㉮ 팝 아트 작품의 크기는 다양하므로 팝 아트의 크기와 작품을 감상하는 것 사이에는 큰 연관성이 없습니다.

㉯ 작품에 설명이 없다고 해도 팝 아트는 생활 속에서 자주 접하는 소재로 만들기 때문에 어렵지 않게 감상할 수 있습니다.

5 이 글에서는 팝 아트 작가(앤디 워홀, 클래스 올덴버그, 로이 리히텐슈타인)의 작품이 지닌 특징들을 자세하게 설명하였습니다. 이 작가들은 모두 자신들만의 특색을 지니고 있습니다.

오답 **풀이**

경준: 팝 아트는 대중 예술을 줄인 말로, 1960년대 미국 뉴욕을 중심으로 일어난 미술의 갈래라고 하였습니다.

두영: 작품의 크기가 정해져 있다는 설명은 글에서 찾을 수 없습니다.

6 물감을 아무렇게나 뿌려 만든 이미지는 생활 속에서 소재를 가져오는 팝 아트 작품이라고 할 수 없습니다. 「넘버 20」은 잭슨 폴록의 작품으로, 팝 아트가 아닌 추상 표현주의 갈래에 속하는 작품입니다.

7 이 글은 미술관의 신기한 작품들을 소개하며 이러한 작품이 팝 아트에 속한다고 설명하였습니다. 팝 아트는 현대 미술에서 가장 눈에 띄는 장르라고 하였습니다. 그리고 팝 아트는 '생활' 속에서 소재를 가져온다는 특징이 있고, 팝 아트의 대표적인 '작가'들로는 앤디 워홀, 클래스 올덴버그, 로히 리히텐슈타인 등이 있다고 설명하였습니다.

생각 글 쓰기

◆예시 **답안** 생활 속에서 자주 접하는 이미지들을 '실크스크린'이라는 판화 기법을 사용하여 표현하였다.

이렇게 지도해 주세요! 팝 아트 작품들은 생활 속에서 흔히 눈에 띄는 것들을 신선한 기법으로 표현하여 사람들의 관심을 끌었다고 하였습니다. 앤디 워홀은 '실크 스크린'이라는 판화 기법을 사용하여 표현하였고, 자신의 작품을 대량으로 생산했다고 하였습니다.

어법 다지기

03 '여위다'는 '몸의 살이 빠져 마르고 핏기가 전혀 없게 되다.', '살림살이가 매우 가난하다.', '빛이나 소리가 점점 작아지다.' 등의 뜻이 있고 '여의다'는 '부모나 사랑하는 사람이 죽어서 이별하다.', '딸을 시집보내다.', '멀리 떠나보내다.' 등의 뜻이 있습니다.

(1) 얼굴의 살이 빠져 말랐다는 뜻이므로 '여위었다'가 알맞습니다.

(2) 할아버지가 딸들을 모두 시집보냈다는 뜻이므로 '여의셨다'가 알맞습니다.

35회 인공 강우 기술의 원리와 장단점

▶ 본문 152~155쪽

1 인공 강우 2 ① 3 ㉣, ㉠, ㉢, ㉡ 4 응결 5 ③ 6 ② 7 수증기, 미세 먼지

어휘·어법 다지기 01 (1)-㉢ (2)-㉡ (3)-㉠ 02 (1) 통제 (2) 주목 (3) 팽창 03 (1) ○ (2) ○ (3) ×

날씨는 예로부터 인간이 통제할 수 없고 자연에 맡겨야 하는 일로 생각되어 왔습니다. 하지만 이제 이 이야기는 옛말이 될지 모릅니다. 과학 기술의 발달로 이제는 원하는 시기, 원하는 지역에 비를 내리게 할 수 있는 기술인 '인공 강우' 기술이 개발되었기 때문입니다. 어떻게 이러한 일이 가능해진 것일까요? ▶비를 내리게 하는 인공 강우 기술

이 기술을 알기 위해서는 먼저 구름이 만들어지는 원리를 이해해야 합니다. 햇빛을 받아 뜨거워진 수증기는 부피가 팽창하여 가벼워지면서 하늘로 올라가지요.(2번의 근거, 3번의 근거(㉣)) 상승한 수증기는 부피 팽창으로 인해 온도가 낮아져 하늘에서 응결되고,(3번의 근거(㉠)) 이렇게 응결된 수증기들이 모여 물방울이나 얼음 알갱이 상태가 됩니다.(3번의 근거(㉢)) 구름은 이렇게 응결된 물방울이나 얼음 알갱이들이 모여 만들어지는 것입니다.(2번의 근거, 3번의 근거(㉡)) ▶구름이 만들어지는 원리

하지만 구름이 만들어진다고 하여 무조건 비가 내리는 것은 아닙니다. 비를 내리는 구름이 되려면 충분한 양의 수증기가 응결되어 빗방울이 될 만큼 모여야 하지요. 비가 내리지 않는 까닭은 이렇게 충분한 양의 물방울이 응결되지 않았기 때문입니다.(4번의 근거) 그래서 사람들은 충분한 양의 수증기가 응결되도록 '구름씨'라는 것을 만들었습니다. ▶수증기가 응결될 때 필요한 구름씨

인공 강우 기술의 핵심은 바로 이 구름씨입니다.(5번의 근거) 하늘에 비행기를 띄워 사람이 직접 구름씨가 될 수 있는 물질을 뿌리면, 이러한 구름씨를 중심으로 수증기가 인공적으로 모여 비를 내릴 만큼의 충분한 물방울이 응결되지요. 구름씨로 사용되는 물질에는 드라이아이스, 요오드화 은 등이 있습니다.(2번의 근거) ▶인공 강우 기술의 핵심인 구름씨

이러한 인공 강우 기술은 가뭄 등의 물 부족 문제를 해결할 수 있다는 장점이 있습니다.(6번의 근거) 또한 인공 강우 기술은 미세 먼지가 심한 날에 비를 내리게 하여 대기를 깨끗하게 할 수 있다는 점에서도 주목받고 있습니다.(6번의 근거) ▶인공 강우 기술의 장점

그러나 아직 해결해야 할 문제도 많습니다. 인공 강우 기술은 인공적으로 주변의 수증기를 끌어모아 응결시키는 것이므로 한 지역에 비를 내리게 할 수는 있어도 다른 지역에는 심각한 가뭄을 불러일으킬 수 있기 때문입니다.(6번의 근거) 또한, 현재 기술로는 구름씨를 뿌린다고 해도 인공 강우의 성공률이 매우 낮은 것으로 알려져 있습니다.(2번, 6번의 근거) 따라서 인공 강우 기술이 완전히 상용화되기 위해서는 앞으로 더 많은 연구가 이루어져야 합니다.(2번의 근거) ▶인공 강우 기술의 단점

이렇게 지도해 주세요! 이 글은 구름이 만들어지는 과정, 인공 강우 기술의 원리와 장단점을 설명한 글입니다. 인공 강우 기술의 핵심이 무엇인지, 이 기술의 장점과 단점은 무엇인지 생각하며 읽을 수 있도록 지도해 주세요.

• **주제** 인공 강우 기술의 원리와 장단점

1 이 글은 '인공 강우' 기술의 원리와 이 기술의 장단점을 설명하는 글입니다.

2 인공 강우 기술은 성공률이 매우 낮은 것으로 알려져 있다고 하였습니다.

오답 **풀이**

② 햇빛을 받아 뜨거워진 수증기는 부피가 팽창하여 가벼워지면서 하늘로 올라간다고 하였습니다.

③ 인공 강우의 성공률이 매우 낮기 때문에 인공 강우 기술이 완전히 상용화되기 위해서는 더 많은 연구가 이루어져야 한다고 하였습니다.

④ 인공 강우 기술의 핵심은 구름씨에 있는데, 구름씨로 사용되는 물질에는 드라이아이스, 요오드화 은 등이 사용된다고 하였습니다.

⑤ 수증기가 하늘로 상승하여 물방울이나 얼음 알갱이로 응결되고 이것들이 모여 구름이 된다고 하였습니다.

3 햇빛을 받아 뜨거워진 수증기가 부피가 팽창하면서 하늘 위로 상승하고(㉣), 상승한 수증기는 부피 팽창으로 온도가 낮아져 하늘에서 응결됩니다(㉠). 응결된 수증기가 모여 물방울이나 얼음 알갱이 상태가 되는데(㉢), 이것들이 모여 구름이 만들어진다고 하였습니다(㉡).

4 셋째 문단에서 충분한 양의 수증기가 '응결'되지 않으면 구름이 비를 내리지 않는다고 하였습니다.

5 '구름씨'는 충분한 양의 수증기가 응결될 수 있도록 하는 것으로, 인공 강우 기술의 핵심이라고 하였습니다.

6 현재는 인공 강우 기술의 성공률이 매우 낮기 때문에 구름씨를 뿌린다고 해도 무조건 비를 내리게 할 수는 없습니다.

오답 **풀이**

① 구름씨를 사용하여 인공적으로 비가 내리게 할 수 있으므로 물 부족 문제를 해결하는 데 도움이 될 수 있다고 하였습니다.

③ 미세 먼지가 많은 날에 구름씨를 사용하여 비를 내리면 대기를 깨끗하게 할 수 있다고 하였습니다.

④ 인공적으로 주변의 수증기를 끌어모아 응결시켜 한 지역에 비를 내리게 할 수 있다고 하였습니다.

⑤ 주변의 수증기를 끌어모아야 하므로 다른 지역에는 심각한 가뭄을 불러일으킬 수 있다고 하였습니다.

7 이 글은 비를 내리게 하는 인공 강우 기술의 원리와 장단점을 설명하고 있습니다. 이 기술의 원리는 구름씨를 뿌려 '수증

기'를 응결시키는 것입니다. 이 기술의 장점은 가뭄과 '미세먼지' 문제를 해결할 수 있다는 점입니다. 그리고 단점은 다른 지역에 가뭄을 불러일으킬 수 있고, 아직은 성공률이 매우 낮다는 점입니다.

생각 글 쓰기

◆예시 **답안** 인공 강우 기술은 인공적으로 주변의 수증기를 끌어모아 응결시키는 것이기 때문에 수증기를 빼앗긴 다른 지역은 비가 내리지 않아 가뭄이 올 수 있다.

이렇게 지도해 주세요! 인공 강우 기술은 주변의 수증기를 끌어모으는 기술이기 때문에 다른 지역에 가뭄을 불러일으킬 수 있습니다. 인공 강우 기술의 장점과 단점을 정확하게 이해할 수 있도록 지도해 주세요.

어법 다지기

03 '중의적 표현'은 하나의 문장이 둘 이상의 뜻으로 읽히는 것을 말합니다. (3)은 지영이가 다빈이와 함께 민우에게 줄 선물을 샀다는 뜻과 지영이 혼자 다빈이와 민우 모두에게 줄 선물을 샀다는 뜻 두 가지로 해석되어 문장의 뜻이 정확하지 않습니다. 따라서 '지영이는 다빈이와 함께, 민우에게 줄 선물을 샀다.' 혹은 '지영이는 다빈이와 민우 두 사람에게 줄 선물을 샀다.'라는 문장으로 고치는 것이 좋습니다.

36회 다문화 가족은 우리의 이웃

▶ 본문 156~159쪽

1 다문화 2 ③ 3 ㉢ 4 ② 5 ② 6 편견, 선생님

어휘·어법 다지기 **01** (1)-㉢ (2)-㉣ (3)-㉠ (4)-㉡ **02** (1) 실례 (2) 왕래 (3) 선입견 **03** (1) 노름 (2) 놀음

우리나라 사람들은 오랫동안 생김새가 서로 비슷하고, 같은 말을 쓰며, 같은 음식을 먹는 사람들끼리 모여 살아왔습니다. 그래서 우리는 옛날부터 '한민족', '우리 민족'과 같은 표현을 자주 사용하였습니다. 하지만 이제는 상황이 조금 달라졌습니다. 다른 나라와의 왕래가 많아지면서 그만큼 우리 사회의 모습도 달라졌기 때문입니다.(2번의 근거) 오늘날에는 우리 사회를 구성하는 사람들의 모습이 점점 다양해지고 있습니다. 한국인과 외국인이 결혼한 가정도 늘어나고 있고, 한국에서 생활하며 가정을 꾸린 외국인도 생겼습니다. 이제는 한국에서도 다문화 가정을 흔하게 볼 수 있는 시대가 된 것입니다.(2번의 근거)
▶한국에 다문화 가정이 많아짐.

그러나 아직 다문화 가정에 대한 편견이나 선입견을 가지고 있는 사람들이 있습니다. 그래서 다문화 가정에 속한 다문화 가족들을 우리나라 사람이 아니라 외국인으로 대하는 일이 비일비재한데,(2번의 근거) 이것은 큰 실례가 될 수 있습니다. 피부색이나 생김새가 다르다고 해서 이미 한국인이 된 사람들을 외국인으로 생각하는 것은 변화한 오늘날의 사회에 어울리지 않는 모습입니다.
▶다문화 가정에 대한 편견이나 선입견

우리는 우리의 이웃과 친구를 존중하고 사랑해야 한다고 배웁니다. 우리나라에 살고 있는 다문화 가족들도 모두 우리의 이웃이고 친구입니다. 따라서 우리는 겉모습과 생활 방식이 다르다는 까닭으로 이들에게 편견을 가지면 안 됩니다.
▶다문화 가족들은 우리의 이웃임.

다문화 가족들을 편견 없이 대한다면 이들은 우리의 선생님이 될 수 있습니다.(2번의 근거) 이들은 우리말뿐 아니라 부모님 나라의 언어도 잘하고, 서로 다른 두 문화를 동시에 이해하고 받아들입니다. 그러므로 우리는 이들에게 새로운 문화와 다른 나라의 언어를 배울 수 있습니다. 이들이 가르쳐 준 문화를 이해하고 존중하는 자세와 언어 능력은 여러 나라와 교류하며 살아가는 오늘날의 사회에서 큰 역할을 할 것입니다.
▶다문화 가정 친구들은 우리의 선생님이 될 수 있음.

우리는 다문화 가족들을 색안경을 끼고 보거나 차별하지 말고 우리의 이웃과 친구로 여겨야 합니다. 우리가 서로의 다양성을 이해하고 서로를 인정하며 힘을 합칠 때 더욱 행복한 사회를 만들 수 있습니다.(2번의 근거)
▶다문화 가족을 이웃과 친구로 여기는 마음을 가져야 함.

이렇게 지도해 주세요! 이 글은 다문화 가족들에게 편견이나 선입견을 가지지 말고 우리의 이웃이나 친구로 대해야 한다고 주장하는 글입니다. 글쓴이가 어떤 근거들을 들어 주장하였는지 이해할 수 있도록 설명해 주세요.
• **주제** 다문화 가족들을 우리의 이웃과 친구로 대하자.

1 이 글은 '다문화' 가족들을 우리의 이웃이나 친구로 대해야 한다고 주장하는 글입니다.

2 우리나라와 다른 나라의 왕래가 많아지고 있다고 하였으므로 교류가 줄어들고 있다는 내용은 알맞지 않습니다.

3 이 글에서 글쓴이는 다문화 가족들을 색안경을 끼고 보거나 차별하지 말고 우리의 이웃이나 친구로 여겨야 한다고 하였습니다.

4 글쓴이는 다문화 가정 사람들이 우리의 이웃이고 친구라는 의견을 나타내고 있습니다. 따라서 다문화 가족이 아닌 한국인이 읽어야 한다고 생각하며 이 글을 썼다고 할 수 있습니다.

5 지훈이의 꿈은 필리핀 사람과 한국 사람이 만났을 때 자유롭게 의사소통을 할 수 있도록 도와주는 사람이므로 '통역사'가 알맞습니다.

6 이 글은 처음에 한국에 다문화 가정이 많아졌다고 말하였고, 다문화 가정에 '편견'이나 선입견을 가지고 있는 사람들이 있는데, 겉모습과 생활 방식이 다르다는 까닭으로 편견을 가지면 안 된다고 말하며, 다문화 가족들이 우리의 '선생님'이 될 수 있다고 하였습니다. 그리고 결론에서 다문화 가족을 이웃과 친구로 여기는 마음을 가져야 한다고 주장하였습니다.

생각 글 쓰기

◆예시 **답안** 같은 한국인인데 외국인으로 대하면 기분이 몹시 나쁘고 소외감을 느낄 것이다.

이렇게 지도해 주세요! 다문화 가족들을 외국인으로 대하는 것은 큰 실례입니다. 다문화 가족의 입장이 되어 생각해 보고, 다문화 가족을 만나면 어떻게 대해야 할지 생각해 볼 수 있도록 지도해 주세요.

어법 다지기

03 (1) 돈이나 재물 등을 걸고 서로 내기를 하는 일에 빠져 재산을 날렸다는 뜻이므로 '노름'이 알맞습니다.
(2) 친구들과 모여서 딱지를 하며 노는 일을 뜻하므로 '놀음'이 알맞습니다.

37회 하늘을 나는 꿈

▶ 본문 160~163쪽

1⑤ 2④ 3① 4② 5 열기구, 비행선 6 하늘, 라이트 형제
어휘·어법 다지기 **01** (1)-㉣ (2)-㉡ (3)-㉢ (4)-㉠ **02** (1) 개선 (2) 설계 (3) 반영 **03** ①

옛날부터 사람들은 하늘을 자유롭게 나는 꿈을 꾸었습니다. 그리스 신화에는 팔에 깃털을 붙여 날개를 만들어서 하늘을 나는 다이달로스와 이카로스의 이야기가 나옵니다. 이 이야기에는 새처럼 하늘을 날고 싶은 사람들의 꿈이 반영된 것이라고 볼 수 있습니다. 어떤 사람들은 이카로스처럼 직접 날개를 만들어 팔에 붙인 뒤 높은 곳에서 뛰어내리기도 했지만, 하늘을 나는 일에 성공한 사람은 없었습니다. 레오나르도 다 빈치는 이러한 방법으로는 하늘을 날 수 없다고 생각했습니다. 그는 최초로 하늘을 나는 일에 과학적으로 접근하였고, 오늘날의 헬리콥터와 비슷하게 생긴 기계도 설계했습니다. 하지만 결국 하늘을 날지는 못하였습니다. (4번의 근거)
▶하늘을 날고 싶은 사람들의 여러 가지 시도

하늘을 나는 일에 실패한 사람들은 다시 여러 가지 방법으로 하늘을 나는 꿈에 도전했습니다. 독일의 오토 릴리엔탈을 포함한 많은 사람들은 바람의 힘을 이용하는 글라이더를 만들었습니다. 또한 더운 공기가 차가운 공기보다 가벼운 원리를 이용하여 열기구와 비행선도 만들었습니다. (5번의 근거) 하지만 이러한 시도는 사람이 하늘에 잠시 머물 수 있게만 할 뿐, 하늘을 자유롭게 날고 싶어 하는 사람들을 만족시키기에는 부족했습니다. 이 기구들은 오랫동안 날 수 없었고, 속도가 느렸으며, 자유자재로 방향을 바꾸기도 힘들고 무엇보다 위험했기 때문입니다. (2번, 4번의 근거)
▶다양한 방법으로 비행에 도전하였으나 실패한 사람들

1903년 12월 17일, 마침내 미국의 라이트 형제가 비행에 성공했습니다. 그들은 플라이어 1호라는 비행기를 만들고, 엔진의 힘을 통해 하늘을 날았습니다. (3번의 근거) 이 비행기가 기존의 비행선과 다른 점은 양력을 이용해 날아올랐다는 것입니다. 비록 3미터 높이로 떠서 12초 동안 36미터를 날아간 것에 불과하지만, 라이트 형제의 비행은 하늘을 나는 꿈을 이루기 위한 역사적인 첫걸음이 되었습니다.
▶비행기를 만들어 비행에 성공한 라이트 형제

라이트 형제의 시도 이후로 비행기의 발전 속도는 몰라보게 빨라졌습니다. (4번의 근거) 과학자들은 비행 거리와 속도를 높이기 위해 비행기의 엔진과 날개를 계속해서 개선했습니다. 두 번의 세계 대전은 비록 슬픈 일이었지만, 각 국가들은 전쟁에서

승리하기 위해 더 좋은 비행기를 계속해서 연구하였기 때문에 비행기가 발전하게 되었습니다. 또한 제트 기관이 발명되면서 비행기의 성능은 한층 더 높아졌습니다. 이렇게 비행기는 점점 발전하며 자유롭게 하늘을 날고 싶어 하던 사람들의 오랜 꿈을 이루어 주었습니다.

4번의 근거

▶점점 발전하는 비행기

이렇게 지도해 주세요! 이 글은 하늘을 날고 싶어 하던 사람들이 비행기를 만들기까지의 과정을 설명한 글입니다. 지금의 비행기는 어떤 일들을 거쳐 만들어진 것인지 알 수 있도록 설명해 주세요.

• **주제** 비행기의 발전 과정

1 이 글은 하늘을 날고 싶어 하는 사람들의 꿈을 이루어 준 '비행기'에 대하여 쓴 글입니다.

2 열기구와 비행선은 사람이 하늘에 잠시 머물 수 있게 했다는 사실을 알 수 있지만, 이 기구들이 하늘 높이 올라가지 못하였다는 내용은 글에 나타나 있지 않습니다.

3 플라이어 1호는 3미터 높이로 떠서 12초 동안 36미터를 날아갔다고 하였습니다. 한 시간 동안 비행한 것은 아닙니다.

오답 **풀이**
② 플라이어 1호가 기존의 비행선과 다른 점은 양력을 이용해 날아올랐다는 것이라고 하였습니다.
③ 미국의 라이트 형제가 비행기 플라이어 1호를 만들었다고 하였습니다.
④ 플라이어 1호는 엔진의 힘을 통해 하늘을 날았다고 하였습니다.
⑤ 플라이어 1호의 비행 성공은 하늘을 나는 꿈을 이루기 위한 역사적인 첫걸음이 되었다고 하였습니다.

4 열기구와 비행선은 위험하여 하늘을 자유롭게 날고 싶어 하는 사람들을 만족시키기에는 부족했다고 하였습니다. 따라서 열기구와 비행선을 타는 게 안전하겠다는 생각은 알맞지 않습니다.

오답 **풀이**
① 어떤 사람들은 이카로스처럼 직접 날개를 만들어 팔에 붙인 뒤 높은 곳에서 뛰어내리기도 했다고 하였습니다.
③ 두 번의 세계 대전은 각 국가가 전쟁에서 승리하기 위해 더 좋은 비행기를 계속해서 연구하게 하였고, 비행기가 발전하는 데 큰 도움이 되었다고 하였습니다.
④ 라이트 형제는 플라이어 1호라는 비행기를 만들어 비행에 성공하였고, 이후 비행기의 발전 속도는 몰라보게 빨라졌다고 하였습니다.
⑤ 레오나르도 다 빈치는 사람의 팔에 날개를 붙이는 방법으로는 하늘을 날 수 없다고 생각하여 헬리콥터와 비슷하게 생긴 기계를 설계했다고 하였습니다.

5 하늘을 나는 일에 실패한 사람들은 다시 여러 가지 방법으로 하늘을 나는 꿈에 도전하였는데, 더운 공기가 차가운 공기보다 가벼운 원리를 이용하여 '열기구'와 '비행선'을 만들었다고 하였습니다. 따라서 이 원리는 풍등을 띄우는 원리와 같습니다.

6 이 글은 '하늘'을 날고 싶은 사람들이 했던 여러 가지 시도를 설명하였습니다. 그 과정에서 다양한 방법으로 비행에 도전하였으나 실패한 사람들에 대하여 이야기하였습니다. 또한 비행기를 만들어 비행에 성공한 '라이트 형제'와 라이트 형제의 시도 이후로 점점 발전하는 비행기에 대하여 설명하였습니다.

생각 글 쓰기

◆예시 **답안** 새처럼 하늘을 날고 싶은 사람들의 꿈이 반영된 것이다.

이렇게 지도해 주세요! 옛날부터 사람들은 하늘을 자유롭게 나는 꿈을 꾸었는데, 그리스 신화 중 팔에 깃털을 붙여 날개를 만들어서 하늘을 나는 다이달로스와 이카로스의 이야기에는 사람들의 이러한 꿈이 반영된 것입니다. 사람들의 꿈이 결국 어떤 결과를 가지고 왔는지 생각해 볼 수 있도록 지도해 주세요.

어법 다지기

03 '중심 문장'은 문단의 전체 내용을 대표하는 문장이고, '뒷받침 문장'은 중심 문장의 내용을 풀어서 설명하거나 예를 드는 방법 등으로 중심 문장을 도와주는 문장입니다. ①의 '장승은 ~ 푯말입니다.'는 문단 전체의 내용을 대표하는 문장이므로 중심 문장입니다. 나머지 문장은 이러한 장승의 종류에 어떤 것들이 있는지 내용을 더해 주는 뒷받침 문장입니다.

38회 지하 주차장_김현욱

▶ 본문 164~167쪽

1③ 2① 3② 4③ 5㉮ 6④

어휘·어법 다지기 01 (1)-㉡ (2)-㉣ (3)-㉢ (4)-㉠ 02 (1) 한참 (2) 미로 (3) 고물 03 ②

지하 주차장으로
차 가지러 내려간 아빠
한참 만에
차 몰고 나와 한다는 말이 ▶1연: 지하 주차장으로 차를 가지러 간 아빠
5번의 근거
□: 말하는 이의 어이 없는 마음을 드러내는 말

「내려가고 내려가고 또 내려갔는데 글쎄, 계속 지하로 계단이 있는 거야! 그러다 아이쿠, 발을 헛디뎠는데 아아아…… 이상한 나라의 앨리스처럼 깊은 동굴 속으로 끝없이 떨어지지 않겠니? 정신을 차려 보니까 호빗이 사는 마을이었어. 호박처럼 생긴 집들이 미로처럼 뒤엉켜 있는데 갑자기 흰머리 간달프가 나타나 말하더구나. 이 새 자동차가 네 자동차냐? 내가 말했지. 아닙니다, 제 자동차는 10년 다 된 고물 자동차입니다. 오호, 정직한 사람이구나. 이 새 자동차를……」

(이상한 나라의 앨리스: 소설가 루이스 캐럴의 작품 / 호빗: 소설가 톨킨의 작품에 등장하는 키가 작은 종족 / 간달프: 소설가 톨킨의 작품에 등장하는 인물의 이름)

「 」: 아빠가 한 말이 그대로 시의 한 연이 됨. 아빠의 유쾌한 성격을 보여 줌. - 4번의 근거 ▶2연: 지하 주차장에서 아빠가 헤맨 이야기

「에이, 아빠!
차 어디에 세워 놨는지 몰라서 그랬죠?
차 찾느라
온 지하 주차장 헤매고 다닌 거
다 알아요.
㉠피이!」 ▶3연: 아빠가 차를 찾느라 헤매고 다닌 것을 앎.
「 」: 말하는 이가 한 말이 그대로 시의 한 연이 됨.

이렇게 지도해 주세요! 이 시는 지하 주차장에서 차를 찾지 못한 아빠가 말하는 이에게 재미있는 거짓말을 한다는 내용의 시입니다. 시를 읽고 어떤 상황인지 생각할 수 있도록 설명해 주세요.

• **주제** 아빠가 지하 주차장에서 차를 가져오다가 생긴 일

1 이 시에서 열쇠는 나오지 않았습니다.

2 이 시는 3연으로 이루어져 있는데, 연의 길이가 모두 다릅니다. 2연이 가장 긴 것을 알 수 있습니다.

3 간달프는 아빠에게 새 자동차가 아빠의 것이냐고 물어보았지만, 자동차를 찾아 주지는 않았습니다.

오답 **풀이**
① 아빠는 동굴 속으로 끝없이 떨어졌다고 하였습니다.
③ 아빠는 지하로 가는 계단에서 발을 헛디뎠다고 하였습니다.
④ 아빠는 내려가고 내려가고 또 내려갔는데 계속 지하로 계단이 있었다고 하였습니다.
⑤ 정신을 차려 보니 호빗이 사는 마을이었고 호박처럼 생긴 집들이 미로처럼 뒤엉켜 있었다고 하였습니다.

4 지하 주차장에서 차를 찾지 못한 일을 있는 그대로 이야기하지 않고 재미있는 변명을 지어낸 것으로 보아 아빠의 성격이 유쾌하다는 것을 알 수 있습니다.

5 1연에서 아빠가 한참 만에 차를 몰고 나왔다고 하였으므로 결국 차를 찾았다는 것을 알 수 있습니다.

오답 **풀이**
㉯ 아빠는 지하 주차장에 세워 둔 차를 가지고 나온 것이지, 새 차를 가지고 나온 것은 아닙니다.
㉰ 말하는 이는 3연에서 아빠의 말을 믿고 있지 않다고 말하고 있습니다.
㉱ 말하는 이와 아빠가 대화하는 장소는 지하 주차장에서 나온 곳입니다.

6 3연에서 말하는 이는 아빠가 하는 말이 사실이 아닌 것을 알고 있다고 하였습니다. 따라서 아빠가 하는 말이 어이가 없었을 것입니다.

생각 글 쓰기

◆예시 **답안** 차를 세워 놓은 장소를 잊어버린 것이 창피했기 때문이다.

이렇게 지도해 주세요! 아빠는 지하 주차장에 차를 주차한 장소를 잊어버렸지만 사실대로 말하지 않았습니다. 아빠는 차를 주차한 장소를 잊은 것이 창피했을 수도 있고 말하는 이를 놀려 주려고 거짓말을 했을 수도 있습니다. 자유롭게 생각을 펼칠 수 있도록 지도해 주세요.

어법 다지기

03 어떤 행동을 할 것을 약속하는 뜻으로 쓰이는 말은 '-ㄹ게'로 써야 합니다. 따라서 ②는 '진희와 같이 할게요.'라고 써야 바른 문장이 됩니다.

39회 가끔은 쓸 데가 있지_강용숙

▶ 본문 168~171쪽

1④ 2④ 3③ 4개 5㉯ 6목소리, 도둑

어휘·어법 다지기 01 (1)-㉢ (2)-㉡ (3)-㉠ 02 (1) 허전 (2) 호통 (3) 텃밭 03 (1) 뛰어서 (2) 하고 (3) 갔으나

까만 비단에 노오란 금단추를 총총히 박아 놓은 것 같은 하늘이 참 아름다워.
사건이 일어난 시간 – 밤

초저녁잠이 많은 할머니는 꿈나라로 여행 가신 지 오래되었지. 밤이 깊은데 귀뚜라미 녀석은 피곤하지도 않은지 '귀뚜르르 귀뚜르' 쉬지 않고 노래를 하네.
2번의 근거

난 잠이 오지 않았어. 으슬으슬 추위가 다가오니 괜스레 허전한 마음이 들어 그런가 봐. 나이를 먹으면 뼛속까지 스미는 추위가 호랑이보다 무섭거든.
2번, 5번의 근거 – '나'는 이야기의 주인공으로, 사람이 아닌 개

내가 '아함' 하품을 하며 턱을 괴고 엎드릴 때였어. 무언가가 마당에서 얼핏 움직이는 것 같은 느낌이 들지 뭐야. 순간 머릿속에 '번쩍' 하고 번갯불처럼 지나가는 느낌 같은 것이 있었어.
5번의 근거
▶마당에서 무언가가 움직이는 것 같은 느낌이 듦.

'기분이 별로군. 좋지 않은 일 같아.'

아니나 다를까? 또렷하진 않았지만 검은 물체 같은 것이 할머니의 방 쪽으로 움직이고 있는 것 같았어. 나는 밤손님이 분명하다 싶어 총알처럼 뛰어나가 "누구얏! 게 섰거라."라고 소리쳤지.
도둑으로 보이는 물체
도둑이 든 것을 알고 짖음.

그런데 몇 발자국 못 가서 멈추고 말았어. 어제 할머니가 텃밭에 벌레약을 치느라 내 목줄을 매어 놓았기 때문이야. 내가 독한 약 묻은 것에 입을 댈까 봐 가끔 그러시거든.
4번의 근거 – '나'가 개라는 것을 알 수 있음.
'나'를 생각하는 할머니의 마음

검은 그림자는 도둑고양이처럼 살금살금 방으로 들어갔어. 나는 제자리에서 길길이 뛰며 악을 썼어.
도둑이 든 다급한 상황
▶검은 그림자가 할머니 방으로 들어감.

㉠"도둑이유! 할매, 도, 도둑놈이 들어간당께유."

내 소리를 들었으면 할머니가 깨었겠지? 그런데 할머니는 못 듣고 콜콜 주무시고 계셨어. 할머니 귀가 어둡냐고? 아니야. 얼마 전부터 내 목소리에 이상이 생겼거든. 아무리 폼나게 짖으려고 해도 '끄응' 하고 똥 눌 때 힘쓰는 소리밖에 안 나오는 거야. 개가 하는 일은 도둑을 잡는 것인데 난 도둑을 못 잡으니 있으나 마나 한 게지 뭐.
2번의 근거 – 할머니를 깨우지 못한 까닭
4번의 근거 – '나'가 개라는 것을 알 수 있음.
▶목소리에 이상이 생겨 할머니를 깨우지 못함.

이튿날 이른 아침, 할머니가 방문을 왈칵 열어젖히고 나왔어.
2번의 근거

"수, 순돌아, 밤에 도둑이 왔다 갔다. 너도 몰랐냐? 시상에……. 촌구석에 혼자 사는 노인네 집에서 가져갈 게 뭐가 있다고 여길 오는 거여. 쯧쯧."
주인공의 이름
'나'가 도둑이 든 것을 몰랐다고 생각하는 할머니
이야기의 배경 – 1번의 근거

난 꼬리를 내리고 엎드리며 말했어.
4번의 근거 – '나'가 개라는 것을 알 수 있음.

"할머니 죄송해유. 그놈을 보고 호통을 쳤는데 내 말을 안 듣잖아유."
도둑을 잡지 못해 미안한 마음이 듦.
▶할머니가 도둑이 왔다 갔다고 하자 죄송한 마음이 듦.

이렇게 지도해 주세요! 이 글은 개가 주인공이 되어 간밤에 할머니 집에 도둑이 들었던 사건을 이야기하는 글입니다. '나'와 할머니에게 어떤 사건이 있었는지 상상할 수 있도록 지도해 주세요.

• **주제** 할머니를 사랑하는 순돌이의 마음

1 이 글의 배경은 시골 마을로, 글의 분위기와 할머니의 말을 통해 알 수 있습니다.

2 '나'가 큰 소리로 짖지 못했기 때문에 할머니는 콜콜 주무시고 계셨다고 하였습니다.

오답 **풀이**

① 초저녁잠이 많은 할머니는 꿈나라로 여행 가신 지 오래되었다고 하였습니다.
② '나'는 잠이 오지 않았다고 하였습니다.
③ 얼마 전부터 '나'의 목소리에 이상이 생겨 아무리 폼나게 짖으려고 해도 '끄응' 하는 소리밖에 안 나온다고 하였습니다.
⑤ 이튿날 이른 아침, 할머니가 방문을 열어젖히고 나와 밤에 도둑이 왔다 갔다고 하였습니다.

3 도둑이 방으로 들어가는 것을 본 '나'는 빨리 할머니를 깨워야 한다는 생각에 다급한 마음이 들었을 것입니다.

오답 **풀이**

① 설렘은 '마음이 가라앉지 아니하고 들떠서 두근거림. 또는 그런 느낌.'이라는 뜻입니다.
② 귀찮음은 '마음에 들지 아니하고 괴롭거나 성가심.'이라는 뜻입니다.
④ 즐거움은 '즐거운 느낌이나 마음.'이라는 뜻입니다.
⑤ 행복함은 '생활에서 충분한 만족과 기쁨을 느끼어 흐뭇함.'이라는 뜻입니다.

4 마당에서 집을 지킨다는 점, 목줄이 매어져 있다는 점, 꼬리가 있다는 점, 자신이 하는 일은 도둑을 잡는 것이라고 말하는 점에서 '나'는 '개'라는 것을 알 수 있습니다.

5 '나'는 꿈에서 본 것이 아니라 직접 겪은 것을 이야기하고 있습니다.

오답 **풀이**

㉮ '나'는 할머니의 집에 도둑이 든 것을 보고 이야기를 들려주는 주인공입니다.
㉰ '나'는 무언가가 마당에서 지나가는 것을 보고 머릿속에 번갯불처럼 지나가는 느낌 같은 것이 있었다고 하였습니다.
㉱ '나'는 밤에 도둑이 들고 할머니가 그것을 아침에 알아차리는 사건을 시간 순서대로 이야기하고 있습니다.

6 이 글에서 '나'는 깊은 밤 마당에서 무언가가 얼핏 움직이는 것 같은 느낌이 들었고, 곧 검은 물체 같은 것이 할머니 방 쪽으로 움직이는 것을 보았습니다. 하지만 '나'의 '목소리'에 이상이 생겨 할머니를 깨우지 못하였습니다. 이튿날 이른 아침에 할머니는 '도둑'이 왔다 갔다고 하였습니다. 그래서 '나'

는 할머니에게 죄송한 마음이 들었습니다.

생각 글 쓰기

◆예시 **답안** 도둑이 왔다고 소리쳤지만 도둑을 쫓아버리지 못해 할머니에게 죄송함을 느꼈을 것이다.

이렇게 지도해 주세요! '나'(순돌이)는 할머니에게 도둑이 들어간다는 것을 알리려고 소리쳤지만 목소리에 이상이 생겨 할머니가 목소리를 듣지 못하였습니다. 사건의 흐름을 이해하고, 순돌이의 마지막 말을 통해 순돌이의 마음을 추측해 볼 수 있도록 지도해 주세요.

어법 다지기

03 '-고, -(으)나, -어서'는 '이어 주는 말'로, 다른 낱말에 붙어서 문장의 내용을 연결하는 말입니다.

(1) 오래 된 것은 다리가 아픈 것의 까닭이므로 앞문장이 뒷문장의 까닭이나 근거가 되도록 이어 주는 말인 '-어서'가 알맞습니다.

(2) 친구와 논 일은 숙제를 한 일보다 나중에 일어난 일입니다. 따라서 앞의 일이 일어난 다음 뒤의 일이 연이어 일어났다는 뜻이 되도록 이어 주는 말인 '-고'가 알맞습니다.

(3) 바다에 갔다는 앞의 내용과 물에 들어가지 않았다는 뒤의 내용은 서로 다른 내용을 가리킵니다. 따라서 앞문장의 내용과 뒷문장의 내용이 다름을 나타내도록 이어 주는 말인 '-(으)나'가 알맞습니다.

40회 오봉산의 불

▶ 본문 172~175쪽

1 오봉산 2 ③ 3 ② 4 ③ 5 도진 6 문둥병, 중, 불
어휘·어법 다지기 01 (1)-㉣ (2)-㉠ (3)-㉡ (4)-㉢ 02 (1) 암자 (2) 해질녘 (3) 도리 (4) 병자 03 (1) 현상 (2) 현상 (3) 형상

옛날에 문둥병이라면 지금보다 더 무서웠단다. 병이 옮는다고 병든 사람을 저 깊은 산 속에다가 두고 한 달에 한 번 정도 먹을 것을, 중간에 정한 곳에다가 가져다 두면 병자가 찾아가서 먹고 외롭게 혼자 살았대.
(5번의 근거 – 시간적 배경)

옛날에 옛날에 어떤 사람이 시집을 가서 재미있게 살았어. 깨가 쏟아지게 잘 살다가 그만 덜컥 남편이 문둥병에 걸려 버렸네. 같이 살 수가 있어야지. 안 떨어질래도 안 돼. 약이란 약은 다 써 봐도 안 돼. 그래서 부인은
(시간적 배경 / 3번의 근거)

"우리 남편 병 낫게 해 줍소사."

하고 매일 빌었어. ▶남편이 문둥병에 걸려 부인이 병이 낫기를 빎.
(5번의 근거 / 남편을 사랑하는 부인의 마음을 보여 줌.)

한없이 빌던 어느 날, 중 하나가 찾아왔어.

"부인 정성이 지극하여 내가 당신 남편 살 도리를 가르쳐 주리다. 저 ㉠오봉산에다 불을 켜 놓고 남편을 찾아가시오. 그것도 백 날 안으로 해야 합니다. 그러기만 하면 낫습니다."
(4번의 근거)

그러니 부인의 귀가 번쩍 뜨일 것 아니겠는가?

"스님 스님, 오봉산은 어디 있는가요?"

「"멀다면 멀고 가깝다면 가까운 데 있소이다. 그것은 부인이 찾아야 합니다."」 ▶스님이 병이 낫는 방법을 알려 줌.
(사람이 원하는 행복인 진리가 아주 가까운 곳에 있다는 교훈 / 「」: 4번의 근거)

그래서 찾아 나섰는데, 아무리 찾아다녀도 오봉산이란 곳은 없어. 조선 팔도 다 다녀도 삼봉산은 있는데 오봉산은 없어. 백 날은 빠작빠작 다가오고, 그러다가 내일이면 백 날이 되는 날에,
(3번의 근거 / 빠작빠작: 마음이 매우 안타깝게 죄어드는 모양.)

"그래 이왕 죽을 바에는 남편 옆에 가서 죽어 버리자."

하고 찾아갔어. ▶오봉산을 찾아 헤맴.
(오봉산 찾는 것을 포기한 부인)

가다 보니 백 날째가 되었는데 아직 해가 있어서 어서어서 갔지. 그러다가 해질녘이 되었어. 해가 ㉡넘어가기 전에 남편 옆을 가야 되는데, 남편이 있는 암자 근처에 가서 그만 쓰러졌어. 조금 남았는데, 조금만 더 가면 죽어도 같이 죽을 수 있는데, 인제 더 못 가겠어. 해는 사정없이 넘어가려고 그래. 그래 하도 안타까워서 그 해 보고 제발 넘어가지 마라고 손을 내젓고, 해를 잡아당기려고 손가락을 쫙 폈어. 해 넘어가
(3번의 근거)

려면 서쪽 하늘도 붉고 해도 붉지 않아? 그런데 자기 손가락 다섯 개가, 이제 보니까 오봉산이여.

"아! 내 손가락이 오봉산이구나!"

3번, 4번의 근거

그래 당장 기름하고 성냥하고 불을 켜서, 손가락 다섯에다가 불을 댕겨 가지고 기운을 내서 암자를 찾아갔어. (스님의 말대로 함.) 오봉산에 불붙이려고 항상 불씨는 가지고 다녔지. 그래 남편 있는 암자를 찾아가니까 남편이 목욕을 하다가 나오는데, 그 순간에 병이 싹 나았대. 그냥 좋아 죽겠지.

그래서 동네 내려와서 아들딸 낳고 잘 살았대.

▶오봉산을 찾아 남편의 병이 낫고 둘은 아들딸을 낳고 잘 살았음.

이렇게 지도해 주세요! 이 글은 전라북도 지방에 전해 내려오는 민담으로, 남편의 병을 낫게 하기 위해 오봉산을 찾아다닌 부인에 대한 이야기입니다. 글에서 말하는 오봉산이 무엇인지 생각하며 읽을 수 있도록 지도해 주세요.

• **주제** 남편을 사랑하는 부인의 마음

1 이 글은 '오봉산'을 찾아 남편의 병을 낫게 한 부인의 이야기입니다.

2 이 글은 친한 친구에게 말하듯이 이야기하고 있습니다.

오답 **풀이**

① 높임말을 사용하지 않고 친구에게 편하게 말하듯이 이야기하고 있습니다.

② 부인에게 일어난 사건을 자세하게 이야기하고 있습니다.

④ 이 글은 글쓴이의 글을 통해 옛이야기를 전해 주고 있습니다. 글쓴이가 직접 겪은 일을 쓴 것은 아닙니다.

⑤ 이야기를 잠시 멈춘 부분은 없습니다.

3 부인은 남편을 만나서 쓰러진 것이 아니라, 남편이 있는 암자 근처에 가서 그만 쓰러졌다고 하였습니다.

4 오봉산의 높이가 어느 정도인지는 글에서 찾을 수 없습니다. 또한 오봉산은 손가락 다섯 개를 의미하므로 높아서 오를 수 없다는 설명은 알맞지 않습니다.

오답 **풀이**

① 부인은 오봉산이 자신의 손가락 다섯 개라는 것을 깨닫습니다.

② 스님은 오봉산을 부인이 직접 찾아야 한다고 하였습니다.

④ 스님은 오봉산에다 불을 켜 놓고 남편을 찾아가면 남편의 병이 낫는다고 하였습니다.

⑤ 스님은 오봉산이 멀다면 멀고 가깝다면 가까운 데 있다고 하였습니다.

5 부인은 오봉산을 찾아 나섰지만 백 날이 되기 전까지 아무리 찾아다녀도 오봉산을 찾지 못하였다고 하였으므로, 부인이 처음부터 오봉산이 어디 있는지 알고 있었을 것이라는 도진이의 말은 알맞지 않습니다.

오답 **풀이**

나희: 남편의 병을 낫게 하기 위해 매일 비는 모습, 힘들어 쓰러졌지만 남편과 같이 죽고 싶어 하는 모습에서 남편을 사랑하는 부인의 마음을 느낄 수 있습니다.

주영: 이 글은 '옛날에 문둥병이라면 지금보다 더 무서웠단다.'라는 말로 시작되고 있으므로 읽는 이는 이 이야기가 아주 오래된 이야기라는 것을 알 수 있습니다.

6 이 글에서 남편이 '문둥병'에 걸리자 부인은 남편의 병이 낫기를 빌었습니다. 그러자 '중'이 찾아와 병이 낫는 방법을 알려 주었습니다. 부인은 오봉산을 찾아 헤맸지만 찾지 못하여 백 날이 될 때 남편 옆에서 죽기로 마음 먹었습니다. 그래서 부인은 남편이 있는 암자 근처에 가서 쓰러졌습니다. 하지만 부인은 그때 오봉산의 정체를 알게 되었고, 손에 '불'을 붙여 남편에게 갔습니다. 그 후 남편의 병이 낫고 둘은 아들딸을 낳고 잘 살았습니다.

생각 글 쓰기

✦예시 **답안** 부인이 남편을 너무 사랑해서 남편의 병을 낫게 해 주고 싶었기 때문이다.

이렇게 지도해 주세요! 남편의 병을 낫게 하기 위해 부인은 백 날 동안이나 전국으로 오봉산을 찾아다녔습니다. 이는 남편을 사랑하는 부인의 마음을 보여 줍니다. 부인이 남편을 사랑하는 마음을 느낄 수 있도록 지도해 주세요.

어법 다지기

03 '현상'은 '인간이 지각할 수 있는, 사물의 모양과 상태.'를 뜻하고 '형상'은 '사물의 생긴 모양이나 상태.', '마음과 감각에 의하여 떠오르는 대상의 모습을 떠올리거나 표현함.'을 뜻합니다.

⑴ 인간이 느낄 수 있을 정도로 도시에 인구가 몰리는 상태가 되고 있다는 뜻이므로 '현상'이 알맞습니다.

⑵ 인간이 느낄 수 있을 정도로 피부가 노화되고 있는 상태를 뜻하므로 '현상'이 알맞습니다.

⑶ 전시회에서 호랑이처럼 생긴 조각을 보았다는 뜻이므로 '형상'이 알맞습니다.

실력 진단 평가 정답

01 술래잡기 02 ④ 03 순라군 04 ④ 05 ② 06 ③ 07 ③ 08 같은, 다른 09 ③ 10 세기 11 순찰 12 반응 13 성질 14 분해 15 자원 16 성질 17 순찰 18 반응 19 분해 20 자원